# 医学整合课程思政案例集

## ——重庆医科大学的探索与实践

主　编　邓世雄

副主编　徐　晨　刘　湘

编　委（按姓氏笔画排序）

王子川　邓世雄　冯　磊　朱　丹　伍林生　刘　湘

刘小平　严春蓉　李　兵　杨坤蓉　吴　宁　余华荣

宋家虎　陈　戈　邵海英　宗华月　胡　鹏　钟　志

徐　晨　郭德君　唐　卫　唐成林

科 学 出 版 社

北　京

## 内 容 简 介

教育是国之大计、党之大计，承担着立德树人的根本任务。为深入学习贯彻习近平新时代中国特色社会主义思想，落实教育部《高等学校课程思政建设指导纲要》等文件精神，提高医学人才培养质量，重庆医科大学按照器官系统医学整合课程体系对课程思政教学案例进行分类汇编，形成一本具有思政特征、医学特色、专业特点的课程思政案例集。本书分为两篇，上篇由医者精神、西迁精神、抗疫精神等思政元素案例构成；下篇展现了教师在专业课程教学中如何运用思政元素的生动案例，这些案例在教学过程中发挥了良好育人的功能，在学生中引起了良好的反响。

本书既适用于医学院校的学生，帮助其塑造正确的世界观、人生观、价值观，也适用于医学院校的教师，为教师开展课程思政教学设计提供有益的参考。

**图书在版编目（CIP）数据**

医学整合课程思政案例集：重庆医科大学的探索与实践/邓世雄主编．—北京：科学出版社，2023.1

ISBN 978-7-03-073801-1

Ⅰ.①医… Ⅱ.①邓… Ⅲ.①思想政治教育–教案（教育）–医学院校–重庆 Ⅳ.①G641

中国版本图书馆 CIP 数据核字（2022）第 222363 号

责任编辑：王 颖/责任校对：宁辉彩

责任印制：赵 博/封面设计：陈 敬

科 学 出 版 社 出版

北京东黄城根北街 16 号

邮政编码：100717

http://www.sciencep.com

北京汇瑞嘉合文化发展有限公司 印刷

科学出版社发行 各地新华书店经销

*

2023 年 1 月第 一 版 开本：787×1092 1/16

2023 年 1 月第一次印刷 印张：20 1/2

字数：486 000

**定价：180.00 元**

（如有印装质量问题，我社负责调换）

# 《医学整合课程思政案例集——重庆医科大学的探索与实践》编审委员会

新时代推进课程思政建设，必须坚持和加强党对高校的全面领导，聚焦落实立德树人根本任务，深挖创校历史、立足医学文化特色、结合各学科专业特点，构建全面覆盖、类型丰富、相互支撑的医学院校特色课程思政体系。

——重庆医科大学党委书记　覃正杰

课程思政是一项长期综合性改革创新工程，唯有持续发力，久久为功，才能推动课程思政建设内涵式发展，才能打造出有格局、有特色、有情怀的思政课，才能培养德才兼备的医学人才。

——重庆医科大学校长　黄爱龙

# 序　言

教育是国之大计、党之大计，承担着立德树人的根本任务。高校思想政治理论课是落实立德树人根本任务的关键课程，发挥着不可替代的作用。党的十八大以来，以习近平同志为核心的党中央高度重视高校党的建设和思想政治工作，先后发表一系列重要讲话，作出一系列重要指示批示，多次到高校考察指导，与师生座谈交流，特别是出席全国高校思想政治工作会议、全国教育大会、学校思想政治理论课教师座谈会并发表重要讲话，为坚持和加强党对高校的领导及党的建设指明了方向，提供了根本遵循。

近年来，重庆医科大学聚焦落实立德树人根本任务，大力构建十大育人体系，开展了“三全育人”综合改革试点学院和“三全育人”精品项目建设工作，遴选一批“三全育人”校级综合改革试点学院、精品项目，探索形成可示范、可引领、可辐射、可推广、可持续的经验和典型做法，把思想政治工作体系建设引向深入。随着工作的逐步深入，课堂教学作为思想政治教育主渠道的作用愈发凸显。由于专业课程在课堂教学中所占比重较大，如何构建全面覆盖、类型丰富、相互支撑的课程思政体系，对高校思想政治工作来说是必须突破的考验，也是贯穿人才培养全过程的必然要求。

2020 年 5 月，教育部印发了《高等学校课程思政建设指导纲要》（以下简称《纲要》），指出要紧紧抓住教师队伍“主力军”、课程建设“主战场”、课堂教学“主渠道”，“将课程思政融入课堂教学建设全过程”。《纲要》对高校开展课程思政提出了要求，指明了方向，同时也提高了各学科教师对课程思政的认识，加强专业课教师思政能力的建设迫在眉睫。同时，《纲要》中明确指出，医学类专业课程要在课程教学中注重加强医德医风教育，着力培养学生“敬佑生命、救死扶伤、甘于奉献、大爱无疆”的医者精神。

在探索课程思政建设的过程中，重庆医科大学坚持不懈用习近平新时代中国特色社会主义思想铸魂育人，不断改革创新思想政治教育工作方式，大力推进课程思政建设，充分挖掘各门课程的育人元素，使各类课程与思想政治课程同向同行，形成育人合力。一是紧紧围绕坚定学生理想信念，以爱党、爱国、爱社会主义、爱人民、爱集体为主线，系统进行中国特色社会主义和中国梦教育、社会主义核心价值观教育、法治教育、劳动教育、心理健康教育、中华优秀传统文化教育。二是在各类课程教学中注重加强医德医风教育，在培养精湛医术的同时，教育引导学生始终把人民群众生命安全和身体健康放在首位，提升综合素养和人文修养，提升依法应对重大突发公共卫生事件的能力，做党和人民信赖的好医生。三是将课程思政融入课堂教学建设全过程，作为课程设置、教学大纲核准和教案评价的重要内容，落实到课程目标设计、教学大纲修订、教材编审选用、教案课件编写各方面，贯穿于课堂授课、教学研讨、实验实训、作业论文各环节。

近年来，重庆医科大学紧跟现代医学教育发展趋势，以培养德才兼备的医学生为使命，以提高医学教育质量为核心，不断深化医学教育改革，在国内率先开展了由基础到临床全线贯通整合的临床医学人才培养模式改革。2011 年，学校在临床医学（卓越医师教育试点班）探索实施“以器官系统整合为主线、以疾病为中心、以临床思维路径为导向、基础与临床全线贯通”的课程整合改革，彻底打破传统“以学科为中心”的公共基础课程—基础医学课程—临床医学课程“三段式”的教学模式。在 2011 ～ 2013 年连续三届临床医学（卓越医师教育试点班）成功经验的基础上，2015 年扩大到“5+3”一体化临床医学专业，2016 年起在临床医学和儿科学专业全面实施。同时，学校编写出版了国内第一套从基础到临床全线贯通的医学整合课程教材，包括基础阶段整合教材《人体概述》《分子与细胞》2 个分册和基础与临床全线贯通整合教材《呼吸系统疾病》等 9 个分册。2020 年，学校与英国莱斯特大学合作举办临床医学（中外合作办学）专业，全面推进整合医学教学改革 2.0。2021 年，学校打破纸质教材的局限，启动了国内第一套医学整合课程数字教材的编写工作，有效服务于线上教学、混合式教学等新型教学模式。经过十余年研究与实践，重庆医科大学创建了从基础到临床全线贯通的整合式课程体系的临床医学人才培养新模式，为高等医学院校从试点到大规模全面实施整合医学教育教学改革、培养具有岗位胜任力的临床医学人才探索了新路径。

作为一所有着 65 年办学历史的医学院校，重庆医科大学自身所具备的医者精神、西迁精神、抗疫精神，为课程思政建设提供了丰富的素材。西迁先驱们创校的宏伟事迹、爱国奋斗的精神，以及救死扶伤、甘于奉献的医学职业精神，是学校宝贵的历史资源和精神财富，更是新时代落实立德树人根本任务，加强医学生思想政治建设，厚植师生爱国主义情怀最生动的育人教材。2020 年，为切实贯彻党的教育方针，将课程思政落到实处，重庆医科大学成立了课程思政建设工作领导小组，广泛动员、抓住重点，组织开展全校课程思政的研究与实践活动。全校上下合力探索，结合西迁创校历史、医学文化特色、各学科专业特点，深入挖掘课程思政元素，有机融入课程教学。2021 年，学校成立课程思政案例编写组，统筹选材、反复论证，结合重庆医科大学器官系统整合医学教育教学改革特色，按照器官系统医学整合课程体系对课程思政教学案例进行分类，汇编成一本具有思政特征、医学特色、专业特点的课程思政案例集，打造了一批深受学生喜爱的课程思政示范课程、示范课堂，达到润物无声的育人目的。

“其作始也简，其将毕也必巨。”《医学整合课程思政案例集——重庆医科大学的探索与实践》一书，上篇由医者精神、西迁精神、抗疫精神等部分组成，下篇收集了重庆医科大学教师在课程思政建设探索中的生动案例，但本案例集只是初步探索的成果，难免有不当之处，敬请各界同仁批评指正，我们将不断拓展课程思政建设的方法和途径，为我国高等教育事业贡献重医人的智慧和力量！

本书编委会

2022 年 2 月 9 日

# 目　录

## 下篇　课程思政案例

# 上　篇

## 思政元素

# 第一章　医者精神

## 引　言

医学是为全人类做贡献的事业，医学事业是全民事业，医学教育为医学未来发展奠定基础。2018 年 10 月，教育部、国家卫生健康委员会、国家中医药管理局《关于加强医教协同实施卓越医生教育培养计划 2.0 的意见》要求紧紧围绕健康中国战略实施，树立“大健康”理念，深化医教协同，推进以胜任力为导向的教育教学改革。这对我国医学教育事业提出了新要求和新任务，为我国的医学人才培养、医学生成长、医学教学改革指明了方向。同时，《高等学校课程思政建设指导纲要》指出：“加强中华优秀传统文化教育。大力弘扬以爱国主义为核心的民族精神和以改革创新为核心的时代精神，教育引导学生深刻理解中华优秀传统文化中讲仁爱、重民本、守诚信、崇正义、尚和合、求大同的思想精华和时代价值，教育引导学生传承中华文脉，富有中国心、饱含中国情、充满中国味。”

国之大计，医学担当，医学院校承担着推动医学健康事业发展的重要使命。医学是人学，医术是仁术，医者应当是仁者，其最深刻的本质在于对“人”的关怀。医者最重要的精神是“敬畏生命，尊重患者价值，怀揣仁爱之心”，医者肩负的使命是“有时是治愈，常常是帮助，总是去安慰”，这就要求医学人才培育过程中应重视培养高于其他一般职业的职业道德素养。

而在职业道德素养中，医者精神则是最核心的部分，不但能冰释异化为“消费关系”的医患间紧张的局面，也能使医学生有效践行社会主义核心价值观，调节医学生自身与他人的关系，增强医学生社会责任感和历史使命感。医学院校作为培养医学人才的源头，是实施医学教育的平台，应主动适应新时代对医学人才素质的要求，坚持把立德树人作为中心环节，把思想政治工作贯穿教育教学全过程，弘扬医者精神，为国家培养一流的医学人才。

医学发展水平表现为医疗技术的进步，其根本标志是医学人才现代化。思想政治素质是医学人才现代化必不可少的条件，医学生思想政治教育的实效性决定了未来我国医学人才的整体水平。作为“明日医生”的医学生，专业素养和思想道德素质缺一不可，专业精神和医者精神辩证统一。医学院校学生思想道德教育的目标相对较高，即要为新时代培养具有高度社会责任感、高尚医德、伟大医者精神的医学战线接班人，以医者精神为核心的课程思政体系的设计不单单是对医学生进行的人文素质教育，也是不断增强医学生爱国主义精神、集体主义精神的有效途径。构建医学院校以立德树人为根本任务的课程思政建设，挖掘专业课程丰富的思想政治教育元素，形成全过程、全员育人、同向同行的思想政治教育格局，有助于进一步将医学生思想道德教育与医学教育紧密结合，紧扣医学生和医学教育特点实现思想道德教育与医学专业教育的融合，有利于弘扬培育“敬佑生命、救死扶伤、甘于奉献、大爱无疆”的伟大医者精神，有利于更好实现医学生思想道德教育的效度目标，有利于更好满足新时代医学教育人才培养的需要。

声明：本篇章收录古今人物文章及图片来自我校各学院及各附属医院教学中使用的素材，其原始出处为相关文献、网络资料、媒体报道等，编者在本书编写过程中又进行了大量的整合、改编及文字加工。由于来源较为复杂，故无法在此一一注明出处，特致谢原作者。如原作者有版权疑问，也请及时联系编者，以便在后续工作中逐步完善。

# 张仲景：志存高远，德医双修

张仲景是一位伟大的医学家。张仲景生活的东汉末年，是中国历史上一个极为动荡的时代，史书记载多次发生瘟疫，十室九空，他的家族也惨遭劫难。他行医游历各地，目睹各种疫病流行对百姓造成的严重后果，遂立志高远。他在《伤寒杂病论》的《原序》中强调，学医必须有一个明确的目标，“上以疗君亲之疾，下以救贫贱之厄，中以保身长全”，并告诫同行不要争名逐利，而要“留神医药，精究方术”。他遍访名家，博采众长，广收医方，开拓创新，经过数十年的艰辛努力，终于写成《伤寒杂病论》这一不朽之作。该书是一部以论述外感病与内科杂病为主要内容的医学典籍，系统地分析了伤于风寒的原因、症状、发展阶段和处理方法，创造性地确立了对伤寒病的“六经分类”辨证论治原则，奠定了理、法、方、药的理论基础。它确立的辨证论治原则，是中医临床的基本原则，是中医的灵魂所在。《伤寒杂病论》经晋朝太医令王叔和等收集整理，将其中外感病内容结集为《伤寒论》，将论述内科杂病部分改名《金匮要略》。这两部著作至今仍然是中医院校开设的主要学习内容之一。

张仲景不仅给我们留下了极其宝贵的中医经典，也给我们留下了伟大的精神遗产。一是志存高远，他论述学医者必须要有明确目标，至今仍有非常强烈的现实意义；二是德医双修，淡泊名利，专注于医药方术；三是博采众长，开拓创新，不懈努力，终成大家。

（唐成林　王子川）

## 皇甫谧：抱病钻研，守正创新

魏晋时期的文学家、医学家皇甫谧，20 多岁开始矢志发奋读书，26 岁时博案经典，旁采百家，著《帝王世纪》《年历》等。42 岁左右得“风痹症”。他克服肢体麻木、活动不便的困难，悉心攻读医学，将《素问》《灵枢》和《明堂孔穴针灸治要》三书中的针灸内容汇集，去其重复，择其精要，刻苦钻研，守正创新，著成《针灸甲乙经》。该书分为 12 卷，128 篇，以脏腑、气血、经络、腧穴、脉诊、刺灸法和临床各科病证针灸治疗为次序编撰，成为一部体系比较完整的针灸专书，是继《黄帝内经》之后对针灸学的又一次总结，在针灸学发展史上起到了承前启后的作用。

从皇甫谧的事例中，可以简要总结出他成功的几点经验，值得我们认真学习和体会。一是不畏艰苦，二是坚持不懈，三是守正创新。我们广大青年学生，在学习专业知识的同时，要深刻体会在奋斗过程中的艰辛与意志品德的培养，守正创新，全方位成长，成为新时代的新型医务工作者。

（唐成林　王子川）

# 孙思邈：大医精诚，仁心仁术

孙思邈，京兆华原（今陕西省铜川市耀州区）人，唐代医药学家，被后世尊称为“药王”。

孙思邈的著作《备急千金要方》系统论述了医德思想，认为“人命至重，有贵千金”。《备急千金要方》将“大医精诚”的医德规范放在了极其重要的位置上来专门立题，是中国医德思想的肇始。《大医精诚》一文出自《备急千金要方》第一卷，乃是中医学典籍中论述医德的一篇极重要文献，为习医者所必读。《大医精诚》论述了有关医德的两个问题：第一是精，亦即要求医者要有精湛的医术，认为医道是“至精至微之事”，习医之人必须“博极医源，精勤不倦”。第二是诚，亦即要求医者要有高尚的品德修养，以“见彼苦恼，若己有之”感同身受的心，策发“大慈恻隐之心”，进而发愿立誓“普救含灵之苦”，且不得“自逞俊快，邀射名誉”“恃己所长，专心经略财物”。

他指出为医者必须一切以治病救人为先。对患者应该不分“贵贱贫富，长幼妍蚩，怨亲善友，华夷愚智，普同一等”；以解除患者痛苦为唯一职责，其他则“无欲无求”。基于这样的准则，医者不能打量患者衣着或家中布置，更不能借机索要财物，应该无欲无求。他本人得享高寿，是以德养性、以德养身的代表人物之一。

孙思邈在针灸术方面造诣颇深，提出“阿是穴”和“以痛为腧”的概念，发明手指比量取穴法，首先提倡“针灸会用，针药兼用”的治疗原则，认为“良医之道，必先诊脉处方，次即针灸，内外相扶，病必当愈”。他积极主张针药并用对疾病实行综合治疗并重视预防，提出“保健灸法”，著有《明堂针灸图》。

总而言之，孙思邈不仅具有精湛的医疗水平，更为医者树立了良好的医德规范。我们要学习他这种高尚的医疗品德，更应具备对患者认真负责的精神和救死扶伤的医疗责任感。

（唐成林　王子川）

## 王惟一：开拓创新，首造“铜人”

王惟一，又名王惟德，为中国著名针灸学家之一，其主要学术贡献是通过考订《明堂针灸图》撰写《铜人腧穴针灸图经》，铸造针灸铜人模型及刻《铜人腧穴针灸图经》于石，使经穴理论规范化。

公元1026年成书的《铜人腧穴针灸图经》共3卷，是一部图解式的针灸专著。书中把354个穴位依照十二经脉循行串联起来，绘制成图，标注穴位名称，可查到穴位及对应的主治证候。王惟一在撰写此书时，“纂集旧闻，订正讹谬”，做了不少校勘考证工作，对后世学习《黄帝内经》原文起了辅助作用。

王惟一设计的针灸铜人，内藏脏腑，外刻经络穴位，平时作为最直观的教具供学生揣摩学习，考试时内装水银，外封黄蜡，学生照题扎针。若针刺准确，刺破黄蜡即有水银流出，反之则在黄蜡上留下印迹而水银不出，提示取穴不准。针灸铜人使经穴教学更加形象化与直观化，开创了经穴学习和考试都要进行实际操作的先河，成为后世的针灸人体模型教具先驱。此外，刻《铜人腧穴针灸图经》于石则让石碑起到了保存《铜人腧穴针灸图经》内容的作用。石碑、铜人、《铜人腧穴针灸图经》三者形式不同而内容一致。

我们要学习王惟一实践出真知、善于思考的务实精神，以为后人做出自己的贡献。

（唐成林　王子川）

# 钱乙：儿科之圣，翰林医官

钱乙是宋代著名的儿科医家，被尊称为“儿科之圣”“幼科之鼻祖”，《四库全书总目提要》称“钱乙幼科冠绝一代”，其著作颇多，但存世的仅有《小儿药证直诀》，为我国现存的第一部儿科专著。

钱乙除了在儿科学方面的成就为后人所称道外，他的至诚至孝、专一治学也是值得我们学习的。

钱乙的母亲在他很小的时候就去世了，他的父亲虽精于医道，但爱喝酒，在钱乙三岁时父亲就离开他独自东游。姑父和姑妈收养了钱乙，对其视为己出，抚养他长大。钱乙的姑父也是一名医生，所以从小教导他医术。钱乙长大之后，知道了自己的身世，大哭一场后决定出海寻找他的亲生父亲。几年的时间，钱乙一共往返了八九次，终于把父亲接回家来。钱乙并没有因为父亲对他的不管不问而有任何怨言，反而尽心侍奉。钱乙侍奉姑妈、姑父至孝，在他们去世之后为他们料理后事，服丧守孝。

钱乙小时候跟姑父出诊时，就对患病小儿特别怜悯。儿科在古代被称为哑科，中医的望闻问切四诊在诊断小儿时多用不上。小儿身形未全，全而未壮，十分脆弱，给小儿诊病难上加难，所以古代许多小孩不等到长大成人就夭折了。钱乙立下宏愿，一生为使“幼者无横夭之苦，老者无哭子之悲”而努力。

钱乙通过总结自己的经验，全身心投入钻研，最终取得巨大的成就，为后世留下了宝贵的医学财富。我们要学习他迎难而上，从医多年专精一科的精神。

（唐成林　王子川）

## 万全：严谨治学，患者为上

万全，字密斋，湖北罗田人，是明代著名医家，名噪于隆庆和万历年间，家传儿科三世。他幼承家学，潜心研究，颇有发挥，尤精于儿科。万全除了医术高明之外，他的治学严谨、实事求是、坚持患者为上的精神，也是非常值得我们学习的。

万全治学严谨，不轻易盲从，不管是家传方剂，还是前贤的一些论述，他都要反复实践验证之后才下结论。对于家传方剂的应用，他在书中不仅详细分析，还记载了大量自己的临证医案，让后人能够得到启示。他很推崇钱乙的学术观点，但也不迷信盲从，以实事求是的态度对待。例如，对钱乙的益黄散，后世医家大多尊崇用于补脾胃，但他通过实践之后认为该方用于治疗脾胃虚寒尚可，但用于补脾胃效果不及异功散。

万全在诊疗过程中，始终坚持患者为上的原则，不被其他因素干扰。在万全所撰儿科名著《幼科发挥》中记载了一则医案，故事的主要内容是这样的：胡元溪之子4岁时患咳嗽，因为元溪与万全不合，所以请其他医生诊治，时逾半年，儿子的病愈加严重，不得已才请万全诊治。万全“以活人为心，不记宿怨”，经过严谨、认真的诊断后，认为需1个月方能治好，并就孩子病情向元溪进行了耐心的解释。服用5剂药之后，孩子病情大为减轻，但因元溪仍存疑心，就另请其他医生治疗。万全虽诚心进行解释仍不能释疑。后来，孩子在服用其他医生所开药物后病情加重，元溪的妻子怒骂丈夫。元溪不得已，只好请万全复诊。同时元溪妻子重金酬谢万全，万全却不为所动，只要求他们信任自己即可。最后万全根据孩子病情悉心诊治，孩子最终痊愈。

我们要学习万全这种为治病救人不计前嫌、受到质疑之后仍然心系患者安危、危急时刻为救患者愿意挺身而出、时刻心怀患者的优秀品质。

（唐成林　王子川）

# 李时珍：创新勇气，坚忍毅力

李时珍，字东璧，晚年自号濒湖山人，湖北蕲春人，明代著名医药学家。李时珍曾为楚王府奉祠正、皇家太医院判，去世后被明朝廷敕封为“文林郎”。

李时珍先后到武当山、庐山、茅山、牛首山及湖北、湖南、安徽、河南、河北等地收集药物标本和处方，并拜渔人、樵夫、农民、车夫、药工、捕蛇者为师，参考历代医药等方面书籍八百余种，考古证今、穷究物理，记录上千万字札记，弄清许多疑难问题，历经 27 个寒暑，三易其稿，完成了巨著《本草纲目》。此书不仅对中医药学具有极大贡献，对世界自然科学的发展也起了巨大的推动作用，被誉为“东方医药巨典”。

李时珍不拘泥药物“三品分类”之古训，以分纲别目编排药物，具有创新勇气。他历时 27 年，凭借着刻苦钻研的坚强意志、广泛实地考察的科学方法、亲尝曼陀罗的献身精神、不耻下问的谦虚态度，著成了药学巨著《本草纲目》，是新时代医药学工作者，尤其是青年学子的楷模。我们要学习李时珍对中药学科的创新勇气与刻苦学习的坚忍毅力。

（唐成林　王子川）

## 杨继洲：勤学不辍，针药共施

杨继洲，名济时，三衢（今浙江省衢州市）人，明代著名针灸学家。主要作品有《针灸大成》。

据《中国医籍考》卷二十二记载，杨继洲家学渊源，其祖父杨益曾任太医院太医，家中珍藏各种古医家抄本，所以杨继洲学医有得天独厚的优势。他年幼时潜心向学，科举不第，最终弃儒学医。一生行医40多年，精通针灸，治病时常常针药并重。

杨继洲结合其家传经验编撰《卫生针灸玄机秘要》一书，后为山西监察御史赵文炳治疗痿痹之疾，三针而愈。赵文炳为了答谢杨继洲救命之恩，特意委托靳贤协助杨氏，在《卫生针灸玄机秘要》的基础上，广采群书，辑录《神应经》《古今医统》《乾坤生意》《医学入门》《医经小学》《针灸节要》《针灸聚英》等书，并参以己意，细加补充，著成《针灸大成》。

《针灸大成》是明代以来流传最广、知名度最高的针灸学著作，自刊行以来，其翻刻次数之多，流传之广，无出其右。此书至今有50种左右的版本，并有英、日、法、德等多种译本。

《针灸大成》总结了明代以前我国针灸的主要学术经验及众多的针灸歌赋；重新考定了穴位的名称和位置，绘制穴位全身图和局部图；阐述和归纳历代针灸的操作手法，提出杨继洲的见解如“杨氏补泻十二法”等；记载了各种病症的配穴处方和治疗验案。《针灸大成》的问世，标志着中国古代针灸学已经发展到了相当成熟的程度，已成为针灸学子最重要的专业参考书。

（唐成林　王子川）

# 蒲辅周："勤、恒、严、用"，四字治学

蒲辅周，四川梓潼人，现代杰出中医学家。蒲辅周对党无限忠诚，对祖国无限热爱，对祖国的传统医学更是不懈追求，治学坚守"勤、恒、严、用"四字，终成现代名声显赫的中医大家，谱写了亮丽的中医人生。

蒲辅周15岁开始继承家学，3年后独立应诊于乡，后悬壶于成都，声誉日隆。1956年蒲辅周调入卫生部中医研究院工作，倾心中医事业七十余年，其医理精湛，学识宏深，在许多中医学术领域均留下了独到见解。蒲老的治学精神，经其门人整理概括为四个字："勤、恒、严、用"。

一个"勤"字，道出了多少辛酸泪。蒲老虽然临床诊务十分繁忙，但不论阴晴寒暑，他都坚持每天早晚学习，几十年从未间断。因中医知识深奥难懂，再聪慧的人，如果缺乏勤奋，都是不能把中医药知识读懂弄透的。一个"恒"字，坚持到最后才算胜利。蒲老认为，中医理论深奥，没有坚韧不拔、锲而不舍的毅力和活到老、学到老的恒心，是不易掌握和领会中医知识的。可见，学习中医，持之以恒，才能领悟中医奥妙。一个"严"字，治学需要科学态度。蒲老认为治学严谨与否，不仅是科学态度的问题，还是一个重要的方法问题。他的这种高度负责的作风，值得我们中医人学习和发扬。一个"用"字，要落到实处才是真。蒲老认为，学以致用，学用结合。如果只学不用，读书虽多亦不过埋在故纸堆中。

通过蒲老的事迹，我们认识到学习中医，一定要注重理论联系临床，才能逐步丰富自己的中医诊治思维，全心全意为患者服务。

（唐成林　王子川）

# 吴棹仙：医德高尚，医术高超

吴棹仙，四川巴县（今重庆市巴南区）人。幼承庭训，攻四书五经兼习医学，曾在巴县医学堂学医。1939年，在重庆山洞镇创办重庆中医院、巴县国医学校，1954年被聘为重庆市中医进修学校教师，继被委任为重庆市第一、二中医院院长。他行医六十余载，以高尚的医德和高超的医技闻名其时。

吴棹仙长年研究中医经典，治学严谨，精于内科、针灸，擅用经方治病。其学术作风严谨、一丝不苟，善于以经解经，与现代医学互补、结合，并结合古代天文物理科学重现中医性命之学的精髓，重视传统经典的传承，强调中医教学一定要注意理论与实践的紧密结合。

1918年，吴棹仙与同学开设双桂堂药店，时值炎暑正有温病流行，死者甚多，吴棹仙与当时名医王恭甫不惧时疫，轮流坐堂施医。他秉持“危而不救，何以医为”的理念，不取分文诊金，且对贫困者施以医药，一时间求医者甚众，救人无数。之后先后在重庆国医药馆、光华国药公司、永生堂等医馆行医，经常救助贫困不能支付药费者，在处方上角书写“记棹仙账”字样为其免费施治，受他恩惠的患者常热泪纵横，感激涕零。成名之后，吴棹仙并不以名医自居，无论长幼妇儿、富贵贫贱，皆有求必应，对于不能上门就医而请求出诊者，也有延必至，他常说：“出诊乃中医传统美德。”

吴棹仙一生俭朴，所得诊金皆用于建学校、办医院，去世之后，家中竟无半分积蓄。好友谢慕沙先生在吴棹仙谢世后为其撰写墓志铭曰：“先生医术，世或可企及，而医德之高，则人所尤难能者。”这绝非对吴棹仙医德的谬赞之辞。

（唐成林　王子川）

# 任应秋：刻苦勤奋，穷经治学

任应秋，四川江津（今重庆市江津区）人，早年就学于江津县国医专修馆。1950 年后，任江津县医务工作者协会副主任、重庆中医进修学校教务主任。1957 年调北京中医学院任教，后任文献编研组组长、各家学说教研室主任、中医系主任等。在治学方面，任应秋曾说，做学问要下苦功夫，学问多半都是一望无涯的汪洋大海，不具备一点牺牲精神，甘冒风险，战胜惊涛骇浪，坚定地把握着后舵，航船是不可能安全到达彼岸的。这是任老治学精神的真实写照。

任老 17 岁开始学习中医学，先学陈修园的《公余六种》，半年即能背诵。在从师刘有余先生期间，为探索经旨，又详学灵素，从每一章句研究理解，并在校勘上苦下功夫，力求参透《黄帝内经》的理论体系和指导思想。任老认为，学习中医需讲究方法，一曰精读，“每一书皆作数过尽之”，宁肯“迂钝”，决不含糊。二曰勤写，边读边记笔记，“不动笔墨不看书”，他采用概括和缩写、纲要笔记、摘记、综合笔记、心得笔记等多种形式将学习过程和心得付于笔端，可见其治学之精勤。三曰深思，他认为“搞科研、做学问、写文章，都应学习欧阳修的办法，抓紧一切时间构思”。四曰善记，他认为要锻炼我们的大脑，一是有决心、有目标、勤奋练习；二是记东西要有自觉的联想；三是不放松机械记忆；四是把自己学到的知识进行整理和分类。

任老认为精读、勤写、深思、善记四个环节，是学习过程中必不可少的，是环环相扣的。任老将“精读、勤写、深思、善记”贯穿于一生的中医治学中，以“刻苦勤奋、持之以恒”八个字自勉，才取得过人的成就。

任老的勤奋、严谨治学仍是我们医学人的学习典范，我们要继承并发扬光大这种精神，为祖国医疗事业做出自己的贡献。

（唐成林　王子川）

## 王应睐等人工合成牛胰岛素研究人员：团队协作 铸就辉煌

在人类认识史上，对生命本身的认识是一个难以逾越的重要研究，随着科学技术的发展，人们对生命的神奇与复杂不断有了更为深入的研究，并越来越深刻地认识到：对生命的研究困难程度丝毫不亚于对外在自然界以及浩瀚宇宙的研究。在生命研究历程中，相关研究必然要受到科学知识的积累与发展、技术设备的研发与供给以及相应政策制度的制定与实施等多种因素的综合影响，其中，人主体性因素的发挥尤其不能忽略。与传统社会许多天才式科学家更多进行独立研究不同，在研究对象日趋复杂的生命科学研究中，团队协作是其中不可或缺的一种重要精神。而中国科学家在20世纪中叶敏锐地抓住了生命科学研究中非常富有研究价值的命题，充分发挥了团队协作精神，在1965年人工合成牛胰岛素，在生命科学研究中取得了重大突破并创造了历史纪录，引起了世界范围内的广泛关注，从而铸就了生命科学研究过程中的一段辉煌。

这项成果是由中国科学院上海生物化学研究所、中国科学院上海有机化学研究所以及北京大学三家单位联合攻关。众多优秀研究人员参与其中，他们不计名利，身负高度的责任感与使命感，勇挑重担，克服了重重困难，终获成功。他们通过实际行动不仅生动地诠释了科学精神，即他们的研究充分体现了新的历史时期科学家的探索精神，而且为其注入了新的内涵，即科学家们基于独立思考之上对于团队主义精神的高度昂扬。在这个研究团队中有很多杰出的科学家，王应睐即是其中有代表性的一位（当然，我们绝不应仅仅记住其中某一位，最大的难处是我们无法对这些默默奉献的科研人员一一进行列举），他曾留学剑桥大学并获博士学位，有扎实的学术素养，在生物化学研究方面是当时国内首屈一指的领军人物，取得了丰硕研究成果，并被选聘为中国科学院学部委员。

与当时很多杰出的科学家一样，王应睐并未完全沉溺于个人研究中，而是在研究过程中使个人专长与国家科技发展的战略需求以及国家荣誉实现了有机结合，且更看重后者。在此种思维主导下，时任中国科学院上海生物化学研究所所长的王应睐团队找准了具体的研究对象。在当时条件下，鉴于此项工作的前沿性与复杂性，由某个机构或少数几个科学家从事该研究显然是不可能的，必须要联合攻关，正是在这种情况下，其他机构的研究人员才陆续加入进来。在不同机构协作过程中，组织协调工作尤显重要，王应睐在其中发挥了至关重要的作用。有了明确的研究目标以及可靠的协调保障机制，在艰苦的条件下，整个团队并未一味屈从于环境，而是将人的主动性与科研热情最大限度地发挥出来，三家机构在不断摸索过程中找到了最优研究路线，然后通力合作，终于取得了这项令人瞩目的世界性成果。与此同时，在研究过程中整个研究团队的无私奉献、默契合作也给以后的科研工作者树立了光辉的典范。

（郭德君）

# 林巧稚：为患者的幸福着想

一切为患者的幸福着想，是“万婴之母”林巧稚一直秉承的理念。林巧稚，中国现代妇产科的奠基人，在研究胎儿宫内呼吸、新生儿溶血病、妇科肿瘤、女性盆腔疾病等方面有非常突出的贡献，她是北京协和医院第一位中国籍的妇产科主任。在林巧稚60年的从医生涯中，她接生了五万多名婴儿，现在北京协和医院里还留存着一张具有纪念意义的老照片，上面记录着体重3690克的男婴，这个婴儿就是著名的杂交水稻之父袁隆平。

在林巧稚的医生生涯当中，她收治过一名31岁的患者，结婚6年，第一次妊娠，妊娠3个月后，发现宫颈有肿物，被诊断为宫颈癌，建议的治疗方案是切除子宫。但林巧稚发现，患者的肿物和一般的恶性病变不太一样，倒有点像妊娠中良性肿瘤的一种特殊变化。考虑患者仅31岁且从未生育过，林巧稚请其他科室的专家一起为患者会诊，在反复斟酌讨论后，林巧稚大胆做出一个决定，暂不切除患者子宫，且每周亲自为其检查随访。结果6个月后，患者经剖宫产顺利分娩一名健康女婴，患者的宫颈肿物也在产后自动消失了。

这个罕见的病例，之后被医学界确认为是可随着孕妇妊娠终止而自动消失的蜕膜瘤。林巧稚秉持着一切为患者的幸福着想的理想信念，救治了妊娠中被误诊为“宫颈癌”的患者，为患者保住了子宫和胎儿。

林巧稚终生未婚，却将毕生的精力献给了医学事业，她常常带着医务人员深入农村、城市，研究关于妇女和儿童的疾病。在当时落后的医疗条件下，婴儿死亡的现象时有发生，她亲笔撰写了《家庭卫生顾问》，这本书成为妇幼卫生科普通俗读物，受到广泛传播。为了治疗新生儿溶血病，她创造出了用脐静脉换血的医疗方法，填补了国内这方面的空白。

林巧稚曾经说：“我一生最爱听的声音就是婴儿的第一声啼哭，这些哭声让我感受到生命的奇妙，感受到作为医生的自豪，也体会到了作为母亲的快乐。”作为一名医生，林巧稚真正地做到了爱岗敬业，心怀仁慈又诚挚待人，以救死扶伤为己任，淡泊宁静又无怨无悔。她的一生都是在为人民服务中度过的，像一团火焰一样在散发着光芒，向人们传递着温暖。

（凌　丽）

## 陆道培：人民至上，生命至上——中国移植精神

陆道培，1931年出生于上海的一个医学世家，我国著名血液病学专家，中国工程院院士。他开创了中国异基因骨髓移植事业的先河，将我国异基因骨髓移植的疗效提升到国际先进水平，并促进了造血干细胞移植事业在中国的蓬勃发展。

在20世纪50年代，身患白血病的患者无疑是被下了一张死亡通知单，血液病医生眼睁睁地看着患者遭受痛苦与死亡的威胁却又无能为力。1957年，北京人民医院（现北京大学人民医院）成立了中西医结合的内科血液病专业组，年仅26岁的陆道培成为新中国第一代血液病专科医生，开启了血液病的攻坚克难之路。1964年，陆道培收治了一名重型再生障碍性贫血患者，她的孪生姐妹是一名孕妇。陆道培为她成功实施了亚洲第一例异体同基因骨髓移植，这也是世界上唯一由孕妇作为供者的骨髓移植，他由此被誉为“亚洲骨髓移植第一人”。

陆道培先后去了英国、法国、瑞士等，在白血病诊治中心进行研究学习。1981年，他燃起熊熊的希望，满怀斗志建立了北京医学院（现北京大学）血液病研究所。虽然研究所破旧和拥挤，但是，困扰世界的医学难题就在这里一步一步被破解。没有无菌层流室，陆道培就亲自动手制作了一个无菌层流室。1981年这个不大的无菌层流室住进了一个身患白血病的女大学生，经过50多个日日夜夜的奋斗，中国首个异基因骨髓移植取得了成功。

时至今日，陆道培仍扎根于临床工作，2020年春节前后，因为新冠肺炎疫情蔓延，他的门诊暂时取消，但他仍心系患者，主动要求前往医院参加疑难病例讨论。

他时常对年轻医生说：“你给人家看病，近期疗效要紧，远期效果更重要，要让人家通过你的治疗获得安全感、幸福感，从而重归日常生活，这是作为医者最大的责任。”这就是中国移植的精髓与灵魂，他肩负医生的使命，用行动诠释了什么是仁心仁术；他行医的热情、执着的精神为无数患者撑起了生的希望。

（王　璐）

# 顾方舟：一生只做一件事，值得！

顾方舟，著名病毒学家、医学家，为全世界控制脊髓灰质炎做出了关键贡献。人们也许对他的名字不太熟悉，但一定知道脊髓灰质炎口服疫苗“糖丸”。

脊髓灰质炎曾称小儿麻痹症，是由脊髓灰质炎病毒引起的急性传染病。人感染后，轻则肌肉萎缩、骨骼变形，遗留残疾；重则呼吸障碍，甚至死亡。20世纪50年代，我国暴发脊髓灰质炎疫情。当时刚从苏联进修回国的顾方舟临危受命，进行脊髓灰质炎疫苗研制工作。顾方舟的父亲早逝，母亲为了养家糊口自考助产士，抚养几个孩子长大。母亲的坚强深深影响着顾方舟，并在他心中埋下了学医的种子。后来他成绩优秀，考上了北京大学医学院。在学习中他了解到当时中国的公共卫生状况十分落后，他毅然决定从事公共卫生事业。

美国是最早开始研究脊髓灰质炎疫苗的国家。灭活病毒疫苗虽安全，但效果有限且造价高昂；活病毒疫苗成本低，材料易得，但在美国没人愿意冒风险进行活病毒疫苗试验，故活病毒疫苗研究停滞不前。考虑再三，顾方舟给中国医学科学院副院长沈其震写信，提议选择活病毒疫苗，他的建议最终得到采纳。

当研制出的“液体”活病毒疫苗进入临床试验阶段，顾方舟率先喝下疫苗溶液，没有不良反应，证实疫苗对成人无害，但对儿童是否同样无害？经过艰难的思想斗争，他又喂疫苗溶液给自己刚满月的儿子，孩子平安无恙，他这才松了一口气。顾方舟随即开始扩大临床试验范围、建立医学生物研究所、建造疫苗生产基地。

1960年底，我国自主研发的脊髓灰质炎活病毒疫苗投放至全国，成效显著。为了更好地保存和运输疫苗，顾方舟又和团队一起研制出固体“糖丸”疫苗。“糖丸”能在常温下存放，而且好吃。因为这一别具一格的创举，顾方舟被大家亲切地称为“糖丸爷爷”。“糖丸”守护了一代代中国儿童的健康，我国脊髓灰质炎的感染率明显下降。2000年，顾方舟在“关于中国消灭脊髓灰质炎的确认报告”上郑重地签下了自己的名字，宣告中国成为无脊髓灰质炎国家。

2019年，顾老逝世，他留给世人最后一句话：“我一生做了一件事，值得，值得，孩子们快快长大，报效祖国。”他甘冒个人风险，为国担当的精神将永远被人们铭记和传承！

（肖　明）

# 宋鸿钊：改写绒癌“生死簿”

有位病理学家曾说“凡是绒癌，患者都没有存活的，存活的都不是绒癌”。所谓“绒癌”，是一种致死率极高的恶性滋养层细胞肿瘤，是绒毛膜癌的简称。北京协和医院宋鸿钊院士自20世纪50年代开始领导研究小组对绒毛膜癌的发生发展及诊断与治疗进行了深入研究，建立了一套行之有效的方法和标准。

研究的过程并不是一帆风顺，困难接踵而至，宋鸿钊带领团队攻坚克难，探索最佳的治疗方法。1953年，宋鸿钊开始寻找药物治疗方法，从中药到6-巯嘌呤（6-MP），均未能取得满意的疗效。从1958年开始，宋鸿钊领导的研究组从事于新疗法的研究，首创大剂量5-氟尿嘧啶（5-FU）等化学药物治疗绒癌，对不同转移部位的肿瘤采取具体不同的给药途径和用药方案，对症下药，取得了突破性治疗效果，初治患者死亡率由过去的90%以上下降至15%以下，使患者从绒癌绝境中看到了生的希望。

作为医者，宋鸿钊深知治疗并不能仅仅局限于对病症的治疗，还应考虑对患者社会生活产生的影响，做到既救性命又救人之尊严。于是宋鸿钊开始了新的探索之路——保留患者的生育功能。这是一个全新而伟大的研究，没有先例可循，全靠宋鸿钊埋头苦干和大胆创新。自1959年开始研究单纯药物治疗的同时，他不按常规保留了患者存在原发灶的子宫，以保留患者的生育功能，并获得成功，在治病救人的同时保证了患者日后的生活质量。患者病愈后所生子女及子女再生育均正常，绒癌治疗实现了新的突破。宋鸿钊实现了绒癌治疗方法从无到有的飞跃，在形成了行之有效的成熟方案后，治疗方法被推广至国内外，挽救患者生命数以千计，也在药物治疗癌症史上树立了第一个成功的先例，促进了药物治疗癌症的发展。

从“活着”到“活得更好”是宋鸿钊院士及其领导的研究团队一直孜孜不倦所追求的目标，是崇高医德、精湛医术的集中体现，更是新时代医学生如何体恤患者、关爱患者的学习榜样。他们刻苦钻研，执着追求，他们迎难而上，挽救生命，一心为患者着想，是一代朴实但宏伟的医者的写照。

（李雯雯）

# 吴孟超：妙手仁心、大医精诚

吴孟超，我国肝胆外科领域的创始人和开拓者，被誉为“中国肝胆外科之父”。20 世纪 50 年代，吴孟超投身到我国曾是一片空白的肝胆外科领域。经过半个多世纪的探究，他创造了中国乃至世界医学肝胆外科领域的多个第一，推动了中国肝胆外科从无到有、从有到精的发展，使中国肝胆外科跻身于世界领先水平。

吴孟超创造性地提出了中国人肝脏“五叶四段”的解剖学理论，被认为是新中国成立以来我国肝脏外科领域的首项重大发现；他发明了常温下间歇肝门阻断止血技术，提高了世界肝脏切除术的安全性，目前这一方法是肝脏手术中最简单有效的方法。为了推动我国肝癌由治疗到预防的转变，他开辟了肝癌基础与临床研究新领域，主持创建世界规模最大的肝脏疾病研究诊疗中心，在肝癌信号转导、免疫治疗等方面取得了重要成果。在吴孟超的带领下，我国的肝病诊断准确率、手术成功率和术后存活率居于世界领先水平。

吴孟超从医的一生，可以用“妙手仁心、大医精诚”来诠释。他凭借精湛的医术先后完成 16 000 多例手术，成功救治 20 000 多名患者，其中包括许多重症患者。1975 年，一位患了肝脏巨大血管瘤的安徽农民求治于吴孟超。虽然手术风险极大，但吴孟超毫不犹豫地收下了这位病人。经过长达 12 小时的手术，吴孟超成功地切下一个 18kg 的肿瘤。这是目前全世界被切除的最大的肝海绵状血管瘤。手术过程可谓险象迭生，吴孟超硬是从死神手中夺回了一条命。1983 年，吴孟超为一个 4 个月大患了肝母细胞瘤的女婴成功地切除了肿瘤，创下了世界肝母细胞瘤切除年龄最小的纪录。吴孟超依靠精湛医术挽回重症病人生命的事例不胜枚举。

践行医者仁心是吴孟超毕生的追求，也是吴孟超高尚医德的真实写照。吴孟超认为治病救人首先是要关爱病人，其次才是医术。关爱病人就是要对病人负责，替病人着想，为病人省钱。他认为一位好的医生是用最好的技术、最科学的方法、最便宜的药械、最简单有效的手段，治好病人的病。为了最大限度地减轻病人负担，吴孟超要求医生不用价钱贵的抗生素，做检查时也尽量为病人省钱；如果做 B 超能解决问题，绝不让病人去做 CT 或者磁共振检查。吴孟超对病人的关爱，还体现在许多细微之处。例如，冬天查房，吴孟超会先将自己的双手搓热，再给病人检查身体，还会顺手为他们拉好衣服、掖好被角、摆好床下的鞋子。虽然这对医生来说是轻而易举的事，却能给病人带来温暖。吴孟超留下的这些宝贵的精神财富永远激励着无数医学人在医学道路上奋进前行。

（辛　艳）

## 罗莎琳·萨斯曼·耶洛：矢志不渝、追求真理

罗莎琳·萨斯曼·耶洛，美国女医学物理学家。她和美国医学家所罗门·伯森一起发现了人体内存在胰岛素抗体，并进一步发明了放射免疫测定技术，这些成就使他们荣获1977年诺贝尔生理学或医学奖。放射免疫法的创立被认为是医学、生物学领域的一次革命，目前已经广泛运用于基础医学和临床医学每一个学科中。

20世纪50年代，耶洛和伯森在研究糖尿病病人对胰岛素的耐受性原因时，发现病人在用胰岛素治疗后体内可以产生胰岛素抗体。但这一发现并不符合当时的免疫学理论。当时的免疫学学者普遍认为像肽类激素这样小分子量的物质不能刺激机体产生抗体。而耶洛和伯森坚持认为可以产生抗体，并把他们的发现写成论文投到顶级期刊《科学》，但被拒稿了。虽然最终被医学领域权威期刊《临床研究杂志》接收并发表，但期刊编辑要求将论文中的“胰岛素抗体”一词用“胰岛素结合蛋白”代替，以减少医学界的反对意见。耶洛不为固有理论所束缚，继续寻找能检测胰岛素抗体的方法，经过两年的努力，发明了放射免疫测定（RIA）技术。RIA灵敏、易行，几乎可测定生物体内的任何物质，包括生物体本身分泌的各种激素、口服或注射的各种药物、一些病毒抗原等。它也成为诊断甲状腺疾病、生长障碍、高血压、内分泌腺瘤和其他内分泌疾病的重要工具。

耶洛在医学领域取得的卓越成就造福人类，其崇高的科学精神更是激励无数学者。当耶洛的研究成果没有得到学术界认可的时候，她并没有放弃，而是继续探索，反映了她追求真理、严谨治学的求实态度。当耶洛创立的RIA技术在许多国家的基础研究和临床应用实验室得到推广和应用，潜藏巨大商业价值的时候，她拒绝申请专利，还用自己的实验室为100多位研究者培训RIA技术使用方法。耶洛还致力于将RIA技术推广到普通应用，让更多的人免费使用RIA技术而不是满足自身利益。耶洛认为她首要关注的问题是医学技术本身对科学和人类带来的巨大价值，而不是技术与利益之间的关系。这表现出了一位科学家淡泊名利、潜心研究的奉献精神。

耶洛是女性科学家的典范，是继1947年诺贝尔生理学或医学奖获得者科里夫人后第二位获得该奖项的女性科学家。耶洛的成就改变了学术界对女性科学家的偏见，证明女性在完成家庭责任前提下，在科学领域也能取得重大成就。耶洛很好地处理了家庭与事业的关系。在作为一名杰出的科学家的同时，耶洛也是一位优秀母亲和妻子。她的成就被当作励志故事鼓舞着许多女性投身到科研领域中，女性也能在科研中取得重大成就。

（辛 艳）

# 巴里·马歇尔：以身试菌、敢为人先

巴里·马歇尔，澳大利亚科学家，诺贝尔生理学或医学奖获得者。马歇尔和澳大利亚病理学家罗宾·沃伦经过多次试验和反复论证，发现了幽门螺杆菌，并提出胃炎和消化性溃疡都是由幽门螺杆菌感染所致，这在医学领域是一项重大的发现。马歇尔和沃伦的探索性发现，使消化性溃疡不再是一种影响人们正常生活的慢性疾病，而是可以通过给予短期的抗生素和抑制胃酸分泌的方法予以治愈。

然而，马歇尔在追求科学的道路上并非一帆风顺。最初他的研究结果并不被看好，甚至被认为离经叛道而遭到质疑。因为马歇尔提出的幽门螺杆菌是导致胃炎和消化性溃疡的理论，恰好与当时医学界的主流观点相悖。当时医学界普遍认为胃炎和消化性溃疡的主要原因是精神压力和生活方式。为了获得更多的证据来证明幽门螺杆菌和胃炎、消化性溃疡的关系，马歇尔以身试菌，用自己作人体试验。1982 年，31 岁的马歇尔喝下了含有大量幽门螺杆菌的培养液，试图让自己患上胃溃疡。喝下菌液 5 天后，他身体出现不良反应，开始冒冷汗、进食困难、呕吐、口臭等。10 天后，马歇尔做胃镜检查时，在自己的胃黏膜上发现了幽门螺杆菌。最后他用自创的已经试验过的抗生素疗法治好了自己的胃病。马歇尔的研究成果相继发表，特别是在权威医学期刊《柳叶刀》的发表，引起了医学界的重视和信服。人们逐渐认同了幽门螺杆菌导致胃炎和消化性溃疡的理论。幽门螺杆菌及其作用的发现，改变了当时已经流行多年的人们对胃炎和消化性溃疡发病机制的错误认识，被称为是消化病学研究领域的重要革命。

马歇尔以身试菌的“疯狂举动”表现出了一位科学家勇于攀登、敢为人先的创新精神和追求真理、严谨治学的求实精神。马歇尔探索性的科学发现告诉我们，科学道路上没有平坦大道，任何成就的取得都离不开大胆的假设，严谨的求证，长期的坚持和无私的奉献。马歇尔大胆尝试、以身试菌，追求真理的奉献精神激励着无数人。作为新时代的医学生肩负着中华民族伟大复兴的历史重任，在学习和科学研究过程中应该以马歇尔为榜样，秉持敢于怀疑、勇于探索、坚持不懈的精神砥砺前行。

（辛　艳）

# 颜福庆：创办中国人自己的医院

颜福庆，中国现代医学教育和公共卫生事业先驱，著名医学教育家。作为耶鲁大学第一位获得医学博士的亚洲人，颜福庆创办了湖南湘雅医学专门学校，发起组织中华医学会并担任中华医学会第一任会长、北京协和医学院副院长，1927年参与创办第四中山大学医学院并任首任院长。

颜福庆被称为"中国现代医学之父"。他坚持创办中国人自己的医院、医学院，为中国的医学教育事业做出了不可磨灭的贡献。1914年，年仅32岁的颜福庆与美国约翰斯·霍普金斯大学高才生胡美共同创办了湖南湘雅医学专门学校，并担任院长至1927年。这是美国雅礼协会与湖南省政府合办的，也是中国第一所中美合作的医学院。创办仅十余年，湘雅就在中国医学界获得了崇高的声望，被誉为仅次于北京协和医学院的高水平医学院。所谓"北协和，南湘雅"，湘雅直到今天还是享誉海内外的著名医学院。

丰富的国内办学经历，加上广泛的国际医学交流经验，使颜福庆成为当时中国医学教育界当之无愧的领袖。他认为中国办医学教育有一点是关键，就是要抓住医学教育的自主权。颜福庆在总结自己的历史时谈道："中国要发展科学医学，必须国人自办，医学教育权不能操于外人。"因此，他坚持中国人自己办医学院，制定中国人自己的医院标准，培养懂得中国人生理、心理的医生。1926年，颜福庆离开湘雅，应邀担任中国医学最高学府——北京协和医学院副院长。当时，这是一所美国人办理和管理的世界一流医学院。同年，他带着湘雅的数位高才生，创设了完全由中国人自主创办的第一所医学院（即现复旦大学上海医学院前身）。1928～1938年，颜福庆一直担任该院院长。

中华人民共和国成立后，中国的医学教育进入一个重大转折关头。年过花甲的颜福庆再次出山，担任国立上海医学院（1952年更名为上海第一医学院）副院长。1955年，中央决定上海第一医学院（简称上医）内迁重庆创建重庆医学院（简称重医），支持西部地区医疗卫生事业发展，上海第一医学院党委采用"母子校"的办法，分迁重庆建校，既保留了上海第一医学院，又圆满完成了国家交给的建设重庆医学院的任务。

颜福庆逝世于1970年。他生前立下遗嘱：遗体供医学研究。他毕生从事医学教育，引领和见证了中国现代医学教育的成长和壮大。他所倡导的医学教育理念、开创的医学教育事业，留给世人无穷的启发和思考。

来源：钱益民，颜志渊. 2007. 颜福庆传. 上海：复旦大学出版社

复旦大学上海医学院、复旦大学档案馆、复旦大学校史研究室

（邓世雄　刘　湘）

# 钱悳：抗击“瘟神”的战士

20 世纪 50 年代，血吸虫病肆虐中国南方大地，全国受血吸虫病威胁的人口接近 1/5。由于上海郊区池塘湖泊密集，青浦、嘉定等都是血吸虫病的高发区，广大百姓深受其害。

1950 年，驻扎在沪郊的中国人民解放军第 20 军进行游泳训练，不久官兵便出现了发热、腹泻的症状，经查是感染了血吸虫病。数万官兵感染血吸虫病的消息惊动了党中央，整个上海市医疗系统都动员起来，数千名医务人员赶赴嘉定、太仓等地治疗血吸虫病。当时的上海市市长陈毅亲自任命著名传染病学家钱悳为血吸虫病防治大队治疗顾问。

当时解放军都散住在农民家中，没有集中的医院供钱悳等开展工作。他便开启了没日没夜的巡诊之路，患者在哪，他就跑去哪，有时候累得走着走着就滑倒在路边睡着了。由于当时医疗条件很差，治疗血吸虫病的锑剂不良反应很大，注射时针眼稍有渗漏就会出现蜂窝织炎，引起溃烂。严重的甚至会出现急性心源性脑缺血，导致患者猝死。有些医务人员怕出事故，主张减量用药，并劝钱悳：“我们眼下是为解放军治病，万一有个闪失……”钱悳一笑了之，说：“出了问题我负责。”

除了悉心照料战士们，钱悳也对治疗方法进行了改进，大大提高了治疗效率，使部队在较短的时间内恢复了战斗力。因为工作出色，钱悳荣立二等功，并被中国人民解放军第三野战军第九兵团授予“理论与实际结合，科学与技术结合，为人民服务的模范教授”称号。1950 年，钱悳被评为首届全国工农兵劳动模范，成为医学界首批全国劳动模范之一。1950 年 9 月，他作为华东地区的代表之一赴京出席全国工农兵劳动模范及战斗英雄代表大会，受到毛泽东、朱德等党和国家领导人的亲切接见。

在沪郊血吸虫病防治的工作过程中，钱悳与解放军官兵结下了深情厚谊，到了分别的时刻，解放军官兵想赠送钱悳一个纪念品，钱悳想了想说：“给我一枚炮弹壳吧！”这枚炮弹壳一直被钱悳珍藏着，20 世纪 50 年代末，钱悳带着 400 多名上海第一医学院同事西迁重庆，还带上了这枚弹壳。

人民出版社 1951 年出版的《全国工农兵劳动模范代表会议纪念刊》中对钱悳作出如下介绍：“他是一个具有高深学理的模范医务工作者，在上海郊区血吸虫病治疗工作中，不避风雨，不辞劳苦，坚持‘病员在哪里，就到哪里去’的良好服务态度，关心病员，无微不至，因此，得到广大病员的热爱。在工作期满之后，他曾两度自动要求继续工作，他说：‘大众需要我，我就一定更好地为大众服务。’这种精神为医务工作人员作出了榜样。”

来源：复旦大学上海医学院、复旦大学档案馆、重庆医科大学档案资料

（刘　湘　宗华月）

# 周泽昭：红心向党　奔赴延安

有这样一个重庆人，他是民国时期的名医，他一心向着共产党，并想方设法辗转奔赴红色圣地延安，最后成为中共中央领导人的保健医生。1957年，中央任命他为重庆医学院院长。他叫周泽昭，是中国科学院首批生物学部委员（院士），著名的外科专家、医学教育家。

周泽昭出生在重庆江津一个医生世家。1926年，周泽昭从中山大学医学院毕业，后留校执教。1931年，周泽昭先后应聘为广西军医院外科主任、广西军医学校教育长兼外科教授、柳州空军医院院长。

1939年，时任八路军桂林办事处处长的李克农因患阑尾炎，由周泽昭做手术，自此两人结下了深厚的友谊。周泽昭不仅介绍自己的学生及亲友参加革命，并多次向李克农提出要去延安工作。在周泽昭的一再请求下，李克农只得向周恩来报告，最终获得同意。周泽昭飞抵重庆与周恩来见面后，于1941年初乘坐八路军的军车北上。

然而延安之行困难重重。行至半路，周泽昭被国民党警备司令部强行扣留，只得返渝。回到重庆，周泽昭又前去曾家岩50号面见了周恩来，根据指示，周泽昭辞掉一切公职回到广西，自己租房开设了医务所，以此掩护党组织开展活动。其间，国民党特务日夜跟踪监视他，还派人来干扰工作，甚至将医务所烧了半间。

1945年6月，经党组织精心安排，周泽昭易名改装终于抵达延安，并担任延安中国医科大学教员。之后毛泽东接见了他，并设宴招待。不久，日本无条件投降，周泽昭调中央医院任外科主任。中央医院既是党中央在延安的保健医院，又是为全军培训医疗干部的进修基地，任务十分繁重，条件相当困难。周泽昭在其中发挥了积极的作用。

1953年，周泽昭调任北京医院院长、外科主任，兼任中南海保健处第一副处长。这一时间，周泽昭的工作重点是负责毛泽东等中央领导的保健工作。他细致周密，从中央领导的健康情况和性格爱好出发，依据循序渐进地增强体质的设想，制订出切实可行的保健措施。毛泽东赞扬他说："医生的功劳真不小！"

1957年，经中央任命，周泽昭担任重庆医学院院长。重医第一期院刊头版刊发了周泽昭的文章《明确我们学医的伟大目的——培养社会主义的又红又专的人民医生》。文中写道："我们学医的目的，不是为了单纯地被动地做一个头痛医头，脚痛医脚，缺乏政治远见的临床医生，而应该做一个社会主义社会的医学科学工作者，主动掌握人类健康命运的主人！做一个建设社会主义文化的积极推动者！"

来源：韦英思. 2018. 从桂军名医到中央领导的保健医生. 红岩春秋, (2): 70-73
重庆医科大学档案资料

（徐　晨　朱　丹）

# 王鸣岐：深入西藏、甘孜多地开展科学研究

1959年冬，重庆医学院接上级通知，派人加入卫生部和解放军总后勤部组织的高山病研究小组，王鸣岐接受了这一艰巨的任务，进藏赶赴四川甘孜、西藏昌都，跟随进藏部队进行实地考察研究。

川藏公路十分艰险，有数不清的高山大壑急流险滩，也有令人望而却步的高寒垭口雪原冰川，更有零星匪徒四处流窜作乱。王鸣岐所在的研究组多是骑马或步行，偶尔也乘坐帆布篷大卡车。路途中，大家没有固定的休息场所，常常是把军大衣铺在卡车上，睡在车上。

到理塘时适逢大雪，汽车走不了，就只能拉上板车走；饭煮不熟，只能吃夹生饭、啃冷馒头，就这样，王鸣岐同大部队一起克服种种困难，不喊累不叫苦，往大山最深处坚定地前行着。一路上，他们还要采样、化验，进行血气分析，为高山病的防治提供了最真实的科学依据。甘孜的医疗卫生条件十分简陋，王鸣岐决定就地进行医学研究和卫生教育，举办卫生讲座，培训当地卫生人员，从源头上改变老百姓的卫生观念。

川藏高原高山病研究收获颇丰，王鸣岐一行完成相关论文37篇，相关研究资料多达十箱，为进藏人员的生命安全作出重大贡献。而后，国务院要求卫生部抽调专家赴青藏高原，进行"大规模建设人员长期入住高原恶劣生存环境下的可行性"研究。王鸣岐为此赶赴格尔木等青藏高原腹地，跟随建筑部队进行艰苦的实地调研。研究目标就是在青藏高原缺氧区建设铁路，他们实地采集了大量数据，科学论证后提出，解决大规模人员缺氧问题的措施之一就是封闭式车厢供氧。令人欣慰的是，现今青藏铁路供氧正是采用了王鸣岐他们的建议与措施。

1958年底至1959年，医院抽调医护人员赴酉阳、秀山等地开展"除害灭病"工作，王鸣岐带领学生参加酉阳县"除害灭病"工作；1965年，医院组织3批巡回医疗队赴江北、璧山等地的农村山区防病治病，王鸣岐带领医疗队在江北等地帮助当地医疗单位建立门诊、急诊制度，采取讲、学、做相结合的办法，培训卫生员、接生员，开展接生、节育手术。正是有了王鸣岐这样为医学无私奉献、默默付出的白衣战士，为祖国的西南医疗卫生事业不断奋斗，才得以爬坡过坎，不断开辟医学事业新境界；也正是因为他们那一代人毫不利己的崇高精神，像螺丝钉一样紧紧"拧"在各自的岗位上，才带出了重医这支思想过硬、医术精湛的优秀队伍。

（唐　卫　陈　戈）

# 王霄翔：一个老共产党员、老重医人的身后情怀

2017年8月15日，在重庆医科大学（简称重医）袁家岗校区北楼旁，94岁的老党员、重庆医科大学离休干部王霄翔同志告别仪式暨遗体捐献仪式在这里庄严举行。学校师生代表，市级有关部门代表，王霄翔的家属及生前朋友、同事共同送老人走完最后一程，向他致以崇高的敬意。

王霄翔用他彻底的唯物主义精神，对党的无限忠诚，对医学教育事业的不懈追求，对生命意义的深刻理解，实现了他为党和国家奉献一切的诺言，深刻诠释了一个老共产党员、老重医人的身后情怀。

“我自愿捐献遗体给医学教育事业，用于重医的医学发展和研究。”这是王霄翔临终前一再嘱托家人的事情。这也是老人对自己一生的医学情怀和重医情怀最后的诠释。在他80多岁时，就曾向家人表达捐献遗体的意愿。王霄翔的儿子们流着泪回忆父亲捐献遗体前后的点点滴滴。他们无法忘却父亲一直坚持的态度，更无法忘却父亲在去世前对捐献遗体的再三叮嘱。他们最终理解并支持了父亲，因为他是一个要把自己毫无保留地献给医学事业的人，是一位把一生都交给党的老共产党员。

王霄翔1940年参加革命，1941年加入中国共产党，是一位有着76年党龄的老革命、老共产党员。加入共产党的76年里，他用坚如磐石的信念爱党、信党、跟党走，终身不忘自己的入党誓言和对党坚定的信赖和忠诚。他工作兢兢业业，对医学事业不懈追求，对重医有着深厚的感情。身后遗体捐献，也正是源于这份厚重的感情。

在抗日战争和解放战争时期，王霄翔随部队转战各个战场，成为战地医疗队的一员。由于在战争环境下，他没有条件系统地学习医学知识，只能在救治伤病员中去学习医学知识，在战友们身上进行临床实践。1949年以后，王霄翔毅然放弃当时良好的工作条件，赴中南卫生部干部进修学校、武汉医学院学习，用5年时间全面系统地学习了医学知识。1958年，怀着对医学教育事业的满腔热爱，王霄翔选择调入重庆医学院工作，历任重庆医学院基础部副主任、党总支副书记，重庆医学院附属第一医院党总支书记，重庆医学院革委会副主任，重庆医学院常务副院长等职，直到1983年12月离职休养。在重医工作期间，王霄翔怀揣着对医学教育事业的执着追求，成为一个执着不悔的医学追梦人，为学校发展倾注了全部心血。离休后，王霄翔回忆战争岁月，常常流着泪对儿子们唠叨，当初在战场上对战友们进行外科手术，是不得已呀！抗日战争和解放战争时期，没有条件去学习人体解剖，这是自己的遗憾！在生命的最后时刻，王霄翔用自己的方式，去弥补这份遗憾：在其去世后，捐献遗体，为重医的医学教育、医学科学研究事业做出贡献。他希望重医学子们，从他“身”上学到真才实学，为解除人类之病痛服务。这就是一个老重医人、一个老共产党人的夙愿！平凡而伟大！

生前奉献，身后捐献，王霄翔像一支蜡烛在生命的尽头燃放了全部的能量，为了医学事业，为了重医。他用大爱诠释着生命的意义，用神圣的方式续写着老重医人的荣光。“高山仰止，景行行止。”王霄翔为我们树立了永远的榜样，他的身上体现出的无私奉献、爱党敬业、不懈追求的品质成为重医宝贵的精神财富，成为激励重医人不懈奋斗的精神动力。

（龚　棣　汪克建）

# 梁益建：打开折叠人生的“小医生”

从医三十余年，梁益建用孜孜不倦的“工匠精神”在极重度脊柱矫形领域的禁区里不断突破，用自己医者仁心的大爱情怀和刀尖上行走的精妙技艺书写了医务工作者忠于信仰、无私奉献的人生轨迹，为无数“低头”患者开启了他们的“抬头人生”。

梁益建先后在北京大学第三临床医学院等进修学习 6 年；2003 年考取重庆医科大学博士研究生，在读期间受北美脊椎协会主席、纽约州立大学的袁汉森教授邀请做访问学者。学成归国后，回到成都，开始向极重度脊柱矫形领域挑战。

他诊治过的“驼背”患者有一万多例，亲自主刀挽救了 3000 余重度脊柱畸形患者的生命；突破了国际上公认的极重度脊柱畸形的手术三大禁区：极重度脊柱畸形无法矫正、极重度脊柱畸形合并脊髓畸形无法矫正、极重度脊柱畸形合并极重度呼吸功能障碍无法矫正。其中一例脊柱 360° 螺旋畸形堪称“世界最难”，而梁益建通过精湛的技术让患者的畸形矫正完全并增高 30 厘米，让这个从未抬过头的患者从此挺直了身板做人。梁益建率领科室独立开展技术 300 多项，多项技术项目达到国内外先进水平，引领重度脊柱畸形治疗；不仅在世界骨科大会、亚太脊柱精英论坛作主题发言，还出版了《强直性脊柱炎脊柱畸形截骨矫形手术技巧》和《脊柱畸形手术学》两本脊柱畸形专著。

除了治愈身体的畸形，梁益建更关注患者心灵的康复。科室里有不少小朋友长期住院治疗，为了不耽误孩子们的学习，他联系了一些大学生志愿者来为孩子们补课，还自掏腰包请了声乐老师来教孩子们唱歌，以锻炼肺活量；对于一些经济困难的患者，他除了想办法帮患者凑齐手术费外，每月还自掏腰包给患者几百元的生活费；对于出院的患者，他积极联系爱心人士帮他们解决工作问题。为了给这些经济困难的患者赢得更稳定的求助渠道，梁益建博士团队从 2014 年开始与公益基金合作。据不完全统计，获得帮助的患者数百位，金额近 500 万元。

（冉建华　汪克建）

# 汤飞凡：非凡精神

沙眼是由沙眼衣原体引起的慢性传染性结膜炎，因在睑结膜表面形似粗糙不平的沙粒样外观而得名。在20世纪50年代前，沙眼是我国主要流行的致盲眼病，发病率极高。20世纪70年代后随着生活水平提高、医疗条件改善，沙眼发病率大大降低。与当时世界上许多的细菌实验室相比，汤飞凡的实验室设施十分简陋，尽管在这种艰苦条件下，汤飞凡还是做出了非凡的成就。他在1932～1935年主要研究了沙眼的病原体，当时大部分人认为沙眼由细菌导致，但是汤飞凡在研究过程中发现，沙眼的病原体应该是一种介于细菌和病毒之间的微生物，推断这种微生物的体积比牛痘病毒更大，但小于立克次体，否定了当时比较流行的“颗粒杆菌”引起沙眼的观点，为沙眼研究提供了新的研究方向。而后，持续10多年的战争导致了科学研究的停滞。强烈的爱国情怀让他总是置身于国家最需要的地方。

直到中华人民共和国成立，汤飞凡才重新恢复了沙眼的病原学研究。经过数百次实验，克服无数困难，汤飞凡与黄元桐、张晓楼等一起用鸡胚卵黄囊接种的方法分离培育出了世界上第一株沙眼衣原体，当时命名为TE8。由于缺乏人体临床试验，实验结果引起了质疑之声。为证实分离的就是沙眼病原体，他不顾个人安危，让助手将沙眼衣原体种入自己眼里，引起典型的沙眼症状与病变，继而从自己眼里分离出这种微生物，以强有力的实际经验回击了质疑者，汤飞凡由此成为当时世界上唯一一个发现重要病原体的中国科学家，成为名副其实的“衣原体之父”。除此之外，他还带领团队分离了中国第一株麻疹病毒M9，为之后制造相应疫苗奠定了重要基础。

汤飞凡在平凡的岗位上创造了不平凡的业绩，他执着追求，拥有强烈的家国情怀，勇于质疑，敢为人先，以平凡铸就非凡，以其实际行动深刻诠释了医者精神。

（余华荣　邵海英）

# 刘长安：用医者仁心诠释精诚与大爱

刘长安，1952年出生，1975年毕业于重庆医学院医疗系，曾任重医外科学教研室主任、动物外科学教研室主任，并且多次被评为重庆市“文明市民”，重庆市卫生系统“爱心大使”，重庆市渝中区“先进生产（工作）标兵”。

1995年，重庆医科大学与四川省凉山卫生学校签署协议，联办医学大专班，从教材、教师、教学质量全链条深入推进。作为重庆医科大学派出支援凉山卫生学校医学教育的第一批老师，刘长安先后多次来到偏远的凉山卫生学校进行教学和指导。他常乘坐晚上的火车去凉山，凌晨抵达之后，就立即赶到学校开始工作；结束当地工作又马不停蹄地坐上回程列车，这一来一往，就持续了二十余年。

除了实地授课，刘长安还坚持到卫校实习基地凉山彝族自治州第一人民医院、凉山彝族自治州第二人民医院开展查房和病例讨论指导，传授先进的诊疗技术，将西迁精神发扬光大。医院普外科的医生们亲切地叫他刘爷爷，他们说：“他这二十多年来对我们科室的帮助让我们每一个人都很感动，他医术精湛、专注耐心、谦逊随和这些品质都让我们终身受益，没有他，就没有今天的普外科发展。”

从医四十余载，刘长安以精湛的手术技巧、和蔼的态度得到患者及家属的好评，本已到了退休年龄可安享晚年的他，仍坚守科室和岗位，持续发挥着光和热。为做好手术，他利用休息时间反复进出解剖教研室，观察尸体标本和进行动物活体手术试验，其临床诊治肝胆胰脾疾病的技术处于西南地区领先水平。

为推进医联体建设，推动落实国家分级诊疗制度和助推县级医院能力建设，同时为扎实推进健康扶贫，缓解重庆市偏远区县“看病难、看病贵”难题，刘长安作为医院党委指派的巡回专家，频繁奔波于渝东北、渝东南偏远地区，帮助开展新技术、新项目，提升基层医务人员理论及技能操作水平。

刘长安说：“很多年来，有些人说我太较真了——可是，治病救人，救的是不可重来的生命，这是大事，来不得半点马虎。”悠悠四十载，拳拳医者心，刘长安用奉献探寻着共产党员无悔的孜孜追求，用行动捍卫着医者仁心的铮铮誓言。

（杨坤蓉　蔡雨齐）

# 廖正步：服务家乡百姓健康，践行医者初心使命

廖正步，重庆巫溪人，医学博士，哈佛大学博士后，重庆医科大学附属第一医院神经外科副教授，国家自然科学基金评审专家。

廖正步是从巫溪走出去的博士。2021 年初，响应党和国家号召，他与同事蒋在强、黄世峰、黄艳、代涛 5 名专家主动请缨奔赴偏远的巫溪县做驻村第一书记，参与国家乡村振兴伟大事业，用真情回报家乡。

巫溪县位于大巴山区，村民们出行较困难，几乎每天推开门都有村民在等候“医生书记”看病。见此情此景，廖正步作为医疗队长建议组建五人义诊团“流动医院”。他们利用节假日面向巫溪县 32 个乡镇，举办义诊和健康普及活动。做到“乡镇全覆盖，月月有义诊”，共开展大型义诊活动 30 多次，受益群众超 4000 人。

为当地留下一支“带不走的医疗队”，也是廖正步及另外 4 位驻村第一书记的心愿之一。每周三蒋在强、每周四廖正步固定在田坝镇卫生院坐诊。大城市的医学专家常驻小山村，这个消息不胫而走，甚至周边乡镇的村民也慕名而来。在日常看病的同时，他们培养随诊医生，让当地全科医生养成良好的诊疗操作规范，让更多村民能在家门口看好病。

廖正步在美国哈佛大学做博士后期间，对脊髓神经保护进行了深入研究和学习。他作为驻村第一书记来到田间地头，很快发现当地很多村民因长期背挑劳作，脊柱变形，患上了颈椎病或腰椎病，痛苦不堪。然而巫溪县尚未开展此相关领域手术。廖正步竭尽全力为家乡打造一支脊髓脊柱亚专业医疗队伍，为乡亲们解除疾苦。功夫不负有心人，廖正步在巫溪县人民医院首次成功开展寰枢椎骨折内固定、腰椎半椎板肿瘤切除、颈椎病和腰椎病等复杂手术，实现了多项“零的突破”，疗效显著，深受患者及家属好评。

廖正步等驻村第一书记团队，在党的领导下，扎根基层，敬业奉献的感人事迹被《人民日报》、新华社等多家媒体报道。廖正步带领重庆医科大学附属第一医院驻村第一书记团队荣获 2021 年“感动巫溪集体”和第二届重庆乡村振兴十大年度人物“特别奖”。他们不仅凭医术，更凭仁爱感动世人，用实际行动诠释为党为人民奉献一切的誓言。

（吴　宁　蔡雨齐）

# 第二章　西迁精神

## 引　言

1955年初，为支持西部地区经济社会发展，改变当时高等教育布局不合理的局面，遵照中央政治局关于沿海工厂学校内迁的指示，高教部3月30日向中央上报了《关于沿海城市高等学校一九五五年基本建设任务处理方案的报告》，报告提出，交通大学迁西安，上海第一医学院迁重庆。中央领导审阅并同意了这个报告。

得到迁院指示后，上海第一医学院的院领导和教职工一方面胸怀全局、服从中央战略部署，积极准备在重庆的建院工作；另一方面，考虑到将上海第一医学院连根拔起迁往重庆不仅将失去优越的地理位置和发展环境，还将失去中山医院、华山医院等附属医院的重要支撑，不免对学校的发展心存担忧。在广泛听取教职工意见后，上海第一医学院党委提出了“母鸡下蛋”的分迁办法，即上海第一医学院留在上海继续发展，同时抽调上海第一医学院部分力量在重庆建院。1955年11月5日，中央向上海市委并四川省委、重庆市委发出《复关于上海第一医学院在重庆建院或迁院问题》的01731号加急电，同意“抽调上海第一医学院部分力量在重庆建院”的方案。至此，分迁方案正式确定。

重庆医学院的筹建得到了上海第一医学院在人力、物力上的巨大支持。重庆医学院2/3的师资、1/3的行政人员都由上海第一医学院配备。面对国家号召，400多名上海第一医学院前辈听党指挥跟党走，打起背包就出发，展示了坚如磐石的精神和信仰，体现了伟大的家国情怀和使命担当。建校初期开展教学、科研所迫切需要的图书、标本、教材、切片等物品，都是由上海第一医学院支援，凡上海第一医学院有两套的图书资料、教学科研仪器，都支援重庆医学院一套，仅1956年7月到12月，上海第一医学院无偿地向重庆医学院赠送了仪器设备1378件（台）。

2020年，习近平总书记指出：“‘西迁精神’的核心是爱国主义，精髓是听党指挥跟党走，与党和国家、与民族和人民同呼吸、共命运，具有深刻现实意义和历史意义。”在祖国和人民最需要的地方，400余名西迁开拓者溯江而上，从此扎根巴渝大地，他们以求真至善的科研精神、以人为本的教育理念、以仁为心的医者风范，创建科室、积极科研、教书育人、治病救人，为重医的发展乃至西部医学教育和卫生事业作出了许多开创性的贡献，促成了一所新型医学院校在祖国西南大地的诞生。60多年来，一代代重医人沿着西迁前辈奋斗的足迹取得了骄人的成绩，并在建设“双一流”的道路上昂扬阔步前进。

不忘历史才能开辟未来，善于继承才能善于创新。铭记西迁历史，是对前辈们的缅怀和敬仰，更是对西迁精神的继承和发扬。

**声明：**本篇章收录人物文章及图片综合整理自复旦大学上海医学院、复旦大学档案馆、重庆医科大学及附属医院提供的图文素材，部分文字源于西迁老专家及其亲友、同事、学生等撰写的回忆文章，编写过程中进行了大量综合，故无法在此一一注明来源，我们将在后续工作中逐步完善。

# 钱惪：千里赴渝　矢志奉献

1958 年，著名传染病学家、国家一级教授、时任上海第一医学院副院长钱惪西迁来渝，组建重庆医学院，成为重庆医科大学历史上迄今为止唯一的一位名誉校长。

西迁创校，钱惪历经了三次重要的人生选择：当上海第一医学院需要选派一名熟悉业务的院领导到重庆医学院担任院长时，他毫不含糊，一口答应；20 世纪 70 年代中期，钱惪担任重庆医学院院长。面对痛巨创深的重庆医学院，他召开全校教职工大会，当众表示坚决留在重庆，把重庆医学院办好。钱惪生前曾说："我们上医 400 多人到重庆建立医学院，一是服从组织，二是事业心，个个都是绝对服从，没有二话，这是为人民、讲奉献，不讨价还价。"

20 世纪 50 年代，血吸虫病肆虐，无数百姓深受其害。1964 年，钱惪带领重庆医学院传染病学、化学、生化、药理、病解、寄生虫学和放射医学等教研室的 40 多名教师、医师、技术员，以团队协作的方式进行攻关，研发筛选出"血防 846"，使血吸虫病的治疗由静脉注射改为口服，疗程也由 20 天缩短为 7 天，治疗效率大大提高（图 1-2-1）。这一成果在 1965 年成都召开的中共中央血吸虫病防治领导小组（中央血防领导小组）9 人会议中，被认为是血吸虫病治疗史上划时代的创举，跳出了半个世纪沿用锑剂的定式，先后获得了四川省科学大会奖、四川省重大科技成果奖，并在全国推广应用。因此，直到 70 年代末重庆医学院都是全国血吸虫病防治中心之一。由于成就显著，钱惪连续当选为第四届至第七届全国人大代表。

图 1-2-1　1961 年，钱惪（左一）与同事们研究讨论血吸虫病相关问题

2006 年 1 月 21 日，钱惪走完了他光辉的一生。他把毕生的精力都献给了他热爱的医学教育事业，献给了他热爱的祖国和人民，给我们留下了丰厚的精神财富。钱惪生前曾说："我这一生无愧无悔。无愧，我对得起党和人民；无悔，投身西部、建设重医，我从没后悔过！"

按照钱惪的遗愿，他的骨灰分为三个部分，一部分留在他倾注了半生心血、无怨无悔奉献的重医，埋入学校中心广场的榕树下；一部分带回母校上医，埋入一号楼前；还有一部分撒入了他热爱的祖国的江河。这最后的选择，是钱惪对上医的眷念、对重医的挂怀、对祖国及医学教育事业的无言大爱。

（杨现洲　宗华月）

# 左景鉴：一往无前 扎根重庆

1955年，根据中央决定，上海第一医学院成立了重庆医学院筹建委员会和师资配备委员会，著名外科学专家、时任上海第一医学院附属中山医院副院长左景鉴任师资配备委员会副主任，并负责筹建重医附属第一医院。

1956年，左景鉴带领第一批医务人员来到重庆负责重庆医学院附属第一医院筹建工作。当时建院的地方还是一片农田，他们只能暂借儿科医院的场地开设门诊。肩负着建院重任的左景鉴，风雨无阻，四处奔波。从勘测地形到设计动工，从资金筹集到设备购买，从制度建设到科室发展，事无巨细，他都不辞艰辛，亲力亲为，医院的一砖一瓦都倾注了他的心血与深情。遇到外科有大手术，他还要亲自主刀。1958年7月，附属第一医院建成开业，左景鉴出任首任院长。

1957年秋天，上海第一医学院建院三十周年，左景鉴代表重庆医学院回上海参加院庆。这一年，左景鉴的大女儿左焕琛也跟随着父母的脚步顺利考入了上海第一医学院。内心充满喜悦的左焕琛以为爸爸这次回来会就此留在上海，一家团圆。然而，左景鉴却早已决意将左焕琛一人留在上海读大学。为了表达坚决扎根重庆的决心，他将位于上海复兴中路180平方米的复式房子交还给单位，自己带着妻子和年幼的儿子、小女儿迁往重庆。面对左焕琛的不舍和挽留，左景鉴斩钉截铁地说："妈妈和弟弟妹妹必须跟我搬去重庆，我是带队的，必须带好这个头。"此后，左焕琛只能搬到学校宿舍住，在读书期间每年寒暑假，她都要坐上4天的火车，先从上海到西安，再转道成都，从成都回重庆，辗转数千里与家人团聚。

左景鉴是左宗棠的第四代孙，正如其先祖左宗棠抬着棺材去收复新疆，抱着宁死也要恢复祖国版图的决心一样，左景鉴去支援重庆也不为自己留任何后路，他没有在上海留下一寸住房和一丝财产，为了祖国和人民的需要，他一往无前。

从医六十载，左景鉴（图1-2-2）从来没有离开过心爱的医学岗位。他的一生，满怀着对人民的深情和对医学事业的无限忠诚，永远在祖国最需要的地方，服务社会，服务群众。斯人已远去，但他的医教风范、奉献精神却长留重庆医科大学，激励着一辈又一辈的重医人为重医的发展、为祖国的医学事业奋斗终生！

图1-2-2 左景鉴（左二）接待外宾

（刘 湘 宗华月）

# 石美森：以德立教　以身示教

1956 年，著名小儿传染病学专家、时任上海第一医学院附属儿科医院副院长的石美森（图 1-2-3）将妻子凌萝达和三个孩子留在上海，只身西迁重庆，出任重庆医学院儿科医院副院长兼儿科系主任。1958 年，凌萝达也调任重庆医学院附属第一医院工作，她把大儿子和小女儿带到重庆，把患有哮喘病的二儿子留在上海交给奶奶照顾。

石美森之子曾在《我的父亲与母亲》（《上医人的足迹》第二集）一文中回忆当年刚到重庆时的情景："当时的重庆医学院仍在大规模建设之中，百废待兴。校本部与附属第一医院位于市郊的袁家岗，背靠潘家坪小山，被绿树农田环绕，一派田园景象。上医赴渝的首批 200 多位老师一边建设学校医院、一边投入紧张的医教研工作。儿科医院位于市中心，距离校本部和附一院乘车也需要一个多小时，身兼儿科医院副院长和儿科系主任的父亲平时很少回家，周末又常常开会。"

1960 年，石美森的小儿子石应良出生时正值三年困难时期，生活条件极为艰苦，孩子由于严重缺乏营养，患了典型佝偻病，石美森给儿科系学生讲营养不良的课程时，为了让他们更好地了解佝偻病的症状与体征，常常带着石应良去示教。石美森工作极其认真，治学严谨，严于律己，宽以待人。他在全校的大课讲授和教学查房深受学生的推崇和欢迎，直至他去世后几十年间，重庆医学院毕业生还会绘声绘色地讲到他教学的往事。为了儿科医院的学科建设，为了给免疫实验室购置重要仪器设备，他不顾路途劳顿，亲力亲为；为了让有限经费总额下的工资调整能惠及更多的人员，他主动放弃自己的机会，来惠及更多的工作骨干。作为系主任，他关心学生，经常出入学生宿舍和学生食堂，与学生们同吃同娱乐，一起参加歌咏比赛，一起穿上背带工装裤演节目，一起脱鞋光脚打篮球。

20 世纪 60 年代初期，儿科医院住院部已发展到近 300 张病床，而门诊部仍为以往征兵站的大棚改建，环境简陋，空间拥挤不堪，冬寒夏热，难以满足工作需求。当时国家经济困难，为了筹措 40 万元建设 3000 平方米新门诊楼，石美森多次向省里反映情况，八方呼吁关爱儿童健康。终于在 1964 年新门诊部得以建成，形成重庆医科大学附属儿童医院现在的布局地域。

图 1-2-3　石美森（左一）刚到重庆时与家人留影

石美森一生为学校建设、医院发展和国家的繁荣昌盛尽职尽力。在他的影响下，他的子女相继选择医学作为职业，继续着他未竟的医学理想，他的精神也激励着代代重医人为我国医学卫生事业的发展贡献更大力量。

（徐　晨　钟　志）

# 司徒亮：敬畏生命 心怀大爱

司徒亮（图 1-2-4），广东开平人，著名妇产科学专家，中国妇产科医学的奠基人之一。1938 年毕业于北京协和医学院，先后在北京协和医院、天津马大夫医院、国立上海医学院附属红十字会医院工作。1947 年赴美进修，先后在明尼苏达大学医学院、哈佛大学医学院妇科医院及约翰斯·霍普金斯大学医学院等著名医学院校深造。1948 年回国，先后担任上海第一医学院附属红十字会医院和中山医院妇产科主任、上海第一医学院附属妇产科医院副院长等职。

1955 年，司徒亮积极响应国家号召赴渝参与建立重庆医学院及其附属医院。司徒亮的学生，后来也成为我国著名妇产科专家的卞度宏教授清楚记得司徒亮当时单独约他谈话的情景。司徒亮恳切地对他说，西部地区医疗水平较沿海落后很多，支援西部地区是为了更好地建设祖国，也是你们年轻人发挥力量的大好时机。1958 年，司徒亮从上海来到重庆，任重庆医学院附属第一医院副院长兼妇产科主任。在司徒亮的领导下，医院各科室很快建设齐全，诊治了大量患者，获得了良好口碑。

不管自己名气多么大，工作多么忙，司徒亮总会对经手的每位患者仔细地询问病史、查体，见微知著。有一次，司徒亮查房时发现一位患者，考虑诊断葡萄胎。但通过详细询问病史，得知患者有停经、流血和腹痛史，又仔细对患者做了检查，认真分析后，司徒亮认为这不是“葡萄胎”，而是陈旧性异位妊娠。后来剖腹探查证实了司徒亮的判断，避免了误诊。

在重庆医学院工作期间，司徒亮目睹了子宫脱垂与尿瘘对农村妇女健康的严重危害，便带领科室医护人员积极开展治疗和研究工作，治愈率高达 92%，在国内处于先进水平。1963 年，他在《中华妇产科杂志》发表的《膀胱尿道阴道瘘的手术治疗》一文，受到了医学界的一致好评。

司徒亮在治疗女性生殖器结核及尿瘘修补术等方面造诣颇深。早在 20 世纪 50 年代初，他就率先在上海第一医学院开设了女性生殖器结核病门诊。来到重庆以后，他继续开展女性生殖器结核的研究，他指导撰写的《女性生殖器结核（附 234 例临床分析）》一文，在 1965 年召开的中华医学会第一届全国妇产科学术会议上宣读，并发表在《中华妇产科杂志》上，成为我国有关女性生殖器结核研究的第一篇学术论文。

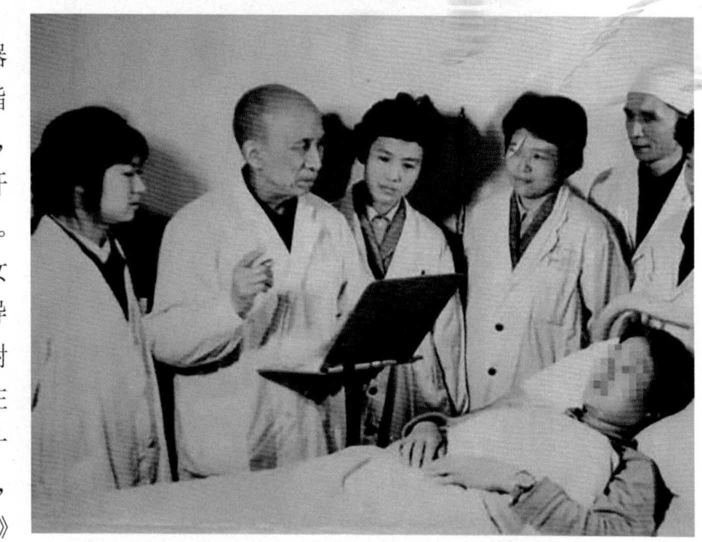

图 1-2-4 司徒亮（左二）指导年轻医生查房

（刘旭初 韩 可）

# 包鼎成：血吸虫研究的新突破

血吸虫病是一种严重危害人类健康和影响社会经济发展的寄生虫病，主要流行于亚、非、拉美的 73 个国家，患病人数约 2 亿。人类与血吸虫病的较量是一场旷日持久的战争。20 世纪 50 年代，血吸虫病肆虐中华大地，无数百姓深受其害，彼时，四川的广汉、德阳、绵阳等地水网交错，是血吸虫病的高发区域。在漫漫血吸虫病防治（血防）路上，重医人用忠诚担当谱写了一曲血防人顽强奋斗的英雄凯歌。

包鼎成，江苏太仓人，著名寄生虫学专家。1932 年毕业于东吴大学生物系，原东吴大学讲师，上海第一医学院寄生虫学教研室副主任、副教授，主要从事血吸虫病的研究。曾参加华东皖南血吸虫病防治，中国人民志愿军抗美援朝反细菌战，中国人民解放军皖南丝虫病防治等工作，训练战士预防细菌战的技术，获朝鲜民主主义人民共和国三级国旗勋章、中国人民解放军三等功。

1956 年 9 月，包鼎成西迁来渝，创建了重庆医学院寄生虫学教研室，曾任重庆医学院寄生虫学教研室主任。他冒着被感染的风险，完成了日本血吸虫自然感染中成虫的发育、雌虫的产卵数量问题等研究。1957 年，他在四川发现新种双体吸虫尾蚴（鸭子血吸虫）侵入人体引起皮炎；1958 年，包鼎成在四川南充地区首次发现引起稻田性皮炎的血吸虫。1962 年，这种寄生于禽类的包氏血吸虫被正式命名为包氏毛毕吸虫（*Trichobilharzia paoi*），这是血吸虫研究的新发现、新突破。正是包鼎成教授敢于牺牲、无私奉献、艰苦奋斗的精神使血吸虫病的研究有了开创性的成绩（图 1-2-5）。

图 1-2-5　1962 年，包鼎成（后排右五）、刘约翰（后排右三）带领寄生虫学和传染病学教研室老师在遂宁县调查华支睾吸虫病

（余华荣　邵海英）

# 王鸣岐：百年人生路　世纪弦歌长

王鸣岐（图 1-2-6），浙江镇海人，我国著名肺科学专家。1945 年毕业于上海第一医学院，后进入上海第一医学院附属华山医院，1958 年西迁参与重庆医学院及其附属医院建设，创建了重庆医学院附属第一医院肺科专科，成为西部地区最早的呼吸内科专业。

西迁来渝前，钱悳找到王鸣岐做思想动员，他立即答应下来。他说："从大处说，此去重庆是响应党中央国务院的号召，从小处讲是为了报答重庆人民的恩情！"王鸣岐始终记得在重庆求学的日子里，歌乐山龙洞湾的村民对他们的照顾和帮助，现在重庆人民缺医少药，他觉得自己义不容辞，理应去报恩！

20 世纪 50 年代，国内很多医院都没有成立独立的呼吸内科，所有肺部疾病统统归到大内科进行诊治。然而越来越严重的肺科疾病已然让大内科应对无力，尤其是肺结核的传染蔓延已使其成为国内重大疾病。在王鸣岐的努力争取下，1958 年 8 月，重庆医学院附属第一医院肺科正式成立，成为我国西部地区率先创建的呼吸内科专业。

创院之初的重庆，肺结核流行，重庆医学院没有研究肺结核的设备，王鸣岐就去邻近的建设机床厂医院借了一台小型 X 线机，下班后打起电筒，到鹅公岩一带进行肺病普查。一番检查下来，王鸣岐发现 14% 的受检人被查出肺部不正常。由于医院病床不够，王鸣岐就带领当地的工作人员创立"地段自办疗养室"，将病情较轻的患者安置于此。"地段自办疗养室"不仅治疗了大部分患者，还为当地培养出一批医务人员。

为了深入研究结核病，获取更多的病例数据，王鸣岐常常亲自带着青年医生跑到人群聚集地，到处搜集地上的痰液，看见痰液就像看见宝贝一样，趴在地上做成标本带回医院化验，以取得相关医学数据。正是有了王鸣岐这样肯为医学无私奉献的白衣战士，肺结核这种"一人肺痨，全家遭殃""无法医治，只能等死"的谬传才得以匡正，从而树立了"预防为主、尽早诊断、早期治疗、预后良好"的新观念。

图 1-2-6　1965 年，王鸣岐教授下乡培训卫生员

也正是由于王鸣岐的一直坚持和不懈努力，才使这个西南地区唯一的呼吸专业得以保留和发展，在医疗、教学和科研方面成绩卓著。今天的重庆医科大学附属第一医院呼吸内科已经拥有 154 张床位，成为国内名列前茅的具有强大医疗服务能力和辐射影响力的学科。

（唐　卫　陈朝琴）

# 李宗明：赤子情怀报家国 热血衷肠行医路

李宗明，江苏常州人，我国著名内科学专家，1943 年毕业于国立上海医学院，曾任上海第一医学院附属中山医院内科主任。1958 年从上海西迁来渝，参与重庆医学院及其附属医院建设，先后任重庆医学院附属第一医院内科主任、副院长，重庆医学院副院长。

西迁来渝前，钱悳当时找到李宗明问他："你去不去重庆？" 李宗明想也没有想就回答说："你要我去我就去。" 没有提出任何要求。李宗明说，当时一口答应要去重庆时也没有征求爱人毕婵琴（当时为妇科学副教授）的意见，回家的路上就想，这么大的事情一个人就做主定下来了，心中有些忐忑不安。谁知回家后问毕婵琴，她坚定地说："钱院长要我们去，我们当然得去。" 同样没有丝毫犹豫。

李宗明学术造诣深厚，科研成果颇丰，在国内外同行中享有盛誉（图 1-2-7）。他是国内腹腔镜检查的开创者，也是胃镜检查技术的开创者之一。1979 年，他开始肝病与人工肝的研究，为我国人工器官的研究开创了新局面；他曾主编《人工器官》，参编并担任《医学百科全书消化分册》和《内科学》的副主编。参加多种专业参考书的编写，担任多家医学杂志的副主编。他在国内首创开展腹腔镜与胃镜检查和实验性肝静脉造影术的研究，在国内外发表论文 100 多篇。1980 ～ 1986 年，李宗明先后赴美国、加拿大、法国、苏联参加学术会议、讲学和考察，为祖国和重庆医学院（1985 年更名为重庆医科大学）争得了荣誉。

李宗明医德高尚、医术精湛，工作逾半个世纪，桃李满天下，诊治的患者难以计数。他在《我的从医经历、感受与心得》一文中提到，做好临床工作，是开展医学研究的关键，作为医科大学的附属医院，既是诊疗中心，又是教学基地，也是科研院所，培养学生或医学研究必须一切从患者出发。

赤子情怀，热血衷肠，李宗明为医学事业、为重庆医科大学的创建发展挥洒了一生的热血。纵然躲不过岁月的风霜，时间的年轮却记录着他曾创造的辉煌。

图 1-2-7 李宗明

（朱 丹 陈朝琴）

# 吴祖尧：立心天地为家国　甘洒热血谱春秋

吴祖尧（图 1-2-8），江苏常熟人，著名骨科学专家。1944 年毕业于国立上海医学院，上海第一医学院附属华山医院骨科副主任。1956 年率先在国内开展经颈前路椎间盘切除术，开创脊柱外科手术新领域。

1958 年，吴祖尧与妻子朱苕华（儿科护士长）带着四个年幼的孩子和花甲之年的父亲举家西迁，参与重庆医学院建设。来到重庆后，现实的生活条件比想象的要艰苦许多，在重庆的住所家徒四壁，甚至来重庆的第一晚全家人都只能睡在地板上面。困难时期，粮食非常紧缺，吴祖尧拖着病体在房前屋后种植南瓜、红薯以补充短缺的粮食，自己则用牛皮菜、藤藤菜充饥，把节省下的口粮让给正处于发育中的孩子们。

建院初期，工作繁重，条件艰苦。酷热的夏天，手术室里没有空调，只能用冰块和电扇降温，一个大手术下来，吴祖尧几乎要昏厥。晚上没有电，突突发响的柴油机只能使几瓦的小灯泡微微发亮，他就在这样的灯光下看书、研究病例、书写教案。在这样艰苦的条件下，吴祖尧不幸患上肝炎，但即便如此，他仍旧坚持在医疗、教学、科研的第一线。

习惯仰望星空的人总能在逆境中看到希望。就在这片别人看来满眼荒芜的土地上，吴祖尧却看到了无限可能。他怀着满腔热忱，全身心投入重庆医学院骨科的建设中，成功进行了重庆市第一例断肢再植手术，也是当时全国最高水平的骨外科手术。他说："骨伤病的患者大多是普通劳动群众，是穷人的病，我们骨科就是为劳动大众服务的。"这也是吴祖尧选择骨科专业的初心。

从事骨科研究多年，吴祖尧一直为骨折愈合寻找最优方案，经过两年的艰辛实验，终于从适合国情、价廉易得的猪骨中成功地提纯了骨形态发生蛋白质（bone morphogenetic protein，BMP），使我国成为世界上第三个能提纯 BMP 的国家。当该研究项目的论文发表后，美国、法国、比利时、荷兰、西班牙、瑞典、捷克、匈牙利等国的同行纷纷写信来索取和咨询相关资料。美国康奈尔大学附属医院更是特邀吴祖尧去美国进行学者访问，并邀请他举行了多场演讲。这一创新研究成果，开创了骨科治疗的新路径，具有里程碑的意义，被卫生部（现国家卫生健康委员会）授予卫生部科学技术进步奖二等奖。

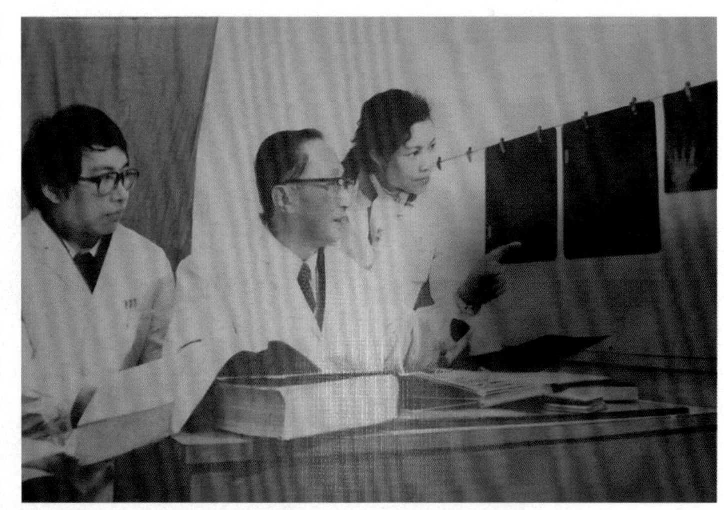

图 1-2-8　吴祖尧（中）指导年轻医生

吴祖尧数十年如一日，严谨治学、严以治医，为重医打造了一支基础扎实、本领过硬的骨科团队，为国家骨科事业的发展奉献了一生。

（刘小平　宗华月）

# 凌萝达：百年人生　一路芳华

凌萝达（图 1-2-9），浙江杭州人，我国著名妇产科学专家。1945 年毕业于国立上海医学院，曾任上海第一医学院附属红十字会第一医院住院医师。1958 年追随爱人石美森的脚步，离开上海奔赴重庆参与重庆医学院及附属医院建设，领衔建立了重庆医学院附属第二医院妇产科教研室。

凌萝达是一位思想解放、具有求实精神的女性，在探索真理的道路上，她总是勇闯新路。早在上海西门妇孺医院（现名上海红房子妇产科医院）工作时，凌萝达就关注着女性骨盆的形态学变化，并用 X 线研究骨盆径线。到重庆以后，她继续关注产科骨盆研究，并对骶骨形态在产科临床上的意义进行深入探究。

20 世纪 60 年代初，凌萝达深入农村进行防癌普查，走遍了四川和重庆的山区，同时从各个基层医院收集了大量的病理片，开展了 5 万人次的防癌普查，查出宫颈癌近百例，并进行了手术治疗，使手术治疗宫颈癌在重庆得以开展，也带动了西南地区逐渐开展手术治疗早期宫颈癌的工作。

在普查过程中，她发现四川女性个子矮小，即使胎儿头位，也容易出现分娩困难，因产伤引起的子宫脱垂和尿瘘、粪瘘非常常见。目睹了众多女性分娩生产的痛苦，凌萝达更加坚定了深入研究难产的发病机制和防治措施的决心。她苦苦思索研究，希望能找到一个适用于基层医师判断头位是否难产的方法，这是减少头位难产并发症的重要途径。

在经过多年对难产的不懈研究后，1976 年，凌萝达终于在国内率先提出了“头位难产”学说。不久，凌萝达又根据分娩的三大基本因素，应用模糊数学理论创立了头位分娩评分法及评分法的处理细则，较好地预计分娩的预后，及时发现头位难产。

“头位难产”理论的提出成为我国难产学术领域重要发展标志，具有指导临床实践的现实意义，其推广应用挽救了无数在死亡线上挣扎的产妇和围生儿。20 世纪 90 年代，“头位难产”理论获国家教育委员会科学技术进步奖二等奖，凌萝达也被评为中国有杰出贡献的产科专家。2012 年荣获中国医师协会妇产科专业委员会授予的“林巧稚杯好医生”称号。

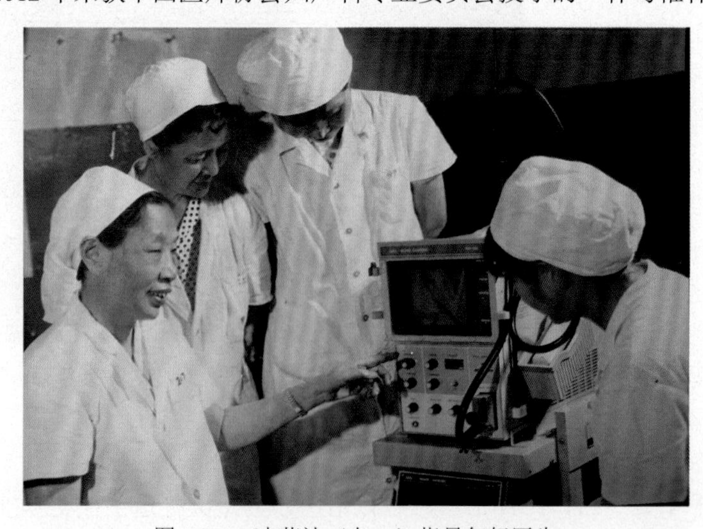

图 1-2-9　凌萝达（左一）指导年轻医生

（陈　戈　陈朝琴）

# 张定凤：丹心一片耕杏林 妙手仁术祛肝疾

张定凤（图 1-2-10），江西南昌人，著名传染病学专家。1955 年，张定凤从武汉医学院毕业并进入上海第一医学院附属中山医院工作。1957 年，张定凤西迁参与重庆医学院建设，和我国老一辈传染病学专家钱悳教授、刘约翰教授一道从事传染病与寄生虫病的防治研究。十余年光景，张定凤参与了国产硫双二氯酚治疗四川地区肺吸虫病和青霉素治疗无黄疸型钩端螺旋体病的研究，先后取得了一系列科研成绩，为以后的科研生涯奠定了坚实基础。

1973 年，张定凤负责创建重庆医学院附属第二医院传染病组。在当时简陋的科研条件下，他带领团队仅用了四五个月的时间，就顺利完成了“血防 846”乳干粉疗效考核的研究课题，证明乳干粉吸收差是疗效不佳的原因，遂在全国范围内停止其生产应用。

“在观察的领域里，机遇只偏爱那种有准备的头脑。”彼时，病毒性肝炎高发，严重危害人民健康，张定凤决定将乙型肝炎的防治研究列入重点攻关课题。怀着对医疗技术的精益求精、对科研及教学的钻研精神，张定凤夜以继日地进行研究。他通过观察发现，患者感染乙型肝炎病毒后的临床表现迥然不同。他认为，人体对病毒不同程度免疫耐受可能是造成病情慢性化的主要原因。据此，科室集中力量开展了乙型肝炎病毒特异性细胞免疫功能研究，获得了显著成果，进一步提高了重庆医学院附属第二医院传染科在全国的影响力。

在 40 多年的科研和行医生涯里，张定凤为我国病毒性肝炎的防治和研究作出重要贡献。他在国内首先提出将新鲜血浆、胸腺肽等用于重症肝炎的综合治疗，使重症肝炎的病死率从 90% 下降至 52%。他创建的国内一流水平的重庆医科大学病毒性肝炎研究所，连续承担国家“六五”“七五”“八五”“九五”攻关课题，系统开展了“乙型肝炎慢性化机制”和“重型肝炎治疗”的研究，获得了国家“三委一部”的通令嘉奖。张定凤还是国内外较早开展 T 细胞克隆的学者之一，他提出的“肝脏是免疫器官，肝细胞在清除乙型肝炎病毒过程中具有关键作用”这一全新概念，引起学术界的极大兴趣和广泛关注。

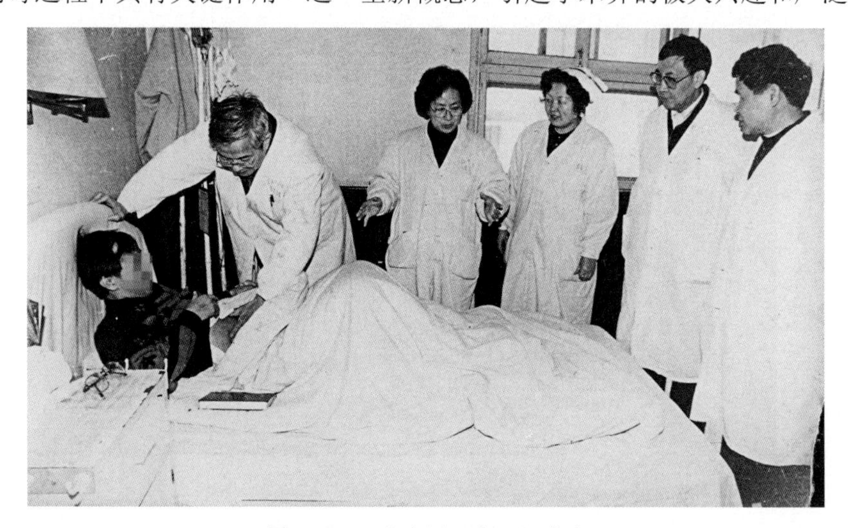

图 1-2-10 张定凤（左二）查房

（朱 丹 刘旭初）

# 林尚清：舍己忘我　艰苦奋斗

林尚清（图 1-2-11），我国著名胸心外科专家，重庆医科大学附属第一医院胸心外科的创始人之一。他曾经参与我国胸心外科最早的研究基地——国立上海医学院附属中山医院（现复旦大学附属中山医院）胸心外科的建立及发展工作，在胸心外科有突出贡献，1954 年曾获华东抗美援朝胸外科手术一等功。

1958 年，根据国家西部建设及卫生事业发展需要，林尚清与 400 多名上医人一起，远征巴山渝水，负责组建重庆医学院附属综合医院（现重庆医科大学附属第一医院）胸心外科。那时，刚刚成立的胸心外科仅有 5 张病床，医护人员严重不足、设施设备缺乏，林尚清独自承担门诊、患者接诊、手术和教学等工作，任务繁重。

在那样艰苦的环境下，为了能够顺利开展体外循环心脏直视手术，他带领科室成员进行了上百次动物实验，按照医院规定，体外循环心脏直视手术必须要在动物身上成功实施并存活良好后，才能开展临床研究。在那个果腹尚且困难的年代，为了能让实验动物术后尽快恢复，林尚清甚至将自己的口粮省下，喂给实验动物吃。功夫不负有心人，动物实验成功后，林尚清成功开展了重庆医学院附属第一医院第一例体外循环下心脏直视手术。林尚清在艰难岁月中彰显出的这种舍己忘我、艰苦奋斗的精神，指引着新时代的重医人在新征程上创造更大的历史功绩。

1982 年，林尚清率先在四川及西南地区开展心脏双瓣膜及主动脉瓣置换术研究。1983 年，他主持的“心脏双瓣膜及主动脉瓣替换”科研课题获四川省科学技术进步奖二等奖。他曾历任《中华胸心血管外科杂志》编委兼英文编辑，《中华胸心血管外科临床杂志》副主编，《中华创伤杂志》中文版和英文版副主编，《重庆医学》《四川医学》《医学文摘》《心血管病学进展》等多个杂志的创刊编委，为重庆胸心外科的发展和西南地区人民群众的健康事业做出了巨大贡献。

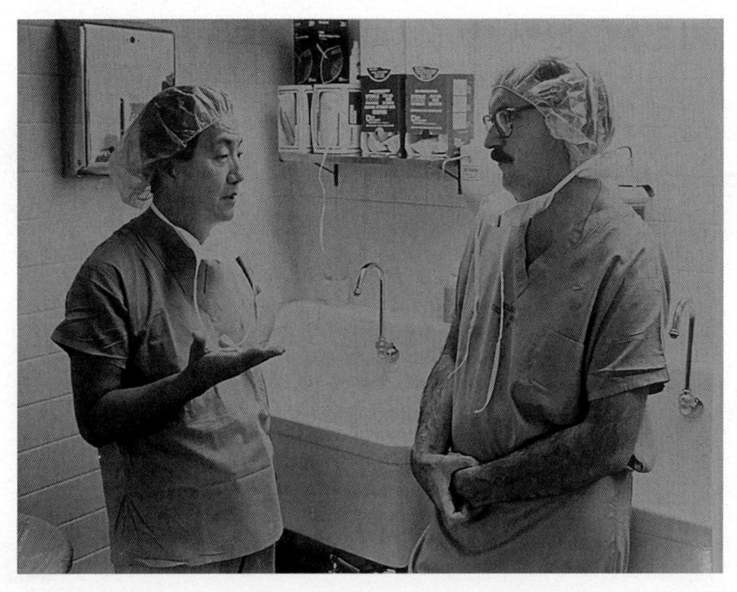

图 1-2-11　1982 年，林尚清（左一）在美国访问交流

（邓世雄　韩　可）

# 郑惠连：敢为人先　奋战一线

郑惠连是我国著名儿童保健学专家、重庆医科大学附属儿童医院创始人之一。1956年，郑惠连告别新婚的丈夫，与400余名上医人一起，西迁巴山渝水，参与重庆医学院及其附属医院建设，为开创重医的基业而奋斗。创业初期，作为重庆医学院附属儿童医院筹备组中唯一的医学专业人士，她为医院的筹备工作倾注了大量心血。1956年6月1日，重庆医学院附属儿童医院正式开诊，结束了重庆没有儿科专科的历史。

1978年，52岁的郑惠连受命牵头成立儿童保健科，从治病转变到防病。当时，儿童保健学在全国刚起步，在没有教材、没有教师的情况下，郑惠连牵头组织年轻医生收集大量临床实例分析研究，最终成功出版了《儿童保健学》，并获得卫生部优秀教材二等奖。在她的带领下，儿童保健科致力于保障和促进儿童体格生长、营养、认知和心理的全面发展，在西南乃至全国起到学术带头作用。

四十多年来，郑惠连培养出许多优秀的儿童保健专家。在大家的共同努力下，婴儿死亡率、畸形率大为减少，曾经很常见的白喉、猩红热、百日咳等危害儿童成长的疾病也基本绝迹。

时至今日，96岁高龄的郑惠连仍奋战在儿童保健一线，为重庆医学事业的发展作出重要贡献（图1-2-12）。从风华正茂到霜雪满头，她用无私奉献诠释了对党和人民的无限忠诚，用实际行动铭刻下西迁精神的历史内核。

2020年，郑惠连获评“感动重庆十大人物”。颁奖词这样描述她：“听党召唤，以国为先，告别黄浦江，拓荒大西南，你把最美的岁月留在祖国最需要的地方。一个甲子的不辍耕耘，撒下燎原火种，医德双馨泽被后代，西迁精神光照四方——赤诚爱国心！”

图1-2-12　郑惠连（左一）坐诊

（刘　湘　刘旭初）

# 黄仲荪：矢志科研　勇于创新

重庆医科大学生理学教研室始建于1956年，由上海第一医学院生理教研室部分师资、技术员西迁来渝组建。

创建初期，生理学教研室的师资队伍中有实力较强的中年教师，也有刚从医学院校毕业不久的青年教师。当时上海第一医学院委派了技师林淑辅率先带鲍安铮、刘佩丽来渝设计、安排教研室布局，准备十分充分。在设备方面，凡上海第一医学院有两套的就支援重庆医学院一套，如只有一套的也尽量优先供给，加上几位来渝的教师四处奔走，采购必需的教学和科研用品，这为后来者来渝迅速开展工作打下了坚实的基础。

黄仲荪（图1-2-13），浙江余姚人，毕业于中国医科大学，上海第一医学院生理学教研室助教。1957年，黄仲荪西迁来渝参与创建了重庆医学院生理学教研室。1972年，黄仲荪参与筹建生理实验室，开设了电生理讲座，并为西南地区开设电生理训练班多期。他还亲自赶赴昆明、贵阳、泸州、南充等地的医学院校指导筹备电生理室。

20世纪70年代中期，黄仲荪带领教研室对针刺麻醉（针麻），针刺镇内脏痛做了创新性研究，获全国科学大会奖及四川省人民政府卫生厅多次奖励。在学校的支持下，教研室集中“针刺镇痛”“针刺麻醉”的课题，与附属第一医院合作开展了针刺麻醉手术，并在手术中客观地记录了“疼痛”和“镇痛”的多项数据，然后在动物身上进行了内脏痛的模型复制。“针刺镇内脏痛机理研究”曾获1984年四川省人民政府科技成果奖三等奖。“猫内脏大神经冲动在延髓内的投射”课题被同行专家认为理论上有创新，处于国内领先地位。

1985年，黄仲荪应邀去美国合作针刺镇痛、痛觉生理、自主神经电生理等多项研究；1991年再次应邀去加拿大讲学并进行学术研究。1989年和2000年分别应邀前往日本大阪大学和德国科隆大学举办学术讲座。生理学教研室团队在黄仲荪的领导下，发表论文70多篇，因针刺镇内脏痛研究的系列成果获全国科学大会奖，为后续中医药学院的针灸专业的科研事业打下了坚实的基础。

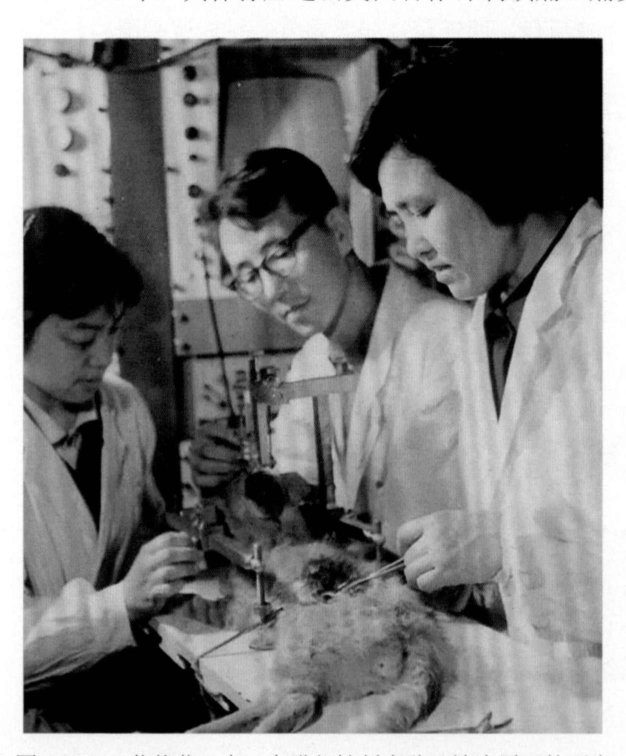

图1-2-13　黄仲荪（中）在进行针刺麻醉及镇痛原理的研究

除了科研医疗之外，黄仲荪还著书立说，指导广大基层医生。由他主编的《生理生化》教材，不仅适合本校学生应用，也深受兄弟院校欢迎；他还与北京医科大学周佳音教授合编了《电生理学实验》一书。退休后黄仲荪心系学校发展，积极参加院督导组工作，继续为提高重庆医科大学教学质量发挥余热。

（徐　晨　宗华月）

# 康格非：一片冰心 满腔赤诚

1957年，康格非西迁重庆参与重庆医学院创建，在重庆医学院的生化教研室一待就是20多年。1980年，改革开放的春风吹向了重庆大地，康格非作为重医人走出了国门。在美国，康格非先后在威克·福里斯特大学鲍曼·格瑞医学院及圣路易斯大学医学院做访问学者、博士后副研究员及客座副教授，从事内毒素对心脏及肝脏的生化毒理学研究。国外虽然有良好的工作条件、优厚的待遇，但在康格非心里，却始终惦念着重庆医学院，这所由他参与创建的学校。

1983年，当德高望重的老院长钱悳写信邀请康格非返校承担检验系建系工作时，康格非立即收拾行囊，踏上了回国的征程。从此，美国少了一名优秀的临床生化研究员，而重庆医学院多了一位开创检验系新天地的拓荒者。回国后，康格非在国内率先建立医学检验本科专业，并任重庆医学院检验系主任（图1-2-14）。

然而就在医学检验专业刚刚起步的时候，康格非居住在香港的岳父病重，妻子必须回香港照料年迈的父亲。如果此时随妻子迁居香港，就意味着放弃重庆医学院刚刚步入正轨的检验事业；如果让妻子独自承担照顾老人的重任，又于心难忍。一时间，康格非左右为难。此时，不是办法的办法只得派上用场：一家四口对半分，实行“一家两制”。康格非与大女儿留在重庆，妻子与小女儿迁居香港。康格非的无私奉献最终换来医学检验系累累硕果：“国家级重点学科”“全国医学检验专业理事单位”“全国首批临床检验诊断学专业博士授权点”……

康格非曾说：“每个人都有自己的一片天地，要有远见，但不要有私心，奋斗才会有乐趣。”医学检验就是属于康格非的那片天地，重庆医学院就是他奋斗的那方乐土。在康格非的身上，我们看到了一代优秀知识分子无私奉献的缩影。

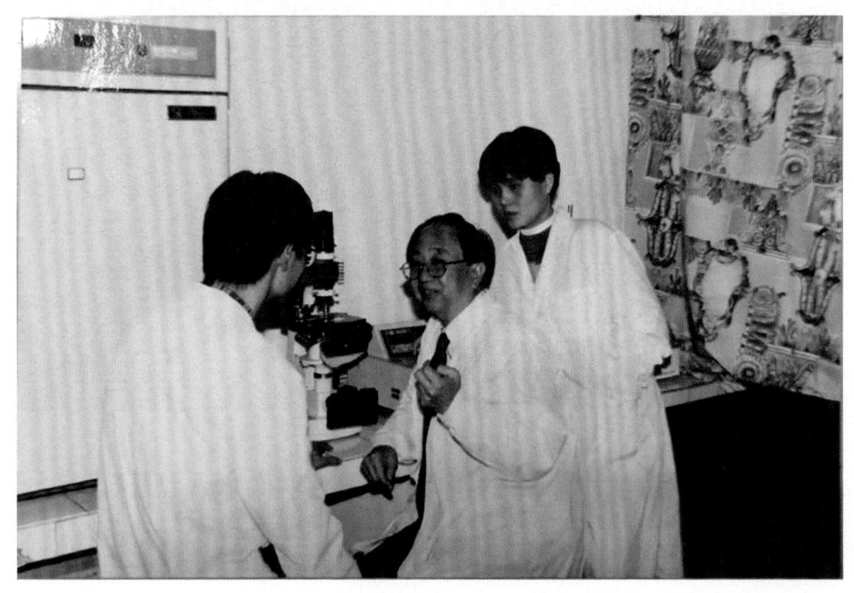

图1-2-14 康格非（中）指导年轻医生

（刘旭初 陈朝琴）

# 徐葆元：做一个有温度的医者

徐葆元，1922 年出生，浙江兰溪人，1949 年毕业于国立上海医学院，历任重庆医科大学医学二系主任、附属第二医院院长，硕士生导师。长期致力于诊断学和内科学教学，对内科学有丰富的临床经验，尤其对消化内科和内分泌疾病有较深的造诣。

20 世纪 70 年代，重庆医学院附属第二医院的消化内科开始组建，以徐葆元、沈鼎明等为代表的老一辈消化内科西迁专家负责带头建设。起步时，境况比较艰难，徐葆元带领科室成员迎难而上，克服一个又一个的困难，渡过了一个又一个难关，经过了几十年的辛勤付出，为学科建设和医院做出突出贡献。希波克拉底说过，医术是一切技术中最美和最高尚的。关爱患者，为患者除病去痛是医者的最高职责，脱离了同情和关爱，再精湛的医术也如冷冰冰的机器，拒人于千里之外。从医数十年，徐葆元（图 1-2-15）工作认真负责，无论何时都坚持从患者利益出发，为患者着想。他为患者治病多用价格低廉而疗效又好的药，以减轻患者经济负担。由于他医术精湛、医德高尚，慕名而来的患者很多，可他从不推诿，不管门诊有多少患者，时间有多晚，他都坚持看完门诊所有患者。

徐葆元有着几十年消化内科及内分泌的临床经验，其科研项目“血小板功能研究”曾获重庆市科技成果奖二等奖和四川省科技成果奖四等奖；“肝病血小板聚集功能和凝血因子研究”获重庆市科技进步奖三等奖。从徐葆元身上，我们看到了一位西迁老专家、老科技工作者对事业的执着追求，对患者的无限关爱和对职业的崇高追求，他精湛的医术、高度负责的工作作风、对患者和蔼可亲的态度赢得了广大病员及同行的称赞，是无私奉献、全心全意为患者服务的典范。

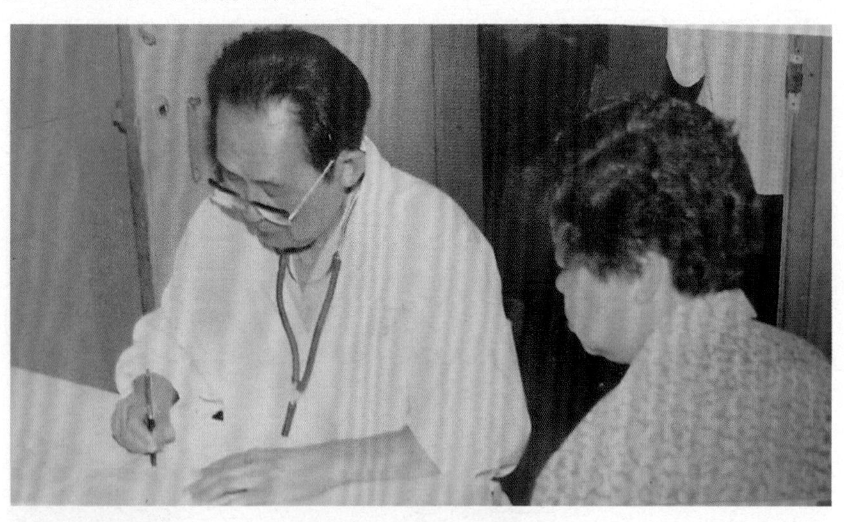

图 1-2-15　徐葆元教授出门诊

（余华荣　邵海英）

# 黄崇本：大爱铸医魂　精诚显仁心

黄崇本，江苏省南通人，著名外科学专家、烧伤专家，1958年响应国家号召，西迁参与筹建重庆医学院及其附属医院。

20世纪60年代初，胆道蛔虫病盛行，为研究其发病原理及治疗方案，黄崇本主持并创办重庆医学院附属第一医院“基础外科实验室”，为更好地有针对性地治疗胆道蛔虫病提供理论依据。随着医学科学的发展，实验室最后发展为“移植实验室”，为肝移植打下了基础。

20世纪70年代初，烧伤患者大量增加，医疗工作者供不应求，医患比例不平衡，黄崇本率领部分年轻医师成立普外科烧伤组，深入研究烧伤患者病情变化及组织改变。为更好地救治患者，他在病房与患者同住，像亲人一样照顾关心烧伤患者，成功救治多批大面积烧伤患者，其中有面积达90%以上的重度烧伤患者，救治成功率高达95%，达到国内先进水平。

1975年，为解决烧伤患者皮源紧缺难题，黄崇本成功研制出世界首台烧伤三用（切块、打网、打孔）切皮机（“75型”，图1-2-16），填补了我国在此领域的空白，获得全国卫生科技科学大会奖、四川省人民政府科技成果奖。1985年，黄崇本参与创立烧伤整形外科，进一步解决了烧伤患者的后期功能恢复问题。

1976年下半年至1977年，黄崇本带领医教队赴四川渠县实习，当时医疗条件艰苦，很多时候是到农民的家里去做手术，遇到什么手术就做什么。晚上就在农民家借宿，没有被子就用包谷壳（玉米叶）盖在身上保暖。在工作中，黄崇本总是教导学生们：“临床医生就是要多看患者，多观察病情，不懂的多问和多查文献。”黄崇本的医术和医德美名远扬，找他就诊的患者络绎不绝。不管多难、多忙，他总是温和认真地检查，详细周密地分析，为患者找出最佳治疗方案。他勤奋和一丝不苟的精神感染了同事和学生，整个医教队都呈现出一种努力学习、刻苦钻研的风貌，受到当地领导和群众的热情夸奖。

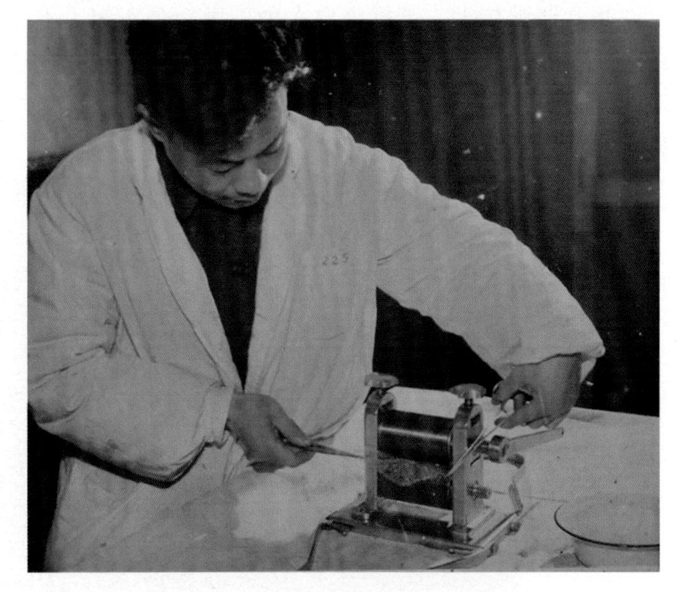

图1-2-16　黄崇本发明烧伤三用切皮机

在黄崇本的从医生涯中，他关心群众疾苦的高尚品德、对医学教育事业的忠诚、对临床医疗事业的热爱、对医学技术精益求精的精神给师生们留下深刻的印象，他的谆谆教诲激励着很多后来成为临床医生的学生不断实践和提高，成为医界翘楚。

（唐　卫　宗华月）

# 裴润方：共产党员就是要听党指挥跟党走

1956年，时任上海第一医学院副院长钱悳动员当时正在微生物教研组担任助教的裴润方西迁重庆支援重庆医学院建设，裴润方想也没想，就回复了一个字“去”！而这一“去”，他就在重庆扎根了一辈子！

在一张泛黄的“调重庆医学院工作人员情况调查表”上，有这么一栏：“尚有哪些具体困难需要组织帮助解决”，裴润方在这一栏里写着“无任何问题”。简短的几个字，铿锵有力，让一代西迁人的家国情怀和使命担当袒露无遗。而那一年，裴润方年仅29岁。

裴润方回忆：“光是我们教研组就去了十几位老师。我那时刚加入中国共产党，想到能够去重庆，投身西部建设，感到很兴奋！”就这样，裴润方与400多名上海第一医学院的老前辈一道，告别繁华的大都市，来到条件落后的重庆，他们不仅没有待遇补贴，工资还减少了一部分。无论是在学术事业上还是在生活和家庭上，他们都作出了巨大的牺牲。艰难困苦，玉汝于成。裴润方和广大创校先驱们一起，白手起家、艰苦创业，克服重重困难，创建了重庆医学院，无怨无悔地扎根重庆，并把余生的心血都献给了重庆医学院，为学校的发展奠定了坚实的基础（图1-2-17）。

在裴润方的日记中有这么一段话：“党中央、国务院作出了支持大西南的决定，我与同事们就义无反顾来到重庆支持西部建设，共产党员就是要听从党的指挥，跟党走。没人觉得苦，我唯一的信念，就是要把学校和医院建设好，不能辜负组织对我的信任，人民对我的期望。”

平凡铸就伟大，英雄来自人民，每一个人都了不起。英雄就是普通人拥有一颗伟大的心，拥有一颗无私奉献的心，正是有裴润方一样的西迁老专家们“胸怀大局、无私奉献、艰苦创业、自强不息”的精神，不计得失、默默奉献，中华民族这艘巍巍巨轮才能乘风破浪、行稳致远。

图1-2-17　裴润方（前排右二）参加学术会议留影

（朱　丹　宗华月）

# 高根五：勇攀科学高峰的奋斗精神

高根五 1956 年毕业于上海第二医学院，同年分配至上海第一医学院附属中山医院系统外科工作。1958 年他随钱悳一同来到重庆，1964 年，他前往刚合并的“宽仁医院”（今重庆医科大学附属第二医院），开始了将其由普通医院建设成为教学医院的艰巨工程。

当时，面对无助的门静脉高压症患者，高根五心如刀绞，一直希望能找到一种切实有效的解除病痛的手术方法，可当时的中国在这项领域还是空白一片。经过充分的理论准备，已近不惑的高根五和同事们一起开始了门静脉高压手术治疗的漫长探索之路。当时，几个人得轮流到校本部的动物房抓犬，并将犬送到重医附二院；没有实验室，只有一个破旧不堪的阳台，酷夏的时候，头顶着似火骄阳，手里的实验工作还得继续进行下去。即便在如此艰苦的环境之下，高根五依然和同事们率先在国内开展肠系膜上静脉-下腔静脉 H 形搭桥手术及经胸门奇静脉断流术，填补了国内在这一领域的空白，并对日本的经胸门奇静脉断流术做了大量的技术改进，达到了国际先进水平。高根五多次在杭州、成都、沈阳、昆明、柳州等地主持全国性肝胆外科学术会议，深受全国外科医师的敬爱。2000 年，由高根五主编的《临床普通外科学》出版了，裘法祖教授为本书作序。

重庆医科大学外科学教研室原主任刘长安的家里至今保存着一大摞修改过的文章，那是当年高根五为他修改的。当时科里的年轻医生们意识到英语学习的重要性，可苦于英文基础薄弱，能胜任专业英文教学的同志又极少，高根五了解这一情况后，决定全力支持他们，于是他工作之余熬夜给年轻医生修改英文文章，将错误或不当之处一一标注，并将修改意见工整地补在旁边。

高根五（图 1-2-18）将毕生奉献给了我国医学事业，他勇攀科学高峰的科学精神与毕生追求的奋斗精神是中华民族艰苦奋斗、自力更生优良传统的传承与发扬。

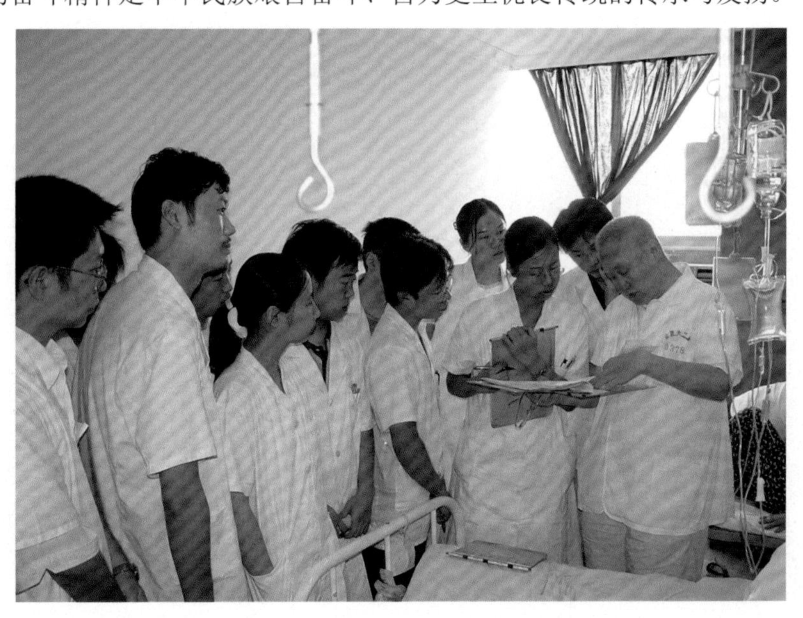

图 1-2-18 高根五（右一）带教查房

（陈 戈 韩 可）

# 陈宏础：无怨无悔　问心无愧

陈宏础是我国著名医学检验专家，重庆医科大学附属第一医院检验科和医学检验系的开创者之一（图 1-2-19）。1950 年，陈宏础应聘到上海第一医学院内科学系担任技术员，在朱益栋教授等专家的精心培养下，他的医学检验技术有了很大提高。1953 年，陈宏础参加抗美援朝国际医防服务队第十大队，荣立三等功，获朝鲜军功奖章。1954 年在华山医院加入中国共产党。

1957 年，24 岁的陈宏础主动请缨，毅然选择溯江而上，西迁参与重庆医学院及其附属医院建设。陈宏础回忆，从上海到重庆整整坐了一个星期的船才到。由于地区差异，来重庆后陈宏础的工资也降低了，直到在重庆工作 20 年之后，才恢复到上海 1957 年时的工资水平。但他表示，作为共产党员，这一切都无怨无悔。他在领导检验科时，以培养人才、提高质量和为患者服务好为目标开展工作，检验科多次被医院评为先进科室。1983 年以来，陈宏础全身心投入创建医学检验系工作。他授课深入浅出，学生受益匪浅，多年以后学生回忆起当时的场景仍记忆犹新。每当学生毕业时，他总是提笔留言“学习勤奋点、工作勤快点、生活勤俭点”，勉励他们在人生的道路上笃行不怠，他希望学生能保持终身学习的理念，不断更新知识为患者服务好。

1985 年，他完成卫生部胆红素科研课题等，先后两次获四川省科学技术进步奖三等奖；1987 年主编医学检验本科教材《临床基础检验学》，还担任《全国临床检验操作规程》第 3 版血液体液专业组主编；先后在《中华医学检验杂志》等权威期刊上发表论文近 70 篇。陈宏础还热心社会工作，在担任全国检验学会常委、四川省和重庆市检验学会主任委员期间，他以提高检验质量为目的组织巡回讲学和会议交流等活动，受到同道们赞扬。即使退休后，两鬓斑白的陈宏础仍精神饱满地为检验医学院学生开展专题讲座。

所谓学高为师、身正为范，从风华正茂的青年到耄耋之年的老人，今年已 89 岁的陈宏础，用“无怨无悔，问心无愧”这八个字来回顾概括了自己的医者生涯。

图 1-2-19　第一届医学检验系领导班子留影（左起康格非、刘世谦、陈宏础）

（刘小平　钟　志）

# 第三章　抗疫精神

## 引　言

2020年伊始，一场突如其来的新冠肺炎疫情肆虐中华大地。这次疫情是中华人民共和国成立以来，遭遇的传播速度最快、感染范围最广、防控难度最大的一次重大突发公共卫生事件。面对疫情，14亿多中国人民在以习近平同志为核心的党中央坚强领导下，同呼吸、共命运，肩并肩、心连心，铸就了生命至上、举国同心、舍生忘死、尊重科学、命运与共的伟大抗疫精神，它是支撑和激励全国各族人民英勇抗击疫情的强大精神力量，是当代中国人民精神风貌和中国特色社会主义制度优势的直接体现，是中国精神的生动诠释。

长江一帆远，黄河九曲阔。晴川三万里，脊梁十四亿。国难当头，谁能独善其身？重医人的血脉中，始终都有情系祖国人民、无私奉献拼搏的精神。面对疫情，重庆医科大学及各附属医院第一时间挺身而出，先后派出276名医护人员奔赴疫情最严重的湖北武汉和孝感，彰显医疗国家队的使命与担当；援新疆、援吉林及援外医疗队闻令而动，尽其所能，共克时艰；众多市级专家参与重庆大学附属三峡中心医院、重庆市黔江中心医院、重庆大学附属涪陵中心医院、重庆医科大学附属永川医院及重庆市公共卫生医疗救治中心等定点集中救治医院的医疗救治及片区督导工作，为“守住”重庆殚精竭虑。“前方有你，后方有我”，重庆医科大学科研精英团队与时间赛跑，火线攻关，研发出系列新冠病毒抗体检测试剂盒，出口多个国家和地区，科研成果卓著。在生死攸关的危急时刻，重医人迅速决断、挺身而出，毫不犹豫地伸出了援助之手，他们来自每一个平凡的岗位，不约而同奔向同一个“战场”，守护同胞，守护家园，以有序的科学管理、高超的医疗技术，感同身受的人文情怀救治了大量患者，展现出敬业精神、责任心、高度警觉性及训练有素的应急能力，诠释了医者敬佑生命、大爱无疆的崇高精神。

声明：本篇章收录人物文章及图片综合整理自重庆医科大学各附属医院提供的原始素材，以及新华网、人民网、中新网、《重庆日报》、华龙网、上游新闻、《楚天都市报》、《长江日报》等媒体提供的图文素材。由于编写过程中进行了大量综合，故无法在此一一注明来源，我们将在后续工作中逐步完善。

# 黄爱龙：勇担使命 科技战疫

2020年初，新冠肺炎疫情突如其来。疫情发生以后，习近平总书记多次强调，战胜疫情离不开科技支撑，要综合多学科力量加快科研攻关，在坚持科学性、确保安全性的基础上加快研发进度，力争早日取得突破，尽快拿出切实管用的研究成果。

2020年1月13日，重庆医科大学感染性疾病分子生物学教育部重点实验室学术年会结束之后，从事了30多年病毒研究的黄爱龙教授召集实验室老师，对新冠肺炎疫情进行了研判分析，他们当即决定，开展新冠病毒相关科研攻关。根据当时的情形，他们把主攻方向聚焦在新冠病毒抗体的化学发光法检测试剂研发上。

抗原设计与制备、试剂盒组装及实验室验证、临床验证是研制免疫诊断试剂的3个重要环节。作为整个项目的负责人，黄爱龙几乎所有时间都泡在实验室，甚至有时候晚上回了家，第二天凌晨1时又赶回实验室，继续做实验、讨论问题。经过反复改进和验证，2月6日，初步组装的基于表位肽和重组抗原的化学发光试剂盒各项性能都基本达到预期设定指标（图1-3-1）。

图1-3-1 黄爱龙（中）带领团队火线攻关，研发抗体检测试剂盒

在黄爱龙的带领下，重庆医科大学联合企业数十名科技人员夜以继日奋力攻坚、克服种种困难研发的新冠病毒IgM/IgG抗体检测试剂盒获准上市，正式投入临床应用。这是我国自主研发、全国首个获批上市的化学发光法新冠病毒IgM/IgG抗体检测试剂盒。其中2款产品成为国内首个获批准化学发光法新冠病毒抗体检测产品，7款产品获得欧盟符合欧洲标准（CE）认证，出口多个国家和地区。

科研攻关的全力以赴，离不开一大批科研人员的身体力行。在这场同疫情的殊死较量中，黄爱龙带领科研团队实现了“从0到1”的突破。取得这样的成果并不容易，是无数科研人员不辞艰辛，全身心地投入，夜以继日火线攻关的结果。他们不仅是科研工作者，更是大无畏的战士，他们为前线提供了“武器”，为抗击新冠肺炎疫情贡献了重医力量。

截至 2022 年，黄爱龙团队成功研发的全球首款新冠抗体化学发光检测试剂盒已出口全球多国和地区，捐赠和销售超 1 亿人份。重庆医科大学科研团队毫不懈怠，持续抗疫攻关，2022 年 3 月，黄爱龙带领科研团队又成功研发新型冠状病毒抗原快速检测试剂，获得国家药监局批准上市，助力全球防疫。在此期间，黄爱龙还在世界顶级自然科学刊物 *Nature* 上连续发表了 4 篇抗疫相关研究成果，引发全球关注。

（杨现洲　涂　念）

# 周发春：以生命赴使命

作为重庆医科大学附属第一医院重症医学科主任、急诊医学教研室主任，在新冠肺炎疫情发生之初，周发春就毫不犹豫向组织递交了“请战书”——“不论生死、无惧风险，愿以生命保卫重庆、驰援武汉！”

2020 年 2 月 12 日晚 11 时，正在永川新冠肺炎定点救治医院的周发春接到电话：“你明天随队驰援武汉，有没有问题？”周发春想都没想，回答道：“没问题！哪里需要，我就去哪里！”那时，作为渝西地区新冠肺炎医疗救治专家组组长，周发春已经在重庆医科大学附属永川医院驻守了 15 天。接到命令后，他即刻交接工作，次日一早赶回重庆，随队奔赴武汉。

抵达武汉不到 24 小时，就接到指挥部命令进病房收治患者。武汉市第一医院是临时调整的新冠肺炎重症患者定点收治医院，重症、危重症患者很多。“要说我们不害怕、不忐忑，是不可能的。”周发春回忆说，但他们没有退缩，第一时间冲进隔离红区，整建制接管两个重症病区，3 小时内收治了 70 位重症患者。

后续诊疗中，病房有两位 80 岁高龄患者，病情恶化须转 ICU 气管插管呼吸机治疗，但医院 ICU 床位满了。医疗队快速在病区建立临时 ICU，然而临时 ICU 不是负压病房，气管插管时患者气道开放，直接暴露，感染风险极高，但当时已刻不容缓，周发春和战友快速完成气管插管呼吸机治疗。很快，患者血氧饱和度回升，病情得到及时缓解。

几天后，定点收治医院一位 70 岁高龄的危重症患者，只有用体外膜氧合器（ECMO）治疗，才能抢得一线生机。周发春不顾刚出隔离区的疲惫，再次穿上“战袍”与死神赛跑，带领团队成功实施了该院首例 ECMO 救治（图 1-3-2）。

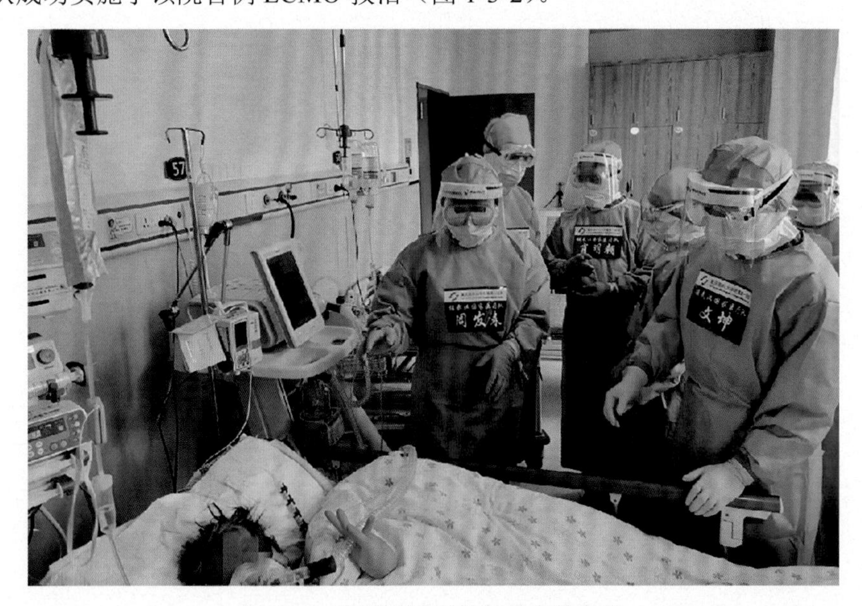


图 1-3-2　周发春在武汉抢救高龄患者

“不抛弃每一个患者，不放弃每一线希望！”这是周发春在武汉抗疫期间始终坚守的信念。

一位50多岁的患者，无创呼吸机治疗半个月仍难以脱机，情绪十分悲观。周发春常常用重庆话鼓励他："雄起！坚持下去，一定会好起来的。"一个月后，这位患者康复出院时热泪盈眶地说："感谢周医生教我说'雄起'，感谢重庆医疗队给了我第二次生命！"

2021年1月27日，周发春再次踏上"征程"。作为重庆医科大学附属第一医院援吉林医疗救治专家组组长，他带领5人专家组赶往吉林通化，再一次冲向抗疫最前线。别人问：接到这种急难险重的任务时，心里会不会"打鼓"？周发春说："以生命赴使命！这是我作为一名医者的职责所在。"

（唐　卫　蔡雨齐）

# 郭述良：与“疫魔”战斗的47天

郭述良，重庆医科大学附属第一医院呼吸与危重症医学科主任、内科专科第三党支部书记，多次担任重庆市与呼吸相关的重大公共卫生事件临床救治专家组组长。新冠肺炎疫情发生后，郭述良毅然请战，深入一线，赶赴黔江，在3天内指导完成黔江片区集中救治中心建设投用工程，治愈渝东南首例新冠肺炎确诊患者，创新性地提出救治中心实行标准化管理的战略理念，为渝东南地区的抗疫工作作出了突出贡献。

2020年1月30日，作为4个集中救治医院之一，由重庆市黔江中心医院儿童医院改建而成的黔江片区集中救治定点医院开始接收确诊病例。作为黔江片区医疗救治专家组组长，郭述良与其他专家各施所长、通力协作，迅速指导医院从硬件平台、人员团队、技术能力、流程规范等多个方面，全面启动集中救治医院建设，同时提出了救治中心实行标准化管理的战略理念，为实现救治过程同质化和均质化制订了各类流程，实现了流程标准化。

万州地区作为重庆市新冠肺炎患者数最多最重的地区，是重庆市抗击疫情的重要关口。2020年2月14日，郭述良奔赴重庆大学附属三峡医院支援当地的抗疫工作。一到当地，他就在市委市政府卫健委的大力支持下，紧急协调医护人员、设施设备、防护物资，加强信息化建设，构建重症救治技术体系，明确专家组分工，优化了院内医疗制度及流程。

在万州片区担任新冠肺炎医疗救治专家组组长时，郭述良提出“三圈管理”策略，即把整个万州片区的救治形势划分成三个圈，最里面是重型、危重型救治圈，中间是轻型、普通型救治圈，最外面是院外区县圈。区县圈的重点是早诊早治；轻型、普通型救治圈要防止轻型转化为重型、危重型；对于最核心的重型和危重型病例圈，专家组集中最精锐的呼吸和重症医学科等重症专家，大幅提升人员配置和技术支撑，打歼灭战、解决存量，尽最大努力抢救，降低病死率。

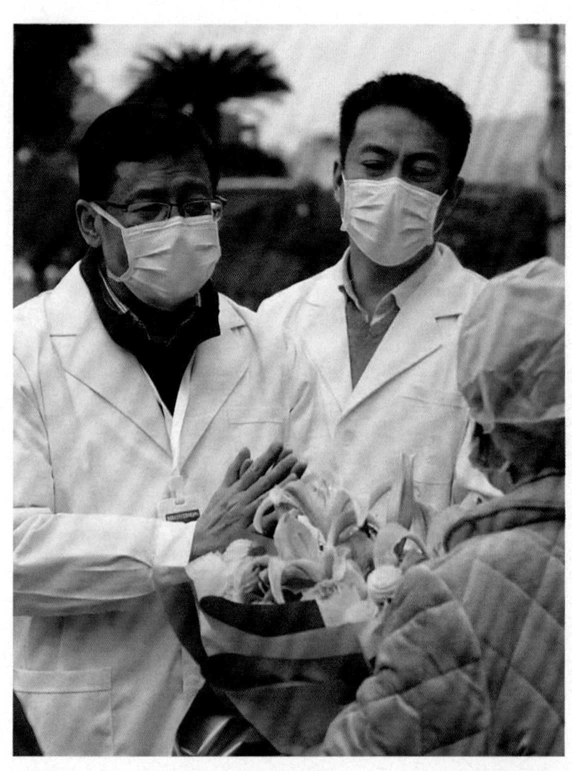

图1-3-3　万州集中救治中心郭述良（左一）送别康复出院患者

在众志成城的努力之下，万州片区新冠肺炎疫情迅速稳定和逆转，3月9日，万州片区集中救治中心重型和危重型患者“清零”，3月11日下午，最后2名新冠肺炎确诊患者治愈出院，渝东北片区在院新冠肺炎确诊患者继黔江后第二个实现“清零”（图1-3-3）。

“这就是打仗，与死神的生死争夺。”郭述良说，他的职责和使命就是竭尽所能、全力救治，争分夺秒挽救生命。

（蔡雨齐　涂　念）

# 甘秀妮：两周辗转3000公里指导抗疫护理工作

新冠肺炎疫情发生后，重庆医科大学附属第二医院护理部主任、第六党支部副书记甘秀妮临危受命，担任重庆市新冠肺炎防控医疗救治专家顾问组成员，奔走于疫情防控的前线（图1-3-4）。

作为重庆市新冠肺炎防控医疗救治专家顾问组唯一的护理专家，甘秀妮负责对全市新冠肺炎护理工作、医疗救治、院感防控、科学研究等提供政策建议和技术支持。

2020年2月10日，在接到重庆市新冠肺炎疫情防控工作领导小组的委派后，甘秀妮连续一周不曾停歇，辗转2000多公里，奔波于重庆市公共卫生医疗救治中心、重庆大学附属三峡医院百安分院、重庆医科大学附属永川医院、重庆市黔江中心医院等重庆市4家定点救治医院。

“我们跑得快一点，与新冠病毒的这场较量，就能多赢得一点时间。”甘秀妮说。每到一处，她顾不得休息，立刻穿上防护服深入病区，走流程、查预案、提整改，强调做好细节、优化流程、保障供应、规范培训等，充分发挥出市级专家的技术支撑作用。

2021年2月11日，甘秀妮到万州片区工作时发现，重庆大学附属三峡医院百安分院没有ECMO护理团队，她立即汇报市卫生健康委员会并做好了应急预案。2月17日，万州片区一例危重症患者危在旦夕。凌晨2时，甘秀妮连夜组建ECMO护理技术团队携设备驰援重庆大学附属三峡医院百安分院，护理团队当日凌晨5时成功完成了重庆市首例ECMO技术在新冠肺炎危重患者中的救治。

2021年2月25日，重庆市第17批支援湖北医疗队183名医护人员紧急驰援孝感，甘秀妮随队出征。作为领队，在深入红区调研的基础上，她牵头制定了《重庆市赴孝感新冠肺炎防治对口支援队医疗质量与安全管理控制要点》，实现不同医院、不同病区的同质化护理，并将重庆医科大学附属第二医院病区6S管理带到孝感前线，使隔离病区护理工作快速上手，同时保障护理人员安全，充分契合了抗疫医疗救治的特点。

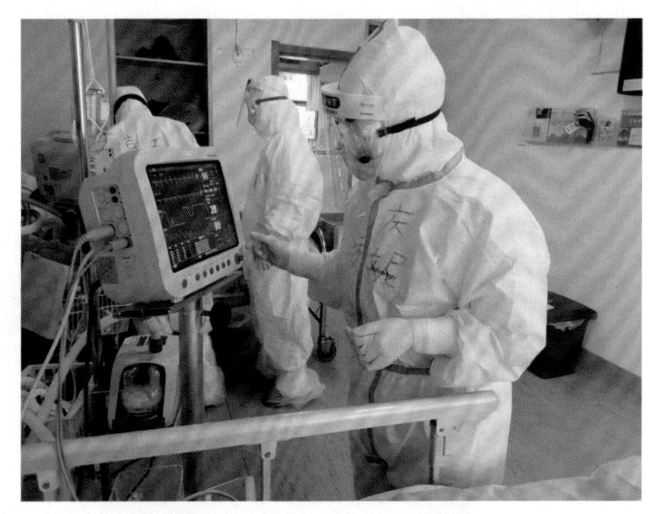

图1-3-4 甘秀妮（右一）在抗疫一线

在抗疫阻击战中，像甘秀妮一样，默默奉献、坚定前行的人还有千千万万，他们用医者的大爱诠释了“敬佑生命、救死扶伤、甘于奉献、大爱无疆”的崇高精神。

（涂 念 黄泳琪）

# 田文广：使命担当扛在肩，越是艰难越向前

疫情发生后，作为重庆市新冠肺炎医疗救治专家组副组长、永川区医疗组组长、重庆医科大学附属永川医院医疗救治组组长，田文广迅速投入抗疫战斗中，走上了抗疫最前线。作为重庆市4家集中救治定点医院之一，重庆医科大学附属永川医院承担了永川区等8个区县的确诊患者救治任务，田文广参与隔离病房的筹建、新征用的病院改造等工作，带头制订了各级医师职责、隔离病房工作等相关制度，强调医疗交班制度、病历书写等核心医疗制度，在短时间内，保障了救治工作迅速推进。

随着新冠肺炎患者的不断增多，以及患者基础性疾病与并发症的复杂化，田文广积极与各科室协调人员，排兵布阵，满足救治患者的需要，为患者提供优质的救治服务，同时，他与各部门协调医疗物资，确保防控工作顺利进行。此外，田文广承担着永川区及全院医护人员关于新冠肺炎知识及政策的培训工作。

抗疫期间，田文广深知科研在抗疫中的重要性，他不仅重视抗疫工作本身，还积极组织隔离病房工作人员进行新冠肺炎的科研工作，带领医务人员一起探索新冠肺炎的病理研究、预防等。他邀请医院科技科、中心实验室的老师讲解科研政策、科研方法及科研选题，为大家开展科研工作指明了方向。与此同时，田文广参与了重庆市科学技术委员会攻关项目“基于大数据的新型冠状病毒肺炎临床评价技术研发与应用”，主持并参与开展了“新型冠状病毒感染诊断和治疗技巧”系列讲座。

从2020年1月底到2020年3月16日暂时结束医院所有的抗疫工作，他在抗疫一线整整奋战了56天（图1-3-5）。56天里，田文广几乎是“连轴转”：强化医护人员专业培训、开展应急演练、参与确定诊断标准、制订诊疗方案、指导发热门诊、组织病例讨论、确保信息报送……田文广坦言，说不辛苦是假的，但医生的天职就是救死扶伤，我们要竭尽全力，为大家的健康保驾护航。

疫情肆虐，田文广一直保持着医者初心，就是这种坚持和韧劲，成就了抗疫形势的逆转，践行了医者时时恪守的职业操守，犹如阴霾里的一缕阳光，给患者带来生的希望和力量。

图1-3-5　田文广（右二）与医务人员一道送别重庆渝西片区首例新冠肺炎患者出院

（钟　志　黄泳琪）

# 王导新：56天辗转近5000公里的救治专家

新冠肺炎疫情发生后，重庆医科大学附属第二医院呼吸内科主任、党支部书记，曾在2003年参与抗击严重急性呼吸综合征（SARS）工作的王导新，主动请缨投身疫情防控。2020年1月20日，重庆市卫生健康委员会组建了重庆市新型冠状病毒市级医疗救治专家组，王导新受命担任组长，同时兼任主城片区医疗救治专家组组长。此后，他全身心投入疫情防控救治指导等前线工作，连续奋战多地，为疫情防控贡献力量。

王导新每天既要对主城片区患者进行查房，提出治疗方案，也要对整个重庆市的病例情况汇总进行研判。他和专家组其他成员每天要花十几个小时工作，认真研究确认每位患者的治疗方案。“只要防控到位，大家齐心协力，胜利就在眼前。”他总是这样说。疫情期间，王导新连续56天奔波近5000公里，救治重庆新冠肺炎患者300例，带领市级专家组实现新冠肺炎患者“双清零”（图1-3-6）。

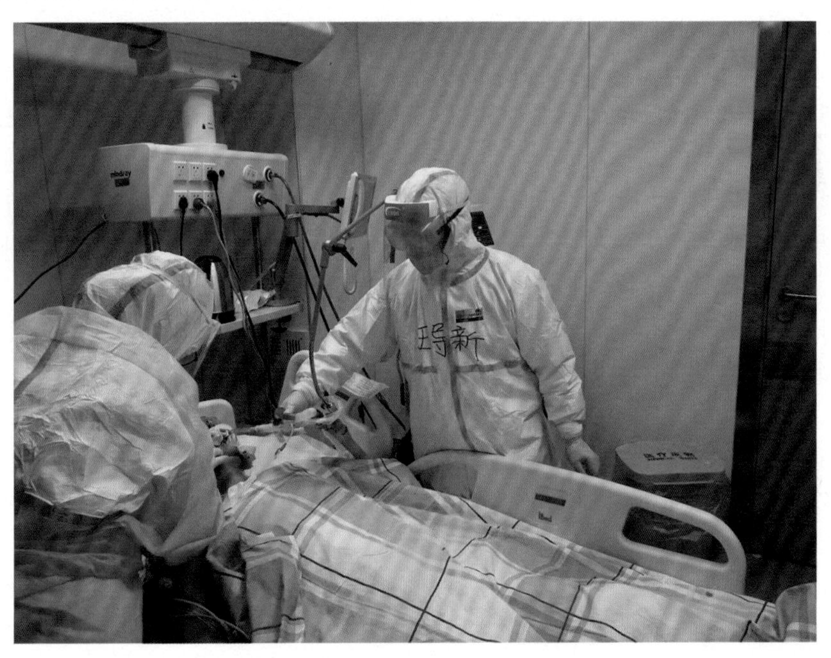

图1-3-6 王导新在隔离病区抢救患者

此外，他还积极助力国际抗疫，在中华人民共和国外交部、国家卫生健康委员会、重庆市人民政府外事办公室的组织下，多次与乌克兰、匈牙利、美国加州萨克拉门托市等9个国家和地区的专家展开新冠肺炎防控经验分享视频会，分享抗疫经验。他积极参与后疫情时代无症状感染者及境外输入新冠肺炎患者的管理，坚决守住重庆疫情防控成果。参与抗疫，工作异常辛苦，但在王导新看来，作为一名老党员、医务工作者，关键时刻挺身而出，为祖国、为家乡抗疫出力，是荣幸，更是使命与担当。在这场抗疫大考中，他用大爱护众生，用坚毅笃行的实干精神，交出了一份高质量的“答卷”。

（唐 卫 涂 念）

# 胡鹏：疫情不息，战斗不止

面对来势汹汹的新冠肺炎疫情，重庆医科大学附属第二医院感染病科主任胡鹏临危受命，作为重庆市新型冠状病毒市级医疗救治专家组副组长、万州和黔江片区医疗救治专家组组长，他走在疫情防控最前沿，驻扎渝东北展开救治，并辗转渝东南支援基层医院，为患者扬起生命的风帆。

到达重庆大学附属三峡医院，胡鹏便一心扑在万州片区的救治工作上。从首例治愈到首例孕妇出院，粗略估计，驻守万州的27天里，由他经手的患者超过200例，治愈出院接近90人。

2020年1月29日，万州迎来重庆市第一例重症患者治愈出院的好消息，作为患者的主要救治专家，自患者1月20日确诊转入重庆大学附属三峡医院后，胡鹏便全程跟进病情。每次进入隔离病房，他都会尽量多待一会儿。数日来，他时刻关注患者的肺部影像资料，根据病情的变化不断调整救治工作方案。

在曙光的背后，更托着一份沉甸甸的责任。2020年1月31日，重庆确诊211例病例，其中万州片区高达104例，胡鹏所在的区域俨然已成为疫情防控工作的重中之重。为了做好渝东北片区的早发现、早隔离、早治疗工作，胡鹏积极发挥“善干”精神，提出影症分离诊断法，指导无症状患者及时治疗，阻断轻症向重症、危重症的转变可能。

随着疫情的变化，胡鹏也在不断调整和变换角色。2020年2月14日，他临危受命，转战黔江，接管渝东南片区，担任医疗救治专家组组长。面对复工潮的来临，胡鹏发挥“能干”精神，结合片区实际调整工作的重心，除了日常患者救治与康复者血浆救治工作，他辗转5个区县，支援基层医院，抓早、抓实、抓细当下的抗疫工作。

在接下来的几周里，胡鹏发挥“肯干”精神，先后奔赴黔江、武隆、彭水、酉阳、秀山，每到一个地方，他都要把当地医院的整体情况摸透，因地制宜，对不同风险等级的科室拟定应对流程和措施，指导11家基层医院完善各自的薄弱环节，增强抵御复工潮引发疫情的防控应变能力。

抗疫以来，作为一名医学专家，他时刻心系救人，只为打好重庆抗疫保卫战；作为一名老党员，他以“肯干”“能干”“善干”的实干家精神，扛起抗疫战场的鲜明旗帜，成为渝东地区抗疫路上的硬脊梁、铁臂膀。

（杨现洲　蔡雨齐）

# 杜先智：去一线是医生的本能，也是党员的职责

面对突如其来的新冠肺炎疫情，广大医务人员白衣为甲、逆行出征，舍生忘死、挽救生命。第三批重庆市援鄂医疗队医疗组组长、重庆医科大学附属第二医院呼吸内科副主任杜先智说："去一线既是医生的本能，也是党员的职责。工作 30 年了，我相信积累的经验能让我承担起这次光荣的任务。"

2020 年 2 月 2 日下午，根据重庆市卫生健康委员会指示，重庆医科大学附属第二医院 11 名医护人员组成的援鄂医疗队火速集结，作为重庆市第三批市级医疗队成员支援湖北，杜先智任党支部委员、重庆医科大学附属第二医院团队党小组组长，同时他也是第三批重庆援鄂医疗队医疗组组长、专家组组长（图 1-3-7）。

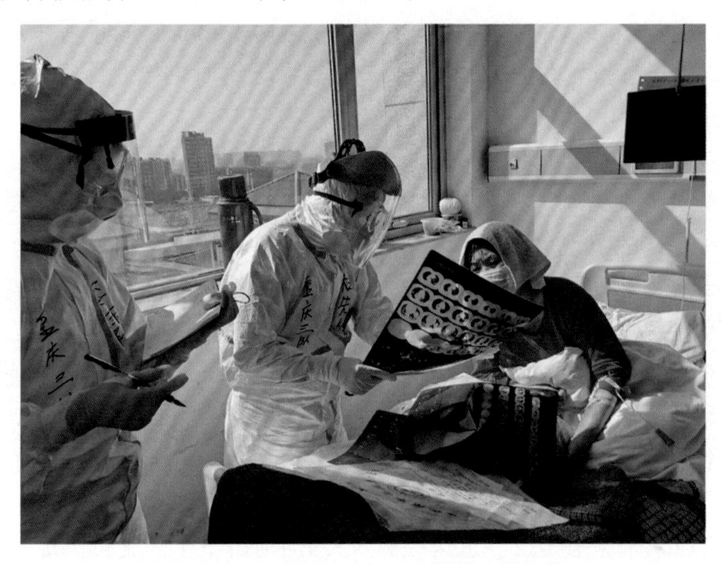

图 1-3-7　杜先智（中）给患者分析病情

进入病区的第二天，医疗队陆续收进了 7 名患者，其中有位年轻患者牵动着大家的心。患者 31 岁，全身多处皮下气肿明显，血氧饱和度为 70%，经过医疗组夜间积极处理，病情仍不稳定。了解到这一情况，杜先智一大早穿上防护服就扎进病区，他结合多年的临床经验，先后制订救治方案、协调会诊。医疗队所在的重症病区系神经外科改造而来，大量呼吸内科常用物资相对缺乏，插管时没有胸引管，他就地取材，用深静脉导管代替；他利用吃饭间隙联系院方协调设备，想尽一切办法挽救年轻生命。

2 月 6 日上午，医疗队接到上级指示，将再接管一个重症病区。杜先智与护理组组长罗晓庆立即以最短的时间与对方科主任、护士长展开工作交接。由于情况紧急医护组重新调整了排班计划。接收完毕后，两个病区总床位数 88 张，共收治患者 74 人。

像杜先智这样的奋斗在抗疫一线的医护人员还有很多，他们以对人民的赤诚和对生命的敬佑，争分夺秒，连续作战，承受着身体和心理的极限压力，用血肉之躯筑起阻击病毒的钢铁长城，挽救了垂危生命，诠释了医者仁心、大爱无疆。

（蔡雨齐　钟　志）

# 刘煜亮：我们是患者的希望，必须全力以赴

2020 年 1 月 26 日，大年初二，夜色已深，重庆医科大学附属第一医院的 20 名医务人员站成一排，整装待发。作为重庆市第一批援鄂医疗队医师组组长，刘煜亮将随重庆组建的 130 多人的医疗队火速支援湖北孝感。出发前，刘煜亮把刚满 7 岁的孩子送到奶奶家。来不及当面告别，家人们只能在家庭群里加油鼓劲，叮嘱他好好保重自己。

1 月 27 日凌晨 2:30，医疗队抵达孝感。简单安顿后，刘煜亮和队友们就开始紧急制订工作方案、工作纪律和原则及分配医疗物资。医疗队负责的是孝感东南医院，这是一个新的院区，是孝感的“小汤山医院”。之前这里是一家民营医院，各方面条件不是很好，防护措施也不完备。但是疫情紧急，在医院防护措施不完备的情况下，患者已经入住。形势所迫，刘煜亮和医疗队的章述军副教授率先查房，第一时间了解了患者的情况，为下一步救治工作做出安排。“我是组长，他是党员，关键时刻挺身而出是我们义不容辞的责任。”刘煜亮说道。

在病区，刘煜亮还担任重庆市首批援鄂医疗队轻症专家技术组组长。在巡回诊疗工作过程中，他发现有不少新冠肺炎患者因为没有得到有效治疗，从轻症发展成为重症甚至危重症。针对这样的情况，他组织队友们总结经验，收集数据，撰写了《疫区新冠肺炎患者解除隔离流程及后续防控建议》《“方舱医院”类似条件下，如何高效诊疗疑似新冠肺炎患者》等文案材料，为一线医务人员提供了宝贵经验。

为了更好地帮助当地医护人员将理论与实际结合起来，刘煜亮带着他们深入病房查房，对患者情况进行面对面分析。他结合在东南医院临床工作经验及对其余区县市定点救治医院的巡诊经验，对后续前来援助孝感的医疗队队员进行临床工作前培训。“急孝感所需，尽重庆所能。”刘煜亮说，不能来了帮个忙就走，还要搞好传帮带。授人以鱼不如授人以渔，正是他毫无保留传授“重医经验”，为当地留下了一支带不走的医疗队。

（蔡雨齐　黄泳琪）

# 符跃强：渝鄂情深，我们一起战斗

2020年新冠肺炎疫情发生后，重庆医科大学附属儿童医院积极响应重庆市第三批市级援鄂医疗队征召，众多医护人员纷纷请缨，附属儿童医院重症医学科副主任医师符跃强便是其中一员。“我们一家人都全力支持我，作为医护人员，疫情当前，必须要有人逆行。”符跃强坦言。

刚到武汉的时候，面对陌生的环境，不一样的医疗电子系统、救治流程，改造的病房，符跃强的心中不免有些紧张。不过10年ICU的工作磨砺，让他快速熟悉电脑系统和处理流程，开医嘱、采集病史、书写入院病历等，每一步都确保精确细致。从医疗队接管危重病区开始，为了能让每一个重症患者尽快转为轻症，他和他的战友们抓紧每一天时间。白天，符跃强穿着防护装备，戴着护目镜，查房、采集咽拭子、安抚患者，每次从隔离病房出来时大汗淋漓像“雨人”，而已经连续工作了10小时的他，晚上8时后，还继续和医疗专家组其他成员一起对重庆医疗队管辖的危重症患者进行详细病情分析，研讨适宜的治疗方案，这样的情况持续了好几周。

符跃强十分注意患者的心理变化和情绪波动，面对疫情初期患者的恐慌，特别是重症患者的低落甚至绝望情绪，他给患者仔细讲解每一次病情变化，鼓励他们放松心情，缓解治疗中的焦虑。同时，他还帮助患者与家人微信互动，用亲情鼓励患者更加坚强地战胜病魔。

作为医疗队的队医，符跃强深知队员面对重症患者要进行长时间的工作、承受高强度的紧张压力。为了让大家保持好的状态救治患者，他把队员中睡眠不好、胃口不适、血糖不稳的情况及时反馈给当地医院，给予药物治疗和后勤保障调整。虽然只是一些细微的关心行动，但他和患者、队友连成一体，大家一起相互加油鼓劲，齐心协力，共同抗疫。

在整个医疗队相互协作与共同努力下，病区大部分危重患者慢慢好转，一批批康复患者出院，符跃强的内心充满了干劲和希望，“我和队员们一定能挺过疫情防控的关键时期，打赢抗疫攻坚战。我相信，春天已经到来，疫情的阴霾终将散去”。

（钟　志　黄泳琪）

# 鲁力：唯一的目标，就是想把患者救活

根据国家卫生健康委员会统一安排，按照重庆市委、市政府相关要求，2020 年 2 月 2 日，重庆吹响了“集结号”，紧急组建第三批援鄂医疗队。重庆医科大学附属大学城医院急诊/重症医学科副主任医师鲁力从事重症医学专业 12 年，始终对疫情保持高度敏感，自 1 月起，他就高度关注疫情发展的最新动态。接到集结令的第一时间，他主动报名，与其他 5 名队友一起，星夜驰援武汉。

2 月 2 日晚，他随队抵达当时抗疫压力最大的医疗单位——武汉大学人民医院东院区，这里是武汉市最核心的四大战场之一。鲁力回忆道：“进入医院，感觉巨大的压力瞬间袭来，让人猝不及防。”

由于收治新冠肺炎患者的科室专业医护工作者急缺，第三批援鄂医疗队一到战场，就整建制接管了武汉大学人民医院东院区两个病区。其中，鲁力作为先遣队前往收治新冠肺炎患者的其中一个病区，该病区由该院眼科和疼痛科医疗团队勉力支撑，因为专业不对口，当地医务人员施治十分困难，同时还承担着巨大风险和承受着心理压力。鲁力和重庆市中医院副主任医师姚勇刚一起，一个人带一个组，共同接手该病区的救治工作。在 48 小时内，两人将包括重症患者评估、危险因素评估、病情监测指标、院感流程等予以规范，为整建制接管该病区打下了坚实的基础。两人在这里奋战了近 10 天，每天坚持工作十余个小时，没有一天休息，直到重庆市第七批支援队伍到来，两人才稍微放松下来。

作为重庆医科大学附属大学城医院急诊/重症医学科党支部的支部书记鲁力，一直以一名党员先锋的标准要求自己，面对压力时总是不怕困难、挺身而出。在抗疫的 57 天里，工作环境相对艰难，危重症患者的救治难度很大，医疗物资短缺，穿上防护服、戴上护目镜影响操作，同事间沟通起来也没有日常那样方便。在这种情况下，队友们的身心压力都很大，鲁力常常与大家交流，通过队友们在战场上亲笔书写的入党申请书和一封封情真意切的思想汇报，深刻感受到年轻队友们临床工作的激情和坚强。他号召大家以“身先士卒、勇于战斗”的心态去做事，积极发挥先锋模范作用，不断鼓励他们克服困难，放松心态，迎难而上，带领大家共同度过了最艰难的时光。

（蔡雨齐　涂　念）

# 王越：一封写给武汉的情书

2020 年 2 月 13 日，重庆医科大学附属第一医院援鄂医疗队 160 人奔赴武汉，他们战斗在抗疫最前线，留下了许多感动人心的故事。3 月 13 日，重庆医科大学附属第一医院内分泌科医生王越，将一个月来的所见所感，写成了一封送给武汉的情书。

“爱在于付出，本不该有所求。但我爱你，却盼能得你回应。在夏天到来之前，我将离开你，但我希望有朝一日归来时，有硚口六角亭的巷口热闹拥挤，有崇仁小学的教室欢声笑语，还有店家在小路上拦住我，劝我先吃一碗热干面再继续走下去。到那时，我会和当地人坐在一起，不经意地说起我曾来过这里，那是在 2020 年的春季。武汉，我的江城。我爱你，有所求。我要你在自此之后的漫长岁月里，平安，欢喜。”字里行间，溢满了对武汉这座城市炽热的情感和浓浓的爱意，情真意切，感动了无数人，也写进了武汉人民甚至全中国人民的心里。

“这篇文章是用我自己的角度记录，但也能反映我们整个援汉医疗队的感受。发出来后，不少同事都说感同身受，我想我们都有着共同的心情。”王越坦言。

新冠肺炎疫情发生后，王越第一时间向科主任表达了支援湖北的意愿。她出生于医生世家，三代人都从医，丈夫也是医生，2017 年博士毕业后，她便留在重庆医科大学附属第一医院工作。2 月 13 日凌晨，王越接到援汉通知，收拾行李后，考虑到无法当面告知父母，便给父亲发了一条长信息，告诉父亲团队有充足的防护物资，不用担心。3 月 13 日，是医疗队来到武汉一个月的日子，王越将自己所思所感写成文章，表达自己的心意（图 1-3-8）。这封饱含深情的信件，为武汉人民送去了温暖和关怀，也传遍了渝鄂两地，被《人民日报》、光明网、环球网、学习强国、《重庆日报》、《湖北日报》等全国多个媒体广泛转载。一位普通的武汉市民也给王越写了一封回信，这位市民在信中对王越等医护人员的到来表示由衷的敬意与感谢，感谢他们以身赴险，救武汉于危难之际。

图 1-3-8　王越在武汉抗疫前线

一封情书，一封回信，让我们看到关怀与感恩，人性之美在其中闪闪发光。这位文艺的医学博士，用医术和文学战疫，在这场没有硝烟的战争中散发耀人的光彩。

（蔡雨齐　黄泳琪）

# 下　篇

## 课程思政案例

# 第一章　人体概述案例

## 案例一　解剖学绪论

### 解剖与捐献

**【课程名称】** 人体解剖学

**【授课内容】** 解剖学绪论

**【授课对象】** 临床医学相关专业学生

**【教学目标】**

一、专业知识目标

1. 掌握　解剖学姿势、解剖学常用方位术语、人体的轴和面等。

2. 熟悉　人体的系统划分和局部划分，大体解剖和微观解剖的差异。

3. 了解　解剖学在医学中的地位、重要性、分类和发展史。

二、思政育人目标

1. 培养学生对患者的责任心和爱心。

2. 培养学生无私奉献的职业精神。

3. 培养学生感恩、敬畏生命的情怀和职业荣誉感。

**【教学设计】**

一、导入

这是医学基础的第一课，重要性不言而喻。开场即以问题的形式导入。通过设问“大家心中的解剖是什么呢？”引出本节课的重点内容：解剖学的概念和划分、发展史、常用术语及学习方法，并点明重点内容，让学生明确学习目标。

通过对基本概念的讲解自然过渡到“大体老师”（即尸体），使学生初步意识到学好解剖学的基础是“大体老师”，从而通过对“大体老师”的来源问题展开思考，培养学生对医学的敬畏情怀和对患者的人文关怀思想。

二、展开

**（一）解剖学的划分**

1. 按宏观和微观划分　宏观解剖学通过肉眼观察描述，即大体解剖学（巨视解剖学）；微观解剖学主要以显微镜为观察方法，包括组织学、胚胎学、细胞学等，即微视解剖学。结合临床，还有外科解剖学、X 线解剖学、断层解剖学、运动解剖学等。

2. 按系统和局部划分　即系统解剖学和局部解剖学。各器官按功能分类联合组成系统，连续性地共同执行、完成某一生理活动，共分为九大系统，即系统解剖学。按人体部位和形态可将人体分为头、颈、躯干和四肢等部分，每个局部又可进一步细分，即局部解剖学。

由此设问“我们本学期开设的‘人体解剖学’课程属于哪一类呢？”，通过对概念的理解使学生明确本门课程的类属——系统解剖、宏观解剖，从而进一步明确本门课程学习的主要方式："观察""描述"。

**（二）解剖学发展史**

1. 简要讲述西方解剖学发展史和中国解剖学发展史，使学生了解解剖学的发展过程，建立解剖学在医学领域中的地位和重要性。

（1）西方解剖学发展史。

通过设问的方式，提出问题：大家了解西方解剖学是从什么时候开始的吗？经历了多少年？其间发展顺利吗？从古希腊名医希波克拉底（Hippocrates）开始，挑选几个重要阶段简要介绍西方解剖学的发展和一些解剖趣事，以及经历的一些概念修正事件。

（2）我国解剖学发展史。

通过设问的方式，再提出问题：我国几千年来是用传统医学知识在给人们解除病痛，那西医是什么时候传入我国的？其实我国解剖学起源很早，比古希腊名医 Hippocrates 开始得还要早。

通过解剖学发展史让学生了解到要客观阐明人体结构的形态、位置等，就需要大量解剖、总结才能得出结论并应用于临床；另外，动物和人的形态结构还是有很大差异的，使学生明白医学的科学性和严谨性，并初步建立对医学的敬畏之心。

2. 通过解剖学发展史，使学生明白"没有解剖学就没有医学"，而解剖学的发展需要尸体做基础。那么，要搞解剖，尸源在哪里？现在都是通过遗体捐献获得尸体的。介绍捐献者案例和活动，用身边的故事和新闻图片介绍王霄翔同志捐献遗体的事迹和我校年度一次的"缅怀捐献者，彰显医学心"清明祭奠大型活动，将思政元素融入和渗透到这个过程，使学生了解"大体老师"的弥足珍贵，培养学生感恩的情怀和爱岗敬业的精神。

（1）讲授我校离休干部王霄翔这位老共产党员进行遗体捐献的事例。

王霄翔同志于 1940 年参加革命，1941 年加入中国共产党，抗日战争和解放战争时期，随部队转战各个战场，成为战地医疗队的一员。1958 年到重庆医学院工作，历任重庆医学院基础部副主任、党总支副书记，重庆医学院附属第一医院党总支书记，重庆医学院常务副院长等，直到 1983 年 12 月离休。在加入中国共产党的 76 年里，王霄翔用坚如磐石的信念爱党、信党、跟党走，终身不忘自己的入党誓言和对党坚定的信赖与忠诚。离休后，王霄翔回忆战争岁月，常常流着泪对儿子们唠叨，当初在战场上对战友们进行外科手术，是不得已呀！抗日战争和解放战争时期，没有条件去学习人体解剖，这是自己的遗憾！在生命的最后时刻，王霄翔用自己的方式，去弥补这份遗憾：去世后，捐献遗体！2017 年 8 月 15 日，在重庆医科大学袁家岗校区北楼旁，94 岁的老党员、重庆医科大学离休干部、老领导王霄翔同志告别仪式暨遗体捐献仪式庄严举行！

（2）介绍我校十余年来始终坚持的"缅怀捐献者，彰显医学心"清明祭奠大型活动（图 2-1-1 ～图 2-1-4）。

我校"缅怀捐献者，彰显医学心"清明祭奠大型活动自 2009 年以来，至今已举办十余年。每年均有各级领导、教师代表、学生代表等 4000 人左右参加，有致辞、宣誓、献花等环节，现场气氛庄严肃穆，充分展现了在校医学生对捐献者的感恩和崇敬之情。

图 2-1-1　清明祭奠大型活动 1

图 2-1-2　清明祭奠大型活动 2

图 2-1-3　清明祭奠大型活动 3

图 2-1-4　清明祭奠大型活动 4

医学教育离不开那些甘于奉献、默默无语的“大体老师”！通过给学生介绍我校离休干部王霄翔同志遗体捐献的事例和十余年来始终坚持的“缅怀捐献者，彰显医学心”清明祭奠大型活动，让学生对“大体老师”产生深深敬意，以及在清明祭奠的感恩教育活动中领会我校践行新时代“立德树人”的宗旨。通过上述事例，引发学生思考：①人生的价值如何体现？②在接下来的解剖知识学习过程中，应该怀着怎样的情感去学习人体结构？③应该如何认识自己未来的职业？应该如何对待身边的患者？我们希望用捐献者高贵的精神唤醒和引导学生的灵魂，培养学生感恩的情怀和爱岗敬业的精神，以及对患者的责任心和爱心，提高学生的职业道德和献身医学事业的荣誉感和使命感，培养勤学、德高、有担当、有爱心的医学事业接班人。

**（三）解剖学姿势、方位术语、人体的轴和面**

1. 解剖学姿势（anatomical position）。

2. 方位术语：上和下、颅侧和尾侧、前和后、腹侧和背侧、内和外、浅和深、近侧和远侧、桡侧和尺侧、胫侧和腓侧。轴（axis）：冠状轴、矢状轴、垂直轴。面（plane）：冠状面、矢状面、水平面。

讲解后，让学生试举例说明，可以自己给自己讲解，也可以互相讲解辨认以加深印象。

**（四）解剖学的学习方法**

1. 联系实际法。

2. 局部与整体相统一法。

3. 观察实践第一法。

4. 形态功能一致法。

## 三、总结

### （一）专业知识要点小结

1. 解剖学的概念。

2. 解剖学姿势、方位术语、人体的轴和面，让学生举例说明。

### （二）思政育人要点小结

通过简要回顾解剖学的发展史和遗体捐献的事例，再次进行课程思政理念渗透，使学生懂得感恩，并强化学生对患者的仁爱关怀思想意识。课后推送资料，延伸课程思政，使之贯穿于课程教学的整个过程。

（1）重庆医科大学校园网：https://news.cqmu.edu.cn/Info/1002/6410.htm.

（2）重庆医科大学校园网：https://www.cqmu.edu.cn/Info/1020/1624.htm.

（3）重庆医科大学校园网：https://www.cqmu.edu.cn/Info/1020/1366.htm.

## 四、课堂或课后练习

布置 1 ～ 2 道简答题，加强学生对知识点的理解，与教学目标相呼应。

## 五、课后反馈

针对临床医学相关类专业开设的“人体解剖学”课程，是在一年级第一学期或第二学期展开的。学生怀着害怕忐忑、兴奋好奇、平淡漠视等各种心情来上这第一课，因此，教师需要做好充分准备。通过将思政元素与解剖知识相融合后的教学效果反馈来看，学生的学习过程是积极的。本次课改变了部分学生之前对解剖和医疗职业的认识，增强了学生为患者着想的高尚医德医风情怀。

## 【课程思政解析】

本次课总体设计和运行思路是将思政元素切入部分知识点的讲解中，通过背景铺垫，引出解剖学的重要性，并结合遗体捐献的现状，引导学生思考，使医学生对自己的职业道德和职业成就感定位，激发学生学习的积极性和对科学的严谨态度，将“医学与人文融合”的培养理念贯通在教与学的点滴中。大量遗体捐献的事例和清明节的主题感恩教育活动是我校践行新时代“立德树人”的重要载体，坚持以文育人，对于深入开展医学生人文教育具有深刻意义。

## 【推广应用效果】

第一课的重要性不言而喻，已推广至校内解剖学其他层次的专业。从课堂表现来看，思政元素的加入使整个课堂变得积极灵动，学生不仅学习兴趣高涨，而且能够课后主动学习和进一步思考、提问和讨论，一方面增强学生对医学知识的渴望；另一方面培养学生对医疗职业的责任感和道德素养意识。

本课程组成员获得两项相关思政教学改革项目，入选重庆市高校课程思政教学团队、国家课程思政教学名师和团队，并且本课程入选国家课程思政示范课程。

（朱淑娟）

# 案例二 断面与影像解剖学绪论

【课程名称】断面与影像解剖学

【授课内容】断面与影像解剖学绪论

【授课对象】医学影像学、医学影像技术专业学生

【教学目标】

一、专业知识目标

1. 掌握 断面与影像解剖学的常用术语；断面图片的观察方位。
2. 熟悉 断面与影像解剖学的研究方法。
3. 了解 断面与影像解剖学的发展历史。

二、思政育人目标

1. 培养学生热爱生命，关爱患者的精神，树立高尚的医德；激发学生努力学习的动力，在刻苦学习、勇于奉献中创造自身的社会价值。

2. 培养学生尊重客观事实及其规律、崇尚并坚持真理、积极探索未知世界的科学精神。

【教学设计】

一、导入

介绍断面与影像解剖学的课程特点，向学生展示虚拟解剖学软件，使学生了解数字人技术在医学教育及临床应用中的意义。

二、展开

**（一）展示前辈科研成果，引领学生迈入断面解剖学大门**

本课程在教学中采用姜均本教授带领团队制作的断面解剖学图谱，让学生观察学习真实的人体断面图，为后续 CT、MRI 等影像图片的辨认打下坚实的形态学基础。在介绍影像图片的观察方位时，通过提供的断面解剖标本，切入我校西迁教授姜均本的事迹。姜均本教授，是我国断面解剖学的奠基人之一，重庆医科大学解剖教研室主任，国务院政府津贴获得者，于 1956 年重庆医学院建校时从上海第一医学院来渝。姜均本教授长年坚持在教学第一线，为学生授课，并组织编写了《局部解剖学实习指导》，亲手绘制了全部插图，解决了我校本科生教学的实际困难。姜均本教授一直从事断面解剖学研究，处于全国领先水平，他将科研成果编成专著《人体断面解剖学彩色图谱与 CT、MRI 应用》，是国内当时最前沿的断面图谱，获得国家自然科学基金资助（图 2-1-5）。他荣获学校优秀教师和教书育人奖。1998 年 3 月，由于长期高强度的教学科研工作，姜均本教授因病去世。正是他这种对教学和科研勤劳耕耘、不怕牺牲的精神，激励重医学子以此为榜样，为学校的学科建设凝聚更加强大的力量。

图 2-1-5　姜均本教授（左一）在研究断面结构

**（二）了解学科发展史，以前人为榜样，树立远大的职业目标**

在断面解剖学的发展史中，大量的医学研究者付出了巨大的心血，为中国的医学科技工作做出了重要的贡献。南方医科大学（原中国人民解放军第一军医大学）钟世镇院士带领团队完成了我国第一例数字人数据的收集。21 世纪初，钟世镇院士注意到西方国家已开始进行“人体数据库”的研究，萌生了一个想法：中国应该也有自己的人体解剖数据库。2003 年他带领课题组成员完成我国首例女数字人的数据采集，把一具女尸从头到脚横切成 8556 个人体横切面，采集每一片横切面的信息，再将数据录入电脑，合成三维（3D）人体。此后，又完成我国“中国数字人男一号”的切片工作，拥有 9200 个横切面，最薄的切片只有 0.1 毫米。人体数据库的建立为影像医学、3D 打印技术、虚拟仿真技术提供了重要的数据支撑。

通过介绍第一例数字人的来源，让学生认识到“大体老师”在医学中的重要地位，大体老师是医学生的无语良师，对这些无私奉献的“大体老师”，感恩教育于医学生而言是不可或缺的，我校一直坚持每年清明举行祭奠活动，也正是培养医学生对捐献者的感恩和对生命的敬畏。

## 三、总结

通过展示虚拟解剖学软件，激发学生的学习兴趣，培养科学探究精神。

通过姜均本教授的事迹让学生认识到断面与影像解剖学的科学研究对医学教育和临床医学的巨大贡献，从而树立正确的人生观和价值观。通过钟世镇院士的事迹启迪学生将实现自我价值与社会价值统一，激发爱国热情。用捐献者们的高贵精神唤醒和引导学生的灵魂，提高学生的职业道德感和献身医学事业的荣誉感及使命感，培养勤学、尚德、有担当、有爱心的医学事业接班人。

## 四、课堂或课后练习

通过提供的断面图片准确辨认图片的方位。

五、课后反馈

通过在课程中展示虚拟解剖学软件，极大地激发学生的学习兴趣。在辨认断面标本时，学生得知学习所用的断面标本是西迁专家姜均本教授带领我校解剖教研室的老师们一起制作的，纷纷露出崇敬的目光，原本认为复杂的解剖结构也逐渐在教师的引导下辨认出来。通过聆听钟世镇院士开展数字人研究的事迹，影像专业的学生对于本专业未来发展的前景有了更进一步的认识。

**【课程思政解析】**

影像医学和影像技术专业离不开前沿的影像设备，针对该专业的医学教育也需要和临床前沿的设备、技术同步，教师通过演示虚拟解剖学软件，能让学生更好理解人体局部结构的毗邻关系在三维（冠状面、矢状面及水平面）断面的演变规律，并由此介绍数字人技术对医学教育和临床应用的巨大贡献，在此融入思政元素，以激发学生的学习兴趣。通过我校西迁专家姜均本教授和南方医科大学钟世镇院士这些医学大家的事迹，让本专业的学生有了更明确的学习目标。

**【推广应用效果】**

所有的专业课程都是一门学科长期以来积累的成果，这些成果由医学前辈们的心血凝成。在断面与影像解剖学中融入这些伟大的前辈们的事迹，能起到“润物无声”的效果。医学生既需要扎实的专业知识，也需要高尚的医德，还要有广阔的视野，能顺应医学发展的潮流。在课程中融入的思政元素就应从这些方面选取材料，引导学生树立正确的人生观和世界观。本课程中选取的这些思政材料激发了学生的学习兴趣，培养了学生的科学素养，同时“大体老师”无私的奉献也让学生感受到了医学的神圣和生命的宝贵。

结合专业特点开展课程思政，能更好地调动学生学习的热情，同时培养职业精神。本课程组成员入选国家课程思政教学名师和团队。

（龚　霞）

# 案例三　脊柱整体观

**【课程名称】** 系统解剖学

**【授课内容】** 脊柱整体观

**【授课对象】** 临床医学专业学生

**【教学目标】**

## 一、专业知识目标

1. 掌握　脊柱侧面观的生理性弯曲。

2. 熟悉　脊柱前面观和后面观。

3. 了解　脊柱畸形矫正手术。

## 二、实践能力目标

1. 掌握　学生能在标本、模型及活体上寻找辨认重要的体表标志。

2. 熟悉　学生能够使用教学软件、网络教学平台等信息化技术获取医学资源。

## 三、思政育人目标

1. 职业精神　培养学生热爱生命，关爱患者、救死扶伤的医者精神，使学生树立高尚的医德。

2. 科学精神　培养学生严谨细致、认真求实的工作作风；敢于接受挑战、勇于创新的进取精神。

3. 个人品质　培养学生遵守规则、团结互助的优秀品质。

**【教学设计】**

## 一、导入

### （一）问题导入

教师展示正常成年人、老年人和脊柱侧弯患者的图片，向学生提问：对脊柱形态通常的印象是什么？脊柱侧弯畸形会对患者造成什么影响？通过师生互动，导入本次课的主题——脊柱整体观，引起学生兴趣和思考，带着问题进入后续学习。

### （二）简要回顾

教师通过向学生提问，结合图片、椎骨标本、脊柱标本和活体寻找解剖结构的方法，回顾与本次课相关的已学内容，为讲解后续内容打下基础。

在此过程中，教师通过让学生相互之间进行活体寻找解剖结构，训练学生动手能力。本环节既可检测学生的学习效果和临场发挥能力，也可增加师生间互动，活跃课堂气氛。

## 二、展开

### （一）讲解知识要点，做好铺垫

教师结合PPT、脊柱标本和虚拟人仿真系统，讲解脊柱整体观及特点。在此过程中，教师采用层层设问的启发式教学，引导学生参与教学过程，提高学生注意力。

1. 前面观　椎体从上往下逐渐增大。向学生提问：椎体为何会发生这样的变化？

2. 后面观　第七颈椎棘突和第四腰椎棘突在体表位置表浅，是中医穴位寻找和腰椎穿刺术的重要标志，要求学生在标本和自己身体上找到。同时让学生了解中医学在日常保健中的应用，体现基础为临床服务和学科间的融合；向学生介绍临床操作手术的复杂性和危险性，让学生体会医学工作的严谨性。由此，在讲授中无形融入课程思政。

3. 侧面观　介绍侧面观上的四个生理性弯曲。

通过提问学生为何会出现生理性弯曲，让学生思考正常生理性弯曲的作用。

通过介绍生理性弯曲出现的时间，引入记忆口诀，让学生理解出现生理性弯曲的原因，并活跃课堂气氛，加强师生互动。

通过向学生提问是否每个人都有正常的生理性弯曲，展示脊柱侧弯畸形患者治疗前后的图片，同时层层设问，引导学生思考并回答脊柱畸形会对患者造成哪些身体和心理上影响。从而加强学生对正常脊柱形态的认识。

［设问 1］严重的脊柱侧弯畸形会对患者的身体造成什么影响？

［设问 2］严重的脊柱侧弯畸形会对患者的心理造成什么影响？

［设问 3］是否每个严重脊柱侧弯畸形患者都可以进行手术矫正？手术有何难点和风险？

教师讲述患者的痛苦，生活的艰难、对生命的影响及医学治疗的困难。随后展示治疗后的图片，患者能像正常人一样过上幸福美好的生活，进行前后对比。

［设问］是谁挽救了这些患者的生命，创造了这些医学奇迹呢？

教师引出重庆医科大学校友梁益建医生获得感动中国人物称号的事迹，进行课程思政，并引导学生思考。梁益建在本校攻读博士期间，熟练掌握了脊柱的解剖学知识，回到临床工作后，利用其牢固的解剖学知识，精湛的临床技能，敢于攀登科学高峰，挽救了上千名极重度脊柱畸形患者的生命，成为国内首屈一指的极重度脊柱畸形矫正专家，并获得 2016 年度感动中国人物的殊荣。

［设问］在学生对优秀事迹赞赏和被震撼的同时，教师向学生提出以下问题，引导学生思考并回答。

（1）通过了解梁益建医师的事迹，你有什么感想？

（2）为什么梁益建医生能取得如此成就？

（3）从梁益建医生的事迹中，你能够学习到什么呢？

［解答］教师从以下三方面提醒和点拨学生。

（1）热爱生命，爱护患者，对患者不离不弃的大爱精神。

（2）敢于接受挑战、勇于开拓的创新精神。

（3）爱岗敬业、甘于奉献的职业精神。

［解答］教师提出对学生的希望：掌握好基础知识和临床技能，成为具有高尚医德、具有“仁心仁术”、受广大患者爱戴的“保护神”。

**（二）学生实践观察，加深印象**

教师布置课堂教学任务，明确学习方法、目标及课堂测试方式。学生利用骨骼、模型标本和虚拟人系统学习解剖结构的立体位置；利用网络教学平台学习课件、教学视频；利用标本寻找解剖结构；利用网络教学平台进行在线测试等。

在此过程中，教师做好组织协调，注重因材施教并融入课程思政：教师鼓励学生克服畏惧心理，主动接触标本，并传授观察标本方法，培养学生严谨求实、细致认真的科学精神；通过小组协作讨论，培养学生团队配合意识；通过抽查学生指认标本，考查知识点掌握情况，锻炼学生分析和表达能力。

三、总结

**（一）简要回顾本次课重点内容**

教师通过口诀简要归纳本次课的重点内容，提醒学生应注意学习方法。

**（二）思政育人小结**

教师简短回顾梁益建的事迹，再次提出对学生的希望。

四、课堂或课后练习

在课后，教师在网络教学平台提供PPT、链接和视频等教学资源，布置开放性思考题。加强学生对知识点的理解，与教学目标相呼应。引入临床手术资料，具有一定难度，让学生独立思考，体现高阶性。同时隐性延伸课程思政，增强学生投身医学事业的使命感和责任感，从而激发其主动学习的能动性，任务如下。

1. 登录网络教学平台，完成课程问卷调查。
2. 学习网络教学平台的课件、文献和教学视频等资源。
3. 绘制正常脊柱整体观的图片。
4. 思考脊柱生理性弯曲的意义，脊柱畸形对患者造成的影响。
5. 如果在今后的临床工作中遇到治疗难度大的患者时，你将如何对待？

五、课后反馈

学生和督导专家对此次课的教学及效果反馈良好：认为本次课根据学习认识规律进行教学设计，各环节间能做到起承转合、层层相扣、首尾呼应，利于知识的理解和掌握；案例展示和讨论将枯燥的基础知识和复杂的临床疾病紧密结合，讲解梁益建的事迹过程跌宕起伏且生动有趣，引起学生强烈情感共鸣，学生认为课程思政内容就是课程的一部分，能自然接受。通过课堂学习，充分激发学生学习的兴趣和主动性，激励学生成为“德艺双馨”的好医生的愿景。同时将学习兴趣转化为学习内动力，在课后主动查阅相关文献和资料，从而巩固课程知识。学生们对课程思政元素和融入形式不排斥，毫无违和感，并能主动接受和积极投入，很好地达到了课程思政的预期目标。

## 【课程思政解析】

为有效达到“立德树人”的根本目标，教师采用多种方法对教学进行了精心设计。在导入环节，教师展示案例引发学生思考，打下铺垫。在展开环节，教师通过展示严重脊柱畸形患者照片，让学生思考脊柱畸形对患者身心造成的严重影响。教师随后引出梁益建的故事，讲述手术对患者身体和生活带来的极大变化，梁益建因此荣获感动中国人物的事迹，引起学生积极讨论。教师从医者精神、创新精神和职业精神等方面点拨学生，从而达到本堂课的“引爆点”。在小结环节，教师对学生提出殷切希望：未来成为具有仁心仁术、受患者爱戴的保护神！在课后，教师提供相关视频，布置思考题，引导学生对医生行业和未来职业做出深入思考及远期规划，提升学生投身医学事业的使命感和责任感。以上过程，层层相扣、步步深入，教师充分发挥引导作用，让学生深度融入学习和思考。

教师深入发掘本次课的思政元素，在课堂教学时选择合适的切入点，充分发挥教师个人特色，通过实施灵活多样的教学方法，全过程、多角度地融入课程思政，培养和锻炼学生的自主学习和思考能力，极大提升学生对专业学习的兴趣和信心，并形成自信乐观、积极进取和求真务实的开放精神。

**【推广应用效果】**

教师精心设计将课程思政融入教学，将课程教学目标与远期人才培养目标紧密结合，学生带着浓厚的学习兴趣和目标意识投入教学，在学习态度和团队合作等方面有了很大改观，班级精神风貌焕然一新。学生积极投入课堂，师生间交流频繁有效。教师的教学方式灵活有趣，教师自信大方的教学风格、细致认真的工作态度给学生带来了积极的示范力量。

课程思政潜移默化地塑造学生积极向上的品质，让课程思政成为“有情有义、有温度和有爱的教育过程”，很好地达到了“润物无声，立德树人”的教学目标。本课程在重庆医科大学 2020 年课程思政创新设计大赛中荣获一等奖和最佳教学展示奖，是一堂完整、高效而又精彩的课程思政示范课，值得推荐。

（陆蔚天）

# 案例四　生理学绪论

**【课程名称】** 生理学

**【授课内容】** 生理学绪论

**【授课对象】** 临床医学专业学生

## 【教学目标】

### 一、专业知识目标

1. 掌握　生理学的概念和认识层次；生理学的研究对象及研究水平。
2. 熟悉　生理学常用的研究方法及获得科研思维能力的初步训练。
3. 了解　人体生理学的任务、研究内容和范畴。

### 二、思政育人目标

1. 激发和培养学生积极参与医学实验的意识。
2. 培养学生敢于实践、勇于挑战困难、不断创新的精神。

## 【教学设计】

### 一、导入

作为生理学教学的入口，在绪论这一部分要让学生明确学科要求和学期过程性评价方案，并向学生介绍教学中必须使用的网络教学平台和虚拟仿真实验平台，最后简述本次课的授课提纲和重点难点内容。

预留问题：人从小长到大，对诸多生命现象会产生疑惑，许多同学在进入医学院校后，急切地想知道这些临床问题背后的发病机制是什么？生理学能给出一些答案。生理学是一门跟解剖学不同思维的课程。那生理学到底是一门什么学科呢？

通过以上铺垫，引导学生进行讨论，修正大家对生理学的认知。可以用一些小故事导入学习生理学的必要性，让学生初步了解生理学是一门功能学科，然后引出生理学的概念。

### 二、展开

#### （一）生理学的研究对象和任务

按照研究对象的不同，阐述生理学的分类。详细介绍生理学的研究任务，强调功能学科的复杂性，研究任务广泛且深入。梳理生理学与医学的关系，并用图片形象地展示。

用问题导入生理学的认识层次：利用动画展示我们每天进食补充能量，食物进入机体后发生了什么？到哪里去了？如果要进行实验研究，可能涉及机体的哪些结构？从而引导学生从三个层面来阐述生理学的认识层次：器官和系统层面、细胞和分子层面，以及整体层面。

#### （二）生理学常用研究方法

生理学常用研究方法包括急性实验和慢性实验等。本部分内容的贯彻可结合一些生理学的实验研究来进行讲解，在后期实验课中加深印象。

1. 动物实验　利用视频展示生理学中具有代表性的动物实验，帮助学生理解生理学常用的动物实验方法。举例：对一只名叫阿黑的犬进行小脑切除术后，再对阿黑进行长达一年的行为学观察。通过类似的小故事让学生理解什么是慢性在体实验研究。

［思政融入方式］引导学生对生理学实验进行沉浸式体验，培养学生对科学实验的兴趣。提出实验动物福利的推广和普及，提倡科学利用和合理保护实验动物。

2. 人体生理研究　用图片举例：人体生理实验测血压。应用音频展示血压的科罗特科夫音。

3. 科学方法是解开生理学问题的钥匙　用图片展现近代生理学之父威廉·哈维的伟大成就：他通过实验求证问题的科学方法，发表了《心血运动论》这一著作，从而使生理学从解剖学中独立出来。需特别强调：当时盖伦的血液潮汐运动学说盛行，曾沉迷于盖伦学说的哈维选择了不畏权威，通过科学实验来实现对科学真理的追求。哈维做了 80 多种动物的解剖实验，搞清楚了心脏的结构，并观察活体动物心脏的搏动，用动物实验结合人体实验验证了血液流动的方向。

采用图片及板书，进行连环提问：是什么原因使血流的方向不会改变呢？动脉里的血液能不能流到静脉里去？动脉和静脉之间有没有联系？血液在人体内的流动量到底有多大？右心室的血液到底是怎么流到左心室去的？

［解析］科学研究离不开好的实验设计：操作简单且易于观察、分析。

［思政融入方式］激发学生对科学实验产生兴趣，培养学生对生命科学的好奇心和探索精神。

哈维的科研故事可让学生熟悉哈维关于心血管功能环环相扣的问与答，这样的科学研究过程能让学生理解生理学具备的逻辑思维特点，并理解哈维在问与答中的实验设计方法。最后提出著作《心血运动论》的重大意义：哈维通过对人的临床观察、多种类动物的尸体解剖与观察、提供探针实验和绑扎实验等实验证据，利用定量思想、逻辑分析和生理测试等方式，在《心血运动论》中首次详细描述了血液循环的理论，开创了动物生理实验研究思路，为生理学从解剖学中诞生并发展成为独立的学科产生巨大的影响。通过介绍哈维著作的重大意义，进一步强调哈维是近代生理学的奠基者。

［设问］了解了这么一位伟大的科学家之后，你有什么感想？我们能从中领悟到什么？

［点评］提醒和点拨学生：哈维面对自己的疑惑，不局限于当前权威，勇于创新开拓，勤用多种类实验来验证自己的设想；鼓励学生不迷信权威，用科学事实去验证。在现阶段，本科学生的主要任务是打好扎实的基础，用牢固的理论知识武装自己，用科学的研究方法去验证和探索真理，追求严谨求实，今后为祖国的医学事业做出贡献。

用图片列举著名的生理学研究历史，引导学生带着好奇心走入生理学的世界。

## 三、总结

### （一）专业知识或实践能力要点小结

明确生理学的概念、研究对象和任务。用视频或图片展示生理学常用的实验方法，包括急性和慢性动物实验、人体实验研究。提出生理学不是只研究生理卫生的学科；科学研究是生理学的根基：一个简单的生理现象，可能要从细胞分子水平至基因组学水平，再到器官系统水平的追踪探究。

### （二）思政育人要点小结

本课程提出著名生理学家哈维的主要贡献，对于激励学生积极参与科学实验，敢于直面困难，探索科学奥秘具有一定的促进作用。另外，让学生认识到生理学的理论知识并不是凭空想象出来的，而是几百年来无数科学家做了大量的动物和人体实验，经历了无数次的研究失败，一步步总结出来的。作为医学生，掌握足够的专业知识，对医学知识求真务实，才能在未来的工作中更有底气，为患者解除病痛、守护健康。

四、课堂或课后练习

利用信息化教学方法，使用互联网APP进行随堂测试、课后作业，督促学生寻找更多的关于生理学的小故事和小设计。加强与学生的课后联系和沟通，促进学生的自学能力，提高教学效率。

推送资料：

1. 视频资料：《人体血液循环——哈维是怎么想的》。

2. 提供教学视频、网络教学平台和虚拟仿真实验平台等资源，供学生学习使用。在课后延伸课程思政，使之贯穿于课程教学的整个过程。

五、课后反馈

本课程绪论作为生理学教学的第一堂课，极大地吸引了学生对生理学的关注。本课程图文并茂，并采用音频、视频等多媒体进行展示，活跃课堂气氛，让课本知识变得生动形象起来，提高学生学习的趣味性。在描述生理学鼻祖威廉·哈维如何进行生理学实验时，采用提问法逐步引出实验内容，让学生深入体会科学研究是怎么一步步得出研究结论的。学生的评价：通过挖掘哈维在生理学伟大贡献的背后故事，大家对这位科学家致以崇高的敬意，也感受到探究生命活动真相的快乐。科学研究带动了生理学的发展，壮大了生理学的理论基础，使我们去思考，通过理解来掌握专业知识，还结合临床问题去探究生理学机制。总之，本课程既锻炼了学生对生理学的逻辑思维能力，也很好地激发了学生对科学的探索精神。

## 【课程思政解析】

生理学是一门理论性和实验性都很强的学科，科学研究和临床实践在推动生理学学科发展中起着至关重要的作用。教师在生理学的课程教学中对科研、临床和人文进行深度融合，达到对学生进行思想教育的目的，有效地做到课程思政。

在绪论这一章，教师一开始就启发学生对于科学实验精神的认识。介绍生理学的早期实验研究和科学现状，能够激发学生对这门课程的兴趣。教师要紧密联系教学内容来进行思政内容的穿插设计，切忌机械、教条地安排思政教育内容。通过结合生理学课程特点，适当切入思政案例，让学生感同身受。

绪论中最重要的思政案例是近代生理学之父威廉·哈维对生理学的巨大贡献，培养学生勇于创新、追求真理的科学精神。教学中具体描述哈维通过大量的实验，寻找到了心与血的运动真相。

## 【推广应用效果】

该课程的成功经验已向校内临床医学及其他专业、其他兄弟院校推广，受到教师和学生的高度认可。

（黄春霞）

# 案例五　神经系统功能活动的基本原理

【课程名称】 生理学

【授课内容】 神经系统功能活动的基本原理

【授课对象】 临床医学专业学生

【教学目标】

一、专业知识目标

1. 掌握　神经元的结构与功能，化学性突触传递的过程及原理。

2. 熟悉　突触传递和发育障碍相关疾病的治疗方法及药物的作用靶点。

3. 了解　目前研究神经元的结构与功能的新方法。

二、思政育人目标

1. 树立“积极开展创新，勇攀科学高峰”的新时代医学生科学研究理念，培养为医学事业努力奋斗的拼搏和创新精神。

2. 激发“同献爱心，共铸希望”的社会公益使命感和医学生责任担当，培养“至爱至诚，全心为民”的社会责任感。

3. 体会“关爱患者，大爱无疆”的医学人文精神，培养“尊重生命、敬畏生命”的医学人文素养。

【教学设计】

一、导入

人类的神经系统非常发达，还可对语言、艺术、科学等复杂抽象信息进行学习、记忆、思维和判断，并产生心理、情绪、创造等复杂行为反应。构成神经系统的细胞主要分为神经元和神经胶质细胞两类。

此时提出问题：正常神经元的结构、功能是怎样的？为什么出现损伤后（如缺血）会出现严重的后果？导入本课程组自主制作的病例动画——暴发性心肌炎导致的脑缺血，引起学生的思考。

通过临床病例的引入，引起学生的深度思考，从而引出本次课的思政观点：一方面，作为当代医学生，在基础理论课学习中要培养科学的思维习惯和方法，夯实基础医学知识，勇于创新，勇攀医学高峰，力争在医学科技领域不断取得突破；另一方面，要培养“关爱患者，大爱无疆”的医者仁心理念，要明确作为医学生的社会责任，树立积极开展社会公益活动、帮助患者的公益精神。

二、展开

神经元是一类为执行多样化调节功能而在形态和功能上高度分化的特殊细胞。各类神经元的大小和形态尽管相差很大，但都具有特征性的突起，即树突（dendrite）和轴突（axon）。此时，引导学生拓展思考：运用增强现实技术（AR）观察神经系统，会有什么样的感受？紧接着通过引入具有自主知识产权的AR项目，让学生看到和书中不一样的场景，真实感受神经元的三维形态。

结合上述自主知识产权项目的研发，启发学生，学以致用，传承西迁精神，开展科学创新，鼓励学生将自己学到的知识和科研创新结合起来。

神经元的主要功能是接收、整合、转导和传递信息。因此，神经元一旦受损，其接收、整合、转导和传递信息的功能将出现严重障碍，从而导致严重的临床病症。

再次提出问题：神经元之间是怎样传递信息的呢？信息传递的障碍导致怎样的临床病症？将学生引入更深层次的思考。

突触（synapse）是神经元与神经元之间或神经元与其他类型细胞之间的功能联系部位或装置。当突触前神经元兴奋时，突触囊泡释放神经递质进入突触间隙，经扩散抵达突触后膜并作用于其上的特异性受体或递质门控通道，即可引起后膜发生一定程度的去极化或超极化的电位变化。这种发生在突触后膜上的电位变化称为突触后电位（postsynaptic potential）。

突触后电位可以是兴奋性的，也可以是抑制性的。整个机体的兴奋-抑制一定是处于平衡状态。一旦失衡，将会导致很多的疾病。例如，兴奋-抑制失衡导致的突触发育障碍是自闭症发病机制之一。

此时，自然而然引入关爱自闭症的话题。“同学们了解自闭症吗？”“同学们知道自闭症的发病机制吗？”一连串的问题，使学生结合今天的知识讲授，进入更多深层次的思考。

有这样一群孩子，我们称他们为“星星的孩子”，医学上他们被称为自闭症儿童。他们在沟通交流方面似乎有着一套不被常人所理解的来自遥远星球的思维模式，好像孤独地沉浸在自己的世界里。然而，他们依然渴望得到我们的了解、关注、尊重和接纳，他们应该跟正常的孩子一样受到这个世界的温柔相待。

重庆医科大学基础医学院“走出自闭，拥抱阳光”社会公益服务团队，近6年来，在重庆市儿童救助基金会、四川省残疾人联合会、爱心企业的支持下，开展了三十余场自闭症大型公益讲座，举行了五十余场社会公益互动式活动，组织了2次融合式文艺会演，提供了6个专题24学时的网络在线康复培训课程，培养了6支研究生、本科生自闭症公益服务团队，为500多个自闭症家庭提供了康复培训、健康咨询服务，为20多个偏远山区的自闭症家庭送去了党的温暖和社会的关爱！成为西南地区关爱自闭症公益团队的一面旗帜！（图2-1-6～图2-1-8）

图2-1-6　深入山区开展公益活动

图2-1-7　传递爱心

图 2-1-8 “走出自闭，拥抱阳光”关爱自闭症系列活动

一方面，我们面对的是患者，我们要善待每一位患者，善待这个世界；另一方面，我们在平时的工作、生活中，要积极从事公益活动。这是我们的职业操守，更是我们需要承担的社会责任！

## 三、总结

### （一）专业知识要点小结

神经元结构、功能完整性的维持与神经元所处的微环境密切相关。凡影响神经元信号转导和神经营养物质释放机制中的任何环节均可影响神经元正常发挥功能。突触是神经细胞之间传递信息的关键结构，其化学组成、构造和功能对于神经元信号转导及神经系统的信息处理发挥关键作用。

### （二）思政要点小结

本课程结合新时代历史使命，充分挖掘重庆医科大学六十余年办学内涵，将校训精神、学科使命、社会责任中蕴藏的丰富育人内涵融入本次课程，以“春风化雨”“润物无声”的形式去感动学生、教育学生。

在讲述神经元结构和功能的过程中，自然融入先进科学技术——AR 对学习的辅助作用，并展示本团队历时一年开发的神经系统 AR 教学项目，以自身实践引导学生开展科学创新，讲好重医故事。然后，通过重医学子努力开展科学创新的事例，鼓励学生传承西迁精神，恪守“严谨、求实、勤奋、进取”校训精神，为国家科学的发展和人民的生命健康安全贡献重医人的力量。最后，联系到自闭症患者这一特殊群体。通过“润物细无声”地渗透，让同学们理解社会责任对于每一位医学生意味着什么。

## 四、课堂或课后练习

课后思考题：树突在大脑发育期间有什么作用？用什么方法可以观测到这些树突？讲述树突发育障碍和神经系统疾病的关系，谈一谈你准备怎样开展树突方面的研究。

本次课后练习以团队（team）竞赛的形式开展。一共分成 8 个小组，每个小组在课后展开思考和讨论，制作汇报 PPT，在下一次课进行汇报。

五、课后反馈

学生通过本次专业课程和课程思政的学习，一方面，理解了社会公益的内涵，充分明确了自己作为临床医生的责任，树立了“关爱患者，大爱无疆”的信念；另一方面，懂得了要向身边努力工作的教师、同学学习，热爱自己从事的职业，热爱自己报效的国家，“只争朝夕，不负韶华”“敢于有梦、勇于追梦、勤于圆梦”，为实现中华民族伟大复兴的中国梦，贡献重医人的力量！

课后，有较多的学生和教师主动开展交流，表达了自己想要加入关爱自闭症公益团队的想法。还有很多学生课后主动联系教师，想要开展大学生创新实验。

总体反馈优良，给予了学生“守正创新，开展公益”的正面而积极的引导。

## 【课程思政解析】

本课程将培育有责任担当、有专业知识、有创新精神、有实践能力、有健康身心的医学人才作为课程思政工作指导思想。立足神经生理学知识点的特点，凝练榜样群体的事迹，提炼出“西迁精神、创新精神、社会责任”三要素，明确“知识、能力、思政”的教学目标，把思政融入教学各环节。

在课堂上，通过本团队自主创新的事例，鼓励学生将自己学到的知识和科研创新结合起来。“纸上得来终觉浅，绝知此事要躬行”，当学生在书上看到感兴趣的知识点，可以通过科学实验来探究。同时，结合突触信息转导的知识点，引导学生关注自闭症。通过本团队“走出自闭，拥抱阳光”大型公益活动的展示和讲述，让学生明白自己所肩负的社会责任。通过言传身教，“润物细无声”！

在课后，开展课堂内外融合，成立“走出自闭，拥抱阳光”社会公益服务团队，用实际行动开展自闭症科学研究，帮助自闭症家庭，关爱自闭症家庭，践行了“不忘初心、牢记使命”主题教育活动。

## 【推广应用效果】

本课程经过持续建设，于2020年获得全国医药院校课程思政教学案例二等奖、重庆医科大学2020年课程思政创新设计大赛二等奖、课程思政创新设计大赛最佳教案设计奖、2021年7月，获得全国高等学校线上线下混合式实验教学创新设计一等奖。

课后，30多名本科生开展创新实验，获“挑战杯”中国大学生创业计划竞赛重庆赛区铜奖2项、教育部协同育人创新项目2项。基础医学专业本科生参加全国基础医学大学生实验技能邀请赛获得一等奖。

培养了6支“关爱自闭症患儿”团队，连续5年走进偏远农村，开展“大手拉小手”活动。通过课程系列建设，践行了“不忘初心、牢记使命”主题教育活动，培养了大学生的社会责任感、使命感，实现了立德树人！

（李英博）

# 案例六　肺通气的原理

**【课程名称】** 呼吸系统疾病

**【授课内容】** 肺通气的原理

**【授课对象】** 临床医学专业学生

**【教学目标】**

一、专业知识目标

1. 掌握　肺通气的基本原理。

2. 熟悉　肺通气的基本过程。

二、思政育人目标

1. 培养学生树立医者仁心，救死扶伤的职业精神。

2. 通过案例分享，使学生认识到健康宣教和院外急救的重要性。

**【教学设计】**

一、导入

展示新闻图片，引入呼吸内容。

用整个屏幕展示体现思政素材的新闻图片（人工呼吸的急救场景）吸引学生的注意力，然后提出问题，引导学生思考，导出讲课内容，并为素材体现的精神埋下伏笔。

提问：这个人在干什么？为什么要做人工呼吸？其原理是什么？效果如何？这个新闻事件最终的结局怎样？请跟着老师一起学习呼吸系统生理学知识，让知识告诉我们答案，让新闻背后的故事给予我们启迪。

二、展开

从新闻故事的问题顺势引入呼吸的概念和过程。

**（一）呼吸的概念、呼吸过程的介绍**

1. 呼吸是指机体与外界环境之间的气体交换过程。

2. 呼吸包含外呼吸、气体在血液中的运输和内呼吸三个环节。其中，外呼吸又包括肺通气和肺换气两个步骤；内呼吸包括组织换气和细胞内氧化代谢。而气体在血液中的运输则是连接外呼吸和内呼吸的中间过程。

**（二）肺通气的原理**

肺通气是指肺和外界环境之间进行气体交换的过程。肺通气的直接动力是肺泡和外界环境之间的压力差。

1. 呼吸运动　肺通气的原动力是呼吸肌的收缩和舒张而引起的呼吸运动。

主要的呼吸肌：吸气肌——膈肌、肋间外肌；呼气肌——肋间内肌和腹肌；此外，还有一些辅助吸气肌，斜角肌、胸锁乳突肌等。

以平静呼吸时的吸气过程为例，介绍呼吸运动的过程。

呼吸的类型：①平静呼吸和用力呼吸；②腹式呼吸、胸式呼吸和混合式呼吸。

2. 肺内压　肺泡内压力称为肺内压。肺内压和大气压之间的压力差是推动肺通气的直接动力。正常人的肺内压随呼吸运动呈现周期性的变化。

（1）吸气过程：吸气肌收缩，胸廓和肺的容积增大，肺内压下降，低于大气压；于是，空气开始从外界被吸入；随着肺内气体不断增多，肺内压开始逐渐升高，到吸气末，肺内压等于大气压。

（2）呼气过程：随着胸廓和肺的容积缩小，肺内压升高，高于大气压，空气从肺里排出，到了呼气末，肺内压（再次）等于大气压。

我们可以看到，在平静呼吸和用力呼吸时，肺内压的变化幅度不一样，用力呼吸时肺内压的变化幅度明显要大得多。但是，肺通气过程中肺内压的周期性变化却是一定存在的。

[提示] 肺内压和大气压之间的差值，是有效推动肺通气的动力。

提问：正常情况下，呼吸运动改变肺内压，形成肺内压和大气压之间的压力差，推动肺通气完成。疾病和意外情况下，患者没有正常的呼吸运动，肺通气怎样实现呢？

3. 人工呼吸　是指人为地建立肺内压与大气压之间的压力差，以保证肺通气和机体供氧。最常见，最简便易行的人工呼吸是口对口人工呼吸。

医学生学的是治病救人的知识，干的是救死扶伤的事业。把所学的知识用在需要的地方，是一件有意义的也是很自然的事情。我们也时常从新闻媒体上看到医务工作者、医学院在校生热心救人的事迹报道。（医者仁心，救死扶伤）

作为一名医学专业的学生，除了做好本职工作，治病救人之外，积极进行健康知识的宣传和基本技能的宣讲培训，也是很有必要的。目前，我国的院前急救水平还亟须提高。政府通过各种措施（包括医院急救电话联动，在机场、车站、大型购物中心安装心脏除颤仪等）提高急救效率。我们作为医学生，也要利用各种机会（如健康志愿者）对普通群众进行宣传和培训，教会大家一些常见的急救知识和技能，让更多的人因此而受益。

## 三、总结

1. 总结本次课讲授的主要知识点：肺通气的动力、肺内压、人工呼吸。

2. 再次结合新闻图片介绍人工呼吸的原理，引导学生树立医者仁心、救死扶伤的职业精神，同时帮助学生认识到健康宣教和院外急救的重要性。

## 四、课堂或课后练习

1. 利用在线调查问卷等进行随堂测验，重点考察肺通气的直接动力、肺内压等内容的掌握。

2. 要求学生课后登录网络教学平台，观看学习课件、视频，完成相应课后作业。

## 五、课后反馈

学生对本次课程教学反馈良好。认为案例展示将生理学基础知识和临床应用及生活中的急救知识融合起来，感觉到基础知识不再枯燥和单调，学习兴趣也大大提高。同时学生对课程中融入的思政元素接受度非常高，作为医学生，感受到自己救死扶伤的责任和义务。

通过该课程思政案例，使学生掌握了肺通气相关知识点。同时帮助学生树立了利用所学知识救人助人的精神。另外，健康宣教和院外急救的重要性也更深入人心。

## 【课程思政解析】

在本次课程中，我们的主要讲授内容为肺通气的原理和过程，所用的思政素材是一个与肺通气（人工通气）密切相关的急救案例。将思想政治教育元素融入课程中，所用案例与专业知识内容融合度较高，不会让学生觉得突兀，从而让学生易于接受。

本次课程中运用案例向学生弘扬舍己救人、救死扶伤的精神，帮助学生树立医者仁心、救死扶伤的职业道德和职业理想，最终达到立德树人的目的。同时还使学生认识到健康宣教和院外急救的重要性，并对职业道德、职业理想、职业操守等内容进行了潜移默化的渗透。

在本次课中，我们将生动典型的案例与专业知识内容结合起来，既实现了专业知识的“解惑”又达到了与思政课程协同“传道”的效果。

## 【推广应用效果】

本节课中的课程思政案例，通过一开始的巨幅图片展示，在课程开始前就给学生造成一种视觉震撼，激起学生的好奇心，达到“先声夺人”的效果。然后，从图片提出的问题引出肺通气相关知识内容并展开讲授。最后，由人工呼吸原理及应用再次联系到图片背后的新闻故事，帮助学生树立医者仁心、救死扶伤的职业精神，同时使学生认识到健康宣教和院外急救的重要性，实现相应教学目标。

本次课程中的课程思政案例切入自然，与专业知识衔接流畅，学生易于接受，达到了“润物无声”的教学效果。

本课程案例在临床医学各专业的教学实践中多次应用，都获得较为满意的效果。

（余　畅）

# 案例七 疾病的转归

**【课程名称】** 病理生理学

**【授课内容】** 疾病的转归

**【授课对象】** 临床医学专业学生

**【教学目标】**

一、专业知识目标

1. 掌握 死亡和脑死亡的概念。
2. 熟悉 不完全康复的概念；脑死亡的判定标准。
3. 了解 传统医学对死亡的判定。

二、思政育人目标

1. 利用器官衰竭患者的案例，培养学生敬佑生命、救死扶伤的职业精神。
2. 介绍死亡判定的法治文化，培养学生的法治精神。
3. 弘扬器官捐献者“大爱无疆”的奉献精神，培养学生的奉献精神。

**【教学设计】**

一、导入

线下理论课教学前一周，在线上预留两篇文献：

（1）缪世锋, 丁继军. 2009. 重症病毒性心肌炎并发电风暴抢救成功 1 例. 临床心血管病杂志. 25(5): 396-397

（2）Zvonimir V. 2019. Restoration of brain circulation and cellular functions hours post-mortem. Nature. 568(7752): 336-343. doi: 10.1038/s41586-019-1099-1

预留问题：①埃可病毒（ECHO 病毒）是一种常见的经呼吸道感染人体的病毒。感染同样的病毒，有人只是普通的感冒，出现发热、咽痛、咳嗽等症状，有人却可能引发严重心肌损伤。同样的病因，为什么走向了不同结局？疾病的最后，可能会有哪些结局？②死亡的判定有哪些标准？③脑死亡的判定标准有哪些？有什么需要完善的地方吗？

线下教学时，开场引导学生讨论文献（1），强调疾病是一个过程，有起因、经过和结果。经历了发生发展之后，疾病终将迎来转归。

提问：疾病的转归可能会有哪些结局？

疾病的转归主要有康复和死亡两种，受到多方面因素的影响。如文献（1）所报道，普通的 ECHO 病毒感染，可能引起机体严重的损伤，甚至死亡。病因的类型、损伤程度、机体抗损伤反应的能力、治疗是否及时、治疗方案是否合理等因素都会影响疾病的转归。

二、展开

**（一）区分完全康复和不完全康复的概念**

（1）完全康复：疾病所致的损伤完全消失，机体的功能、代谢及形态完全恢复正常。例如，普通感冒、急性肾衰竭。

（2）不完全康复：疾病所致的损伤得到控制，主要症状消失，机体通过代偿机制维持相对正常的生命活动。强调不完全康复可能有后遗症。例如，心血管系统疾病、慢性肾衰竭。

**（二）介绍传统医学对死亡的定义**

提问：什么是死亡？

介绍死亡的医学概念，强调死亡是人生的必经阶段。

死亡：机体作为一个整体功能的永久性停止，包含濒死期、临床死亡期和生物学死亡期。

提出“未知死，焉知生”，让学生在学习死亡概念的同时，思考人生的意义，进而正确地看待死亡。

播放纪录片《人间世》“告别”章节的部分视频，介绍“临终关怀”的概念，指出医务工作者在对疾病无能为力的时候，应认真思考如何提高患者的生命质量。在生物-心理-社会-环境医学模式下，医者需更重视心理、社会、环境等因素在疾病转归中的作用，使患者在安详、平静中迎接死亡。

提问：死亡是一个过程，在这个过程里，如何判定死亡时间？

提问：心肺复苏技术的发展，为死亡时间的判定带来了怎样的挑战？

**（三）引出脑死亡的概念**

脑死亡：全脑功能（包括大脑、间脑和脑干）不可逆地永久性丧失及机体作为一个整体功能的永久性停止。

分析脑死亡的判定标准和立法现状，强调对脑死亡的判定必须严格谨慎，对生命尊重，对法律敬畏。

脑死亡的判断标准：①自主呼吸停止；②不可逆性深昏迷；③脑干神经反射消失（瞳孔散大或固定等）；④脑电波消失；⑤脑血液循环完全停止。

脑死亡的立法现状：已有多个国家通过了脑死亡的立法，而我国对于脑死亡立法已有数十年的讨论，尚未通过脑死亡的立法。如何坚持生命伦理学的无伤、有利、尊重和公正原则？又怎样防止居心不良的人利用脑死亡和器官移植谋害生命？这些问题的争议和探讨都是脑死亡在我国立法未能通过的原因。

提问：脑死亡的临床应用有何意义？

1. 确定死亡时间，作为终止复苏抢救的依据。

2. 利于进行器官移植。

3. 引出器官移植的概念。

（1）提问：截至 2021 年 9 月 14 日，我国已有 3 864 038 人进行了器官捐献志愿登记，你是否是其中一员？

（2）截至 2021 年 9 月 10 日，我国已实现捐献 36 080 例，捐献器官 107 440 个，让我们感恩这些无名的捐献者。可我国每年都约有 30 万器官功能衰竭晚期需要移植的患者，供需存在巨大的缺口。

（3）介绍我国器官捐献立法情况。

（4）讲述“五个人的乐队，一个人的演出”的故事，器官捐献实现了生命的另一种延续。

4. 介绍脑死亡与植物人的不同，强调脑死亡的严格判定，对生命需时刻持有敬畏之心。

三、总结

**（一）专业知识或实践能力要点小结**

以案例分析的模式，通过提问总结本堂课的基本教学内容，进一步深化对器官移植的介绍。

**案例：**2019年12月，家住钦州的11岁女孩小欣被查出患有肾病综合征。经过一段时间的治疗，小欣病情并无好转。2020年2月2日，小欣失去意识开始进入昏迷状态。2月14日，小欣转入广西医科大学第一附属医院儿童重症监护室（PICU）进行治疗。最终，小欣被确诊为系统性红斑狼疮。广西医科大学第一附属医院杨志勇医生介绍，小欣入院时已是深昏迷、无自主呼吸，按照我国儿童脑死亡判定规范启动脑死亡判定程序。2月16日，医生判定小欣符合脑死亡。经慎重考虑，小欣父母决定将小欣有用的器官捐献出去。

提问：

1. 小欣最终转归的结局是什么？
2. 医生判定小欣脑死亡，说明小欣出现了哪些临床表现？
3. 如果你是小欣的父母，会愿意在她脑死亡以后进行器官捐献吗？

**（二）思政育人要点小结**

判定患者是否出现脑死亡时，医务工作者必须遵守相关法律，严格谨慎，对生命尊重、对法律敬畏。器官捐献是生命的另一种延续，大爱无疆，奉献也是另一种收获。作为医学生，了解器官移植供需的巨大缺口后，更应持有“医者仁心”，力之所及为器官移植事业贡献自己的力量。

四、课堂或课后练习

布置课后作业，进一步巩固教学，同时让学生进一步理解器官捐献的意义。

1. 学习网络教学平台的课件、补充教学资料及教学视频。
2. 在线完成本章的知识小测试。
3. 请访问“中国人体器官捐献管理中心”网站，找出最让你感动的案例，在网络教学平台讨论区与大家分享。
4. 你是否会自愿捐献器官？请在网络教学平台讨论区与大家分享自己的观点。

五、课后反馈

经过授课后，学生在网络教学平台病理生理学讨论区发布了大量的帖子，与大家分享自己关于器官捐献的观点，并有不少学生分享了器官捐献志愿登记的经历。

## 【课程思政解析】

本章节的教学内容核心为死亡的相关概念，讲授过程中可以直接引入对死亡的探讨，引导学生坦然面对生与死，把死亡作为一个人生问题进行思考，探索生的意义，追求生命价值，从而更珍重生命。

在介绍死亡相关概念的时候，引入“临终关怀”的概念，强调在生物-心理-社会-环境医学模式下，医者需更重视心理、社会、环境等因素对疾病过程的影响，在去除疾病的同时提高患者的生存质量。

教学重难点内容包括脑死亡的概念、判定标准和意义。其中，脑死亡的意义之一就在于器官移植。在介绍完我国器官移植现状后，自然过渡到器官捐献的话题。通过提问、案例分析等方式，让学生意识到器官捐献的必要性，培养学生的奉献精神。通过“五个人的乐队，一个人的演出”的故事，进一步引发学生对生命的思考，器官捐献作为生命另一种延续的方式，可以救治更多的患者。最后通过课后作业的方式，让学生多查阅器官捐献的相关案例，进一步进行奉献精神的熏陶。

**【推广应用效果】**

课后，不少学生在网络教学平台病理生理学讨论区发布分享了器官捐献志愿登记的经历，用这样的方式，将爱心与希望持续传递。

（刘德一）

# 案例八 疟 原 虫

【课程名称】病原生物学

【授课内容】疟原虫

【授课对象】临床医学、医学影像学专业学生

【教学目标】

一、专业知识目标

1. 掌握 间日疟原虫的形态（红细胞内期）、生活史、致病、诊断与防治。

2. 熟悉 疟原虫的流行特点。

3. 了解 疟原虫研究的历史与感染免疫。

二、思政育人目标

1. 激发学生爱国热情，树立“积极向上”的职业使命感和时代担当。

2. 树立“人类命运共同体”下的新时代全球医疗卫生服务理念。

【教学设计】

一、导入

通过实例和视频导入课程，电影《战狼2》中，一种叫“拉曼拉”的病毒让人闻风丧胆。拉曼拉病毒的原型便是现实中的埃博拉病毒，而与电影情节类似的故事却悄悄地发生在我们身边。2017年12月20日晚，在赤道附近的库拉索的烈日下工作了几个小时的刘某回到住处，可一睡就昏迷了过去。“他的额头当时烫得厉害，身体一动都不动。”同事武某看到他这样，顿时吓坏了。凌晨时分，当地医生在对刘某做完初步检查并了解其曾到过坦桑尼亚后，判断刘某的症状与死亡率高达90%的埃博拉出血热完全相似，刘某随即被转入重症监护室（ICU）。最终刘某被确诊为重型脑型疟疾。12月22日，同事联系了山东第一医科大学附属省立医院并搭建远程医疗救助平台，相关专家紧急集结，在肯定了库拉索方面的治疗方案后，决定继续使用青蒿素控制和清除疟原虫、进行肾透析和使用呼吸辅助设备等。最终历时30多天，跨越14 000公里的救援，见证了生命奇迹！刘某告诉记者：“没有祖国的强大，我说实话很难在有限的这一阵，恢复到这种状态。”2021年6月30日，世界卫生组织（WHO）宣布中国通过消除疟疾认证，称中国从20世纪40年代每年报告约3000万疟疾病例，到如今完全消除疟疾，是一项壮举。

通过生动、形象的电影片段及其实例，让学生产生爱国共情，从而引出思政观点：没有祖国的强大，就没有人民的安居乐业。通过疟疾日的宣传标语彰显我国的担当和人民至上、生命至上的大国精神。

二、展开

由疟疾防治日引出疟疾是WHO重点控制的6种热带病之一，是经按蚊传播的人体寄生虫疾病。展示教学安排和要求，让学生明确本节课的知识结构和重点内容，然后按照课程逻辑展开讲授和学习。

**疟原虫**

1. 形态　4 种疟原虫在人体红细胞内期有各种不同的形态，包括早期滋养体（环状体）、晚期滋养体（大滋养体）、裂殖体和配子体。现以间日疟原虫为代表，描述疟原虫各期形态（用吉姆萨染液染色）。

2. 生活史　寄生部位：肝细胞和红细胞。感染阶段：子孢子。感染方式及途径：通过按蚊叮咬皮肤。终宿主：雌性按蚊。中间宿主：人。

3. 致病

（1）潜伏期。

（2）疟疾发作。

（3）疟疾的再燃和复发。

通过实际病例让学生理解疟疾的发病机制，通过再燃和复发的病例，激发学生要牢固树立“以患者为中心”的理念，培养学生的职业道德修养和医者精神。

4. 免疫　带虫免疫。

5. 诊断　由于疟原虫寄生在红细胞中，所以抽血进行血液涂片（薄片或厚片）染色查疟原虫是疟疾病原体检查方法，同时还可鉴别出疟原虫种类。机体自身的抗疟抗体一般在感染后 2 ～ 3 周出现，4 ～ 8 周达高峰，以后逐渐下降。所以应用免疫学方法中的间接免疫荧光、间接血凝与酶联免疫吸附试验等，可使疟疾的检出率达 90%，所以此法常用于流行病学检查。

通过实际误诊病例，让学生理解正确诊断的重要性，激发学生的学习热情。

6. 流行　疟疾分布十分广泛，从北纬 60° 至南纬 30° ，从海拔 2771 米至海平面以下 396 米广大区域均有疟疾发生。我国以前除青藏高原外，疟疾遍及全国。但自 2017 年以来，我国已连续 4 年未报告疟疾本土病例，但仍面临疫情从东南亚、非洲等地输入的风险，所以近年输入型疟疾成为我国重点防疫对象。

通过疟疾的无国界，进一步帮助学生理解“人类命运共同体”，进一步激发培养学生的职业道德修养和医者精神。通过我国连续多年无本土病例和得到国际消除认证，激发学生的爱国之情。

7. 防治　根治疟疾应首用氯喹加伯氨喹。预防疟疾既要治疗患者以消灭传染源，又要防蚊灭蚊，而疟原虫耐药性的出现与蔓延成为疟疾防治的定时炸弹。我国率先在研制疟疾解药方面为世界做出突出贡献。1967 年，国家科委牵头发起“523”任务，由屠呦呦担任组长的中药抗疟组发现了青蒿素，并通过乙醚低温提取的方式为青蒿素的规模化生产奠定了基础。2015 年，屠呦呦凭借这一发现获得诺贝尔生理学或医学奖，而基于青蒿素的联合疗法（ACT）已被 WHO 视为防治疟疾最有效的措施。同时在抗疟过程中，我国严格实行“1-3-7”工作规范，总结出使用药物浸蚊帐等经验。所谓“1-3-7”指的是 1 天内完成疟疾病例报告、3 天内完成病例复核和流行病学调查、7 天内完成疫点调查处置。2018 年 WHO 制定的疟疾监测响应工作手册中，正式采纳了中国的技术方案。

通过影视资料介绍我国抗疟的历程和青蒿素的发现史，激发学生对新知识的兴趣，增强学生的自豪感和职业荣誉感，提高学习动力，培养努力钻研的科研精神。

三、总结

1. 专业知识或实践能力要点小结 通过上述的学习，使学生掌握疟疾是一种可防可治的寄生虫病，理解了疟原虫的生活史，掌握了发病的典型症状和诊断方法。疟疾通过按蚊叮咬或者输血传播，预防疟疾最好的办法是防蚊灭蚊，禁止疟疾患者献血。去疟疾流行区旅行后入境和就医时应主动告知旅行史，防止疟疾输入再传播。

2. 思政要点小结 只有祖国强大，人民才能安居乐业；只有心中有人民，屠呦呦等老一辈科学家才能始终保持为人民服务的初心，并通过不同的形式为祖国的科研发展、为民族的强大而奋斗。

四、课堂或课后练习

为巩固教学，利用信息化教学方法，在网络教学平台上进行随堂测验，强化学生对相关重点知识的掌握与记忆。

五、课后反馈

本课程自开课以来一直受到学生和督导专家的一致好评，并通过网络教学平台、教学联席会等多渠道收到了学生的良好反映。学生普遍认为：用特殊的实例和病例引导贯穿整个知识的学习非常有吸引力，能够更好地帮助学生理解和掌握专业基础知识。同时，教学中思政观点的融入自然而不强加，实例真实丰满而不空洞，使学生在学习中自然升华爱国情感，明确“为国家、民族之崛起而努力奋斗”。

## 【课程思政解析】

4 月 25 日是世界疟疾日，4 月 26 日是全国疟疾日。我国曾经饱受疟疾之害，20 世纪 40 年代每年报告约 3000 万疟疾病例，经过不懈努力，到如今完全消除疟疾。目前我国已经在 2021 年通过了 WHO 的消除疟疾认证。所以在课程中我们以疟疾高发—原治疗药物出现耐药性—新药筛选—介绍青蒿素化学结构、理化性质—引出屠呦呦发现青蒿素的故事—激发学生刻苦钻研的科学精神和热爱祖国的情怀为相应思路。通过引入疟疾高发，全球高度重视，我国从“谈疟色变”到境内原发零感染，到通过 WHO 的消除疟疾认证，激发了学生的学习兴趣和爱国热情。通过目前全球的疟疾区域的展示，激发学生的国际友情和大家对防止疟疾输入再传播的理解。通过讲解疟原虫的发现和生活史，培养学生刻苦钻研的精神和为科学奋斗的理想。激发学生的医者仁心。通过提问的方式让学生理解疟疾的传染病三要素。让学生理解、支持、积极参与到爱国卫生运动中。通过复习生活史和病例讲解让学生理解掌握疟疾的发病机制，激发学生对患者的关爱之情，增强学生的责任感。

## 【推广应用效果】

本课程入选为重庆市市级线上线下混合式教学示范课程一流课程、重庆市首批课程思政示范课程。本课程所在教研室连续多年在理论教学评比中名列前茅，多名教师获优秀教师和教学优秀奖励。

（陆 和）

# 案例九 衣 原 体

**【课程名称】** 人体概述（二）

**【授课内容】** 衣原体

**【授课对象】** 临床医学专业学生

**【教学目标】**

一、专业知识目标

1. 掌握 衣原体的生物学特征。

2. 熟悉 衣原体的发育周期、所致疾病和微生物学检查方法。

3. 了解 沙眼衣原体的致病机制和防治原则。

二、思政育人目标

1. 培养学生的爱国情怀，培育甘于奉献的社会主义核心价值观。

2. 培养学生“敢于质疑、勇于求证”的严谨求实的科研作风和敬业精神。

3. 培养学生“攻坚克难、敢为人先”的奋斗精神。

**【教学设计】**

一、导入

1. 课前在网络教学平台以问卷形式回顾细菌和病毒的基本特征及区分要点，让学生明白细菌在大小、培养及包涵体形成、对抗生素敏感性等方面与病毒不同。然后回顾未知标本的病原体鉴定程序依形态大小—染色观察—分离培养—生化特征鉴定等逐步进行，为后续沙眼衣原体的发现历程作铺垫。

2. 根据衣原体某些特征类似细菌、某些特征类似病毒，设立“衣原体到底是细菌还是病毒”的悬念，以此话题要求学生跟帖讨论，激发学生的求知欲、探索欲。

二、展开

课堂介绍以沙眼病原体的确立为线索，植入汤飞凡发现沙眼衣原体的历程并融入思政元素，同时将衣原体的生物学性状进行糅合讲解。具体过程如下。

1. 简要介绍 1949 年以前沙眼在我国的流行背景，引出沙眼病原体的确认成谜。

2. 重点介绍沙眼病原体的发现并植入思政教育。

（1）根据临床症状采集沙眼感染标本，按常规病原体的鉴定程序进行形态染色、培养，引入沙眼病原体的生物学性状及致病性介绍。

1）形态结构与染色特征：该病原体细小，仅 0.2 ～ 0.4μm，圆形，含有细胞壁，具有感染性。吉姆萨（Giemsa）染色为紫色。

2）培养特性：该病原体无法像细菌一样可在无生命的培养基上生长，只能在活细胞内寄生。引入汤飞凡在战争年代，放弃国外优越条件毅然回国、报效祖国的爱国情怀；汤飞凡对沙眼的“细菌病原”理论的质疑，勇于滴眼验证，彻底否定该理论，体现他严谨的科研作风；在国外条件优越的实验室尚无法分离沙眼病原体，汤飞凡在条件普通的实验室，克服重重困难，不断重复试验，最终采用鸡胚卵黄囊成功分离沙眼病原体，直到1970年国际上把这种介于细菌和病毒之间的病原体正式命名为衣原体，沙眼的病原体也被统一命名为沙眼衣原体。汤飞凡是成功分离沙眼衣原体第一人，被誉为“衣原体之父”“东方巴斯德”，体现他勇于开拓、敢为人先的奋斗精神和梦想精神。细胞培养时，详细介绍沙眼衣原体从原体—始体—包涵体—子代原体的发育周期。

3）抗原组成：属特异性抗原，种特异性抗原和分型。

4）抵抗力：耐冷不耐热，对抗生素敏感。

由学生思考总结沙眼衣原体的生物学特征，以及其介于细菌和病毒之间的特性。

（2）简要介绍沙眼衣原体的致病性和免疫性。

（3）沙眼衣原体所致的疾病及传播方式

1）沙眼：以图片展示沙眼衣原体感染导致沙眼的渐变过程，体现沙眼的危害性。

2）包涵体结膜炎。

3）泌尿生殖系统感染。

4）婴幼儿肺炎。

5）性病淋巴肉芽肿。

（4）简要介绍沙眼衣原体的微生物学检查法。

（5）简要介绍沙眼衣原体感染的防治原则，结合传播途径进行互动。

3. 简要介绍其他衣原体。

## 三、总结

### （一）专业知识或实践能力要点小结

概括衣原体不同于细菌和病毒的生物学特征，指出衣原体是介于细菌和病毒的一类原核细胞型微生物，澄清衣原体的微生物地位；比较衣原体发育周期中原体和始体的大小、结构、感染性与繁殖力的不同，明确衣原体的结构特征；回顾沙眼衣原体所致的疾病名称。通过要点小结，加深同学对学习重点的把握和理解。

### （二）思政育人要点小结

紧抓病原生物学专业课教学的“主缰绳”，根据教学内容进行取舍，植入最贴合教学内容，不影响教学进度的思政元素。授课以沙眼病原体的发现故事为索引，重新糅合内容，将“爱国奉献、严谨求实、刻苦攻坚的奋斗精神”思政点切入在鸡胚培养法发现沙眼衣原体的知识点上，在专业课讲解中融入思政元素，实现思政元素与专业课程的无痕融合。将因时长限制，无法在课堂上进行介绍的汤飞凡的理想信念、创造精神及人性思考等其他思政元素放入链接——“衣原体之父——汤飞凡”中进行拓展，促进学生对汤飞凡的全面认识。

## 四、课堂或课后练习

教师利用学校的智慧教室系统和网络教学平台构建章节试题库和进行随堂测试，并根据现场的测试反馈结果进行及时解析和强化；在课后，教师根据教学重点，在网络教学平台的章节测试中，设计一些挑战性的试题或讨论供学生练习，以促进学生对知识掌握和思维能力的提升。

## 五、课后反馈

通过多种方式进行反馈，以便不断改进教学设计和实施，增强教学效果。通过学生间相互讨论、教学评价系统专家意见反馈，本教学单元以沙眼衣原体的发现故事为线索易吸引学生的注意力，教学逻辑性强，教学评价良好。通过师生交流反馈，教学中的悬念设计激发学生强烈的求知欲和探索欲，促进学生发现问题、分析问题和解决问题的能力提升，部分学生课后要求参与实验准备、进入教师科研课题小组或者聘请老师担任科研创新团队指导教师。通过网络教学平台进行章节测试、随堂测试和期末考试的试题分析，学生都能准确选出本章节设计的课程思政要点。通过这些方法，真实地反馈了学生的思想和行为，为更好地在病原生物学专业教学过程中实现育人目的，将爱国奉献、严谨求实、爱岗敬业等优良品质进行内化。

**【课程思政解析】**

在专业课程教学中融合思政教育，是落实“三全育人”的具体体现。病原生物学课时相对较多，与学生接触频繁，易于开展思政教育。在病原生物学的衣原体章节中，教师提炼了汤飞凡的“爱国奉献、严谨求实”作为思政元素，在沙眼衣原体的细胞培养中无痕植入“汤飞凡拒绝国外优越环境，毅然回国的爱国情怀；通过细胞培养首次分离沙眼衣原体并以身试毒验证其致病性的严谨求实科研作风”，来对学生进行爱国教育、严谨科研作风与敬业精神教育。为更好植入课程思政，我们调整了原有教材顺序和教学逻辑，协同网络教学平台，采用问卷调查法、故事索引法、悬念冲突法、引导探究法、启发教学法等介绍沙眼衣原体的发现历程和章节内容，更容易吸引学生，激发求知欲，培养学生发现问题、分析问题、解决问题的能力。通过教学评价系统，测试题目分析，师生交谈等多种方式反馈课程思政实施效果，从而在专业课程教学中实现育人目标。

**【推广应用效果】**

本课程入选重庆市市级精品在线开放课程，课程面向所有高校和社会公众开放。课程成员主讲的“病原生物学”已成为首批重庆市课程思政示范建设项目，面向全市推广。

（何永林）

# 案例十　血　吸　虫

**【课程名称】** 人体概述（二）

**【授课内容】** 血吸虫

**【授课对象】** 临床医学专业学生

**【教学目标】**

一、专业知识目标

1. 掌握　血吸虫的生活史、致病特征、病原生物学诊断方法及防治原则。

2. 熟悉　血吸虫的分类、各种血吸虫虫卵的特点及虫卵肉芽肿的形成机制。

3. 了解　血吸虫成虫形态。

二、思政育人目标

1. 树立学生刻苦钻研、勇于奉献的精神。

2. 培养学生爱国爱校的情怀。

3. 通过中国血吸虫防治经验在全球的推广及应用，增强学生对社会主义制度优越性的自信心。

**【教学设计】**

一、导入

课前布置学生阅读古典文学名著《三国演义》或《三国志》，以激发学生的求知欲、探索欲。在网络教学平台以问卷形式回顾吸虫的共有特征，引出本节内容与其他吸虫的不同。

二、展开

1. 简要介绍血吸虫病全球及中国的流行情况：血吸虫病是由裂体吸虫属血吸虫引起的一种慢性寄生虫病，主要流行于亚、非、拉美的 73 个国家，患病人数约 2 亿。血吸虫病主要分两种类型，一种是肠、肝血吸虫病，主要由日本血吸虫和曼氏血吸虫引起；另一种是尿路血吸虫病，由埃及血吸虫引起。我国主要流行的是日本血吸虫病。

2. 在介绍血吸虫种类时，重点介绍“包氏毛毕吸虫”的命名由来，以此引出发现者——包鼎成教授。包教授放弃上海的优越条件，在 20 世纪 50 年代来到重庆，参与建立重庆医学院，并且不畏感染的风险，深入田间地头进行血吸虫的相关研究，并发现包氏毛毕吸虫，这是血吸虫研究的新突破。他弘扬了“胸怀大局，无私奉献，弘扬传统，艰苦创业”的西迁精神。

思政切入：包氏毛毕吸虫的命名。

3. 血吸虫的形态

（1）成虫形态：简要介绍。

（2）虫卵形态：需重点介绍。成熟虫卵大小平均 89μm×67μm，椭圆形，淡黄色，卵壳厚薄均匀，无卵盖，卵壳一侧有一小棘，表面常附有宿主组织残留物，成熟虫卵内含有一毛蚴，毛蚴与卵壳之间常有大小不等的圆形或长圆形油滴状的头腺分泌物，此为可溶性虫卵抗原。日本血吸虫、曼氏血吸虫、埃及血吸虫三种虫卵侧棘的形状和在虫卵表面的位置有较大差异，为鉴别特征。

4. 血吸虫生活史：血吸虫病的传染源是患者、带虫者及受感染的保虫宿主，主要的感染途径是皮肤或黏膜，感染阶段是尾蚴，主要的保虫宿主是牛，成虫寄生的部位在肠系膜静脉和门静脉，虫卵主要沉积在肝脏和肠壁，偶可沉积在脑组织。

思政切入：通过对生活史的学习，让学生了解到人类主要是因为皮肤接触疫水里的尾蚴而感染，引出包教授等研究寄生虫的老前辈们当年冒着被血吸虫感染的风险从事血吸虫的研究，褒扬其奉献精神。

5. 通过对血吸虫致病的学习，让学生了解到血吸虫严重的危害性，引出党和国家对寄生虫病防治的重视，为引出毛主席的诗《七律二首・送瘟神》铺垫。

血吸虫的成虫、虫卵、尾蚴、童虫四个阶段均可致病，尾蚴和虫卵的致病性最强，讲清楚致病机制和临床表现。尾蚴性皮炎的机制，虫卵肉芽肿的形成均跟血吸虫引发的超敏反应有关。主要的临床表现如下。

（1）尾蚴性皮炎：涉及超敏反应，为速发性超敏反应。

（2）童虫移行过程中对组织的损伤。

（3）成虫对血管的损伤。

（4）虫卵的损害：急性期损害是由成熟虫卵分泌的可溶性虫卵抗原（SEA）释放至组织和血液中所致，形成以虫卵为中心的肉芽肿，嗜酸性粒细胞聚集，亦称嗜酸性肉芽肿或脓肿，为Ⅳ型超敏反应；继而进展至纤维化。故血吸虫病有急性期、慢性期、晚期之分。

6. 按大纲要求介绍血吸虫病的诊断：对于不同的临床表现应采取不同的病原学诊断方法。

（1）急性期有腹泻症状，可以采用直接涂片法。

（2）慢性期可以采用沉卵孵化法。

（3）晚期一般采用组织活检。

7. 在介绍血吸虫病的防治进展时，从两个方面介绍中国的防治成效，彰显社会主义制度的优越性，同时增强了中国人的科技自信。

（1）中华人民共和国成立初期的防治成效，通过毛主席的诗《七律二首・送瘟神》体现。这首诗是毛主席在1958年6月30日《人民日报》上读到余江县消灭了血吸虫的消息后写下的组诗作品。第一首诗通过对广大农村萧条凄凉情景的描写，反映了旧社会血吸虫病的猖狂肆虐和疫区广大劳动人民的悲惨遭遇；第二首诗写新社会广大劳动人民征服大自然，治山理水，同时大举填壕平沟，消灭钉螺的动人情景。全诗虽分两首，实为一体，前一首写旧社会，后一首写新社会，起到了鲜明对比的作用，通过对比体现了社会主义制度的优越性。

思政切入：毛主席的诗《七律二首・送瘟神》。

（2）通过卫生宣教视频《医道无界，大爱无疆》，讲述从1963年开始直至今天，中国政府向非洲派遣医疗队已经近60年，作为外交工作的重要内容，中国的医疗援外随着国内外形势及受援国需求的变化，也不再局限于派遣医疗队这一单一模式，而是不断创新，为非洲医疗卫生事业的全面发展贡献了智慧与力量。同时在全球推广了中国的血吸虫防治经验，并且使用了中国制造的药物，确立了在血吸虫病防治的“中国标准”。

8. 巩固提高及课后拓展：推送本章节教学视频、资料，并布置思考题，加强学生对知识点的理解，与教学目标相呼应。引导学生对医学事业和今后职业进行思考，隐性延伸课程思政。

## 三、总结

### （一）专业知识要点小结

本节需掌握寄生人体的血吸虫种类与流行地区（以我国流行的日本血吸虫为主要内容）；日本血吸虫生活史（成虫寄生在肠系膜静脉血管内、虫卵进入肠道并随粪便排出过程、生活史发育过程、中间宿主的名称、对人的感染阶段与感染方式）；日本血吸虫致病作用（主要是虫卵所致）；实验诊断方法（针对急性期、慢性期、晚期患者的不同病原学与免疫学检查方法），流行因素（重要的是接触疫水）与血吸虫病综合防治措施（治疗患者与病畜、管粪、管水、灭螺）。

### （二）思政育人要点小结

通过一个寄生虫的命名，宣传了西迁精神和奉献精神。通过防治与流行特征这个知识点的介绍，宣传了社会主义制度的优越性，同时增强了对中国科学技术的自信。

1. 在进行思政元素选择时，根据教学内容进行安排，贴合教学内容，循序渐进，在不影响教学进度的情况下将思政元素无缝植入教学内容，以方便思政教学目标达成。由于教学时长限制，视频主要通过网络教学平台自学，促进学生对血吸虫这部分知识的全面了解，并顺利完成了西迁精神、奉献精神、社会主义制度优越性和科技自信的思政目标。

2. 为增进教学的层次逻辑，在课程设计和授课时打破教材的编排顺序，将以前的纯粹从生物学特征的角度进行讲解寄生虫转变成从事例出发，层层追问，将思政内容与教学内容环环相扣、层层递进，推动教学进程向前发展。再辅以课堂互动，充分吸引学生注意力，利于思政内容与专业内容同步开展。

## 四、课堂或课后练习

1. 总结血吸虫的生活史。
2. 血吸虫的种类。
3. 名词解释：疫水。
4. 简述尾蚴性皮炎的致病机制和虫卵肉芽肿的形成机制。
5. 血吸虫病常用的诊断方法有哪些？
6. 根据生活史，比较钩虫病和血吸虫病的防治原则。

## 五、课后反馈

结课后，迅速通过问卷调查获取学生反馈，以便不断改进教学设计和实施，增强教学效果。调查分析结果显示有 90.6% 的学生认为在本章节加入的思政内容数量适当，80% 以上的学生认为加入的思政内容与本章节教学有比较好的关联性。

通过学生间相互讨论，以“一个小虫（血吸虫）与中国历史的关系”为线索，通过耳熟能详的古典文学名著易吸引学生的注意力，教学逻辑性强，教学评价良好。通过师生交流反馈，教学中使用“提问式”引出教学内容能激发学生强烈的求知欲和探索欲，促进学生主动思考。通过网络教学平台的章节测试、随堂测试和期末考试的试题分析，学生都能准确选出本章节设计的课程思政要点。

## 【课程思政解析】

由于寄生虫病具有地方性特点，其传播具有一定的人群密集度。特别是血吸虫病，是 WHO 要求重点防治的寄生虫病，在中国流行了 2000 多年，对人民健康造成严重的危害，同时也影响当地的经济。在这样的背景下，在防治血吸虫病时，社会因素起决定作用，故很容易引入思政内容。本节思政内容资料丰富，但之间不重叠，且层层递进。在病原生物学的教学过程中，由于病原众多，每个病原介绍的模式类似，学生普遍感觉内容枯燥，课堂关注度不够，激发求知欲不足。因此，将恰当而准确的思政内容自然融入，有利于提高学生的学习积极性。

学生接受思政课程进入专业教学，是一个循序渐进的过程，如果以完成任务的心态，强行、硬性地塞入专业课程中，既影响学生对专业课程的学习，又激起学生的抵触情绪。防止对思政内容简单、枯燥的说教，让思政内容自然、巧妙地融入专业课教学，既遵循教育规律，又回归育人为本的重点，形成促进学生德智体美全面发展和终身发展的育人制度。

## 【推广应用效果】

1. 本校学生对课程的认可，明确了课程的价值目标，提高了育人效果。短短一堂课，没有枯燥的说教，没有占用大量的时间，采用线下重点讲解—线上观看视频相结合，以“经典阅读—感性体验—理性领悟—人生浸润—价值认同”的渐进式教学方法，围绕“立德树人”目标，宣传了西迁精神、奉献精神、社会主义制度优越性，以及增强了科技自信，有效防止在知识传播过程中出现思想政治教育与专业教学脱节，潜移默化影响学生的思想和行为，实现专业教学过程中教书育人的目的和培养学生爱国情怀。同时，注重课程设计，较好地满足了学生对高质量学习的要求，使学生的获得感增强。从知识、情感、态度、价值维度，组织课堂教学与在线学习，同步实现知识传授、价值塑造、能力培养的教学目标，教学方法接地气、互动强、学生参与度高。

2. 课程思政教学改革成效：本案例负责人于 2021 年 7 月受邀参加“第十四届全国寄生虫学教学改革与课程建设研讨会”，以“血吸虫教学与课程思政的有机融合的教学体会”为题，同与会代表分享本校在专业教学中融入思政内容的经验，获得好评。

本案例负责人作为主要参与者于 2021 年 4 月获得“重庆市 2021 年高校课程思政示范建设课程”立项。

（张　静）

# 案例十一　青　霉　素

**【课程名称】** 药理学

**【授课内容】** β-内酰胺类抗生素——青霉素

**【授课对象】** 临床医学专业学生

**【教学目标】**

一、专业知识目标

1. 掌握　天然青霉素的抗菌作用机制、抗菌谱、临床应用及不良反应。

2. 了解　青霉素类抗生素的耐药机制、半合成青霉素的特点。

二、实践（临床）能力目标

1. 掌握　青霉素类抗生素的适应证。

2. 了解　青霉素的临床耐药现状。

三、思政育人目标

1. 体会我国传统医学的博大精深，培养学生对我国传统文化的热爱及民族自豪感。

2. 激发“有责任、有担当”的职业使命和爱国情怀，培养学生“有志者事竟成”的坚毅品质和敢为天下先、勇于创新的科学精神。

3. 树立合理用药的药学服务理念，培养学生职业道德素养，居安思危的意识。

**【教学设计】**

一、导入

1. 视频　由案例引出所讲授的药物——青霉素，并指出青霉素在医药发展史中的重要地位：在第二次世界大战中，青霉素与原子弹、雷达并列为三大发明。

2. 提出问题　①青霉素能够救治哪些细菌感染性疾病？②有谁知道青霉素在我国的最初使用？引入思政素材1：青霉素的前世——霉豆腐渣、发了霉的糨糊。

我国古代劳动人民用发了霉的糨糊涂抹在流脓液的恶疮面、溃疡面；《本草纲目拾遗》一书中记载，霉豆腐渣可以用来治疗一切恶疮、无名肿毒；《养素园传信方》记载：生豆腐渣捏成饼，如疮大小，先用清茶洗净，绢帛拭干，然后贴上，以帛缠之，一日一换，其疮渐小，肉渐平。上述为青霉菌产生青霉素的最初使用。体现中国传统医药对中国和世界医药发展做出的巨大贡献。培养学生对我国传统文化的热爱、激发民族自豪感。

二、展开

按照教学大纲要求进行，导入后先展示教学安排和要求，让学生明确本节课的知识结构和重点内容。由弗莱明发现青霉素提出问题：有谁知道我国第一支青霉素的诞生历程？引入思政素材2：青霉素的今生——我国第一支青霉素诞生的历史事件。

1943年美国人研究青霉素取得了决定性进展，拯救了千百万人的生命。当时在美国留学的樊庆笙想到中国人民正在艰苦抗战，苦难的中国太需要青霉素了，必须赶回祖国制造出青霉素。他四处奔波，向各方求助，终于成功搜集到研制青霉素的仪器、设备、试剂，并设法搞到了三支极其珍贵的青霉素菌种。归途充满险情，为躲避日本飞机轰炸、潜艇袭击，他绕道新西兰及澳大利亚南部海域到达印度孟买，换乘火车经加尔各答到达利多，再搭乘飞机沿着当时全世界最危险的“驼峰航线”飞越喜马拉雅山脉，终于在1944年6月平安到达昆明。到达昆明后，樊庆笙迅速加入我国著名病毒学家汤飞凡领导的青霉素研制小组，经过反复实验摸索，确定青霉菌的培养条件并建立了青霉素提纯、浓缩的方法。接下来的问题是青霉素的保管和储存。青霉素很不稳定，容易降解，为了使其稳定必须把它变成固体。课题组中黄有为教授决定自己设计、制造出一台化学干燥机，这在当时的昆明简直是难以置信的。面对疑惑的目光，他不理会，只埋头苦干、不分昼夜、废寝忘食地忙着制造化学干燥机。最终把许多人认为不可能的事干成了！1944年我国第一批5万单位/瓶的青霉素投放到抗战前线，挽救了无数抗日战士的生命。战乱中的中国成为世界上率先制造出青霉素的七个国家之一，这一令人瞩目的成就得到了世界的关注。通过这一历史事件培养学生“有志者，事竟成”的坚毅品质和敢为天下先、勇于创新的科学精神，激发学生有责任、有担当的爱国情怀。

以天然青霉素G为典型代表展开对这一类药物的介绍，基于青霉素抑制细菌细胞壁的作用将知识点像剥洋葱一样层层剥开，采用提问、讨论、对比、举例、归纳等方法重点讲授青霉素抗菌作用机制；通过启发式教学，引导学生分析归纳药物的抗菌作用特点、抗菌谱，推测可能的临床应用，结合本领域研究进展介绍半合成青霉素。

**（一）抗菌作用机制**

抗菌作用机制为重点内容、难点内容。教师采用图片和动画展示：作用于青霉素结合蛋白（penicillin binding protein，PBP，黏肽合成酶）→抑制黏肽合成→菌体细胞壁缺损→水分进入高渗的菌体内→细菌膨胀、破裂，借助细菌自溶素（autolysin）溶解死亡→杀菌。

**（二）天然青霉素G**

1. 抗菌谱　采用图片展示：革兰氏阳性菌、革兰氏阴性球菌、嗜血杆菌及各种致病螺旋体。历史故事场景联想——廉颇落荒白灰滩（“链葡螺放白肺炭”），增强趣味性。

2. 临床应用　用于上述敏感细菌、致病螺旋体等所引起的各种感染（扁桃体炎、蜂窝织炎、丹毒、咽炎、猩红热、心内膜炎、肺炎、中耳炎、生殖道淋病、白喉、炭疽、破伤风、梅毒、螺旋体病、放线菌病等），均可列为首选。采用图片展示，提问加引导，并联系临床合理用药，培养学生实践能力和职业道德修养。

3. 体内过程

（1）吸收：肌内注射或静脉滴注，有效血药浓度可维持4～6小时。

（2）分布：进入细胞内量少，主要分布在细胞外液。

（3）排泄：几乎以原型迅速经尿排泄。

4. 不良反应及防治　采用视频、动画呈现。

（1）变态反应。

（2）赫氏反应。

（3）其他：高血钾/钠、局部刺激症状、青霉素脑病。用视频呈现过敏性休克症状及抢救过程，让学生感受药物不良反应及用药不当带来的危害，使学生感悟到药品安全与合理使用的重要性，培养学生严谨认真、一丝不苟的执业能力和科学精神。

**（三）半合成青霉素**

与天然青霉素比较讲解：采用图片展示。

1. 耐酸不耐酶青霉素　青霉素 V。

2. 耐酶青霉素　甲氧西林、苯唑西林、氯唑西林等。

3. 广谱青霉素　氨苄西林、阿莫西林。

4. 抗铜绿假单胞菌青霉素　羧苄西林、哌拉西林。

5. 抗革兰氏阴性杆菌青霉素　美西林、替莫西林。

三、总结

**（一）专业知识或实践能力要点小结**

通过案例的回顾总结，场景联想法、口诀记忆法帮助学生记忆，加深学生对重要知识点（青霉素抗菌机制、抗菌谱、临床应用及不良反应预防与抢救）的理解和内化。

窄谱杀菌青霉素，竞争菌体转肽酶。

黏肽合成受干扰，阳性细菌杀灭掉。

过敏反应危险大，一问二试三观察。

链葡螺放白肺炭（廉颇落荒白灰滩）。

**（二）思政育人要点小结**

研发有效治疗严重危害人类健康疾病的药物，不仅要有扎实的专业知识，更要有敢为天下先、勇于挑战的勇气和担当，以及“有志者事竟成”的坚毅品质。

四、课堂或课后练习

利用网络教学平台进行随堂测验，强化对重点内容的掌握与记忆。

五、课后反馈

本课程开课以来受到同行专家和学生的一致好评，通过学生评教、教学联席会等多渠道收到学生的良好反映。学生们评价：以典型药物为代表，以药物治疗为主线的知识结构，能够更好地帮助理解和掌握专业知识，训练临床逻辑思维。将知识点与思政案例结合，课程生动、有趣，且让学生有所触动和感悟。同行专家评价：思政素材选择与知识点结合紧密，过渡自然，学生的参与感和体验感好。

## 【课程思政解析】

紧密结合教学内容，将思政元素融入知识点讲解中，增强课程的趣味性、生动性，同时将思政元素中蕴含的积极向上的价值观念和精神追求在潜移默化中传递给学生，过渡自然，即注重学生的参与感和体验感，又起到立德树人、润物细无声的效果。体现了专业课和思政课的结合，以实现思政和职业素养教学目标。

课程导入，以问题引入中国传统文化的思政元素《本草纲目拾遗》和《养素园传信方》关于类似青霉素使用的记载，体现中国传统医学的巨大贡献，培养学生对我国传统文化的热爱，激发民族自豪感，更让学生意识到传统文化是瑰宝，要传承和发扬；课程展开，讲到天然青霉素 G，引入社会主义核心价值观的思政元素——讲述我国第一支青霉素诞生的历史事件，让学生了解樊庆笙、汤飞凡等我国老一辈科学家不畏艰难险阻研制出我国第一批 5 万单位/瓶的青霉素的壮举。培养学生有责任、有担当的爱国情怀；激发学生敢为天下先、勇于创新的科学精神；锤炼学生“有志者事竟成”的坚毅品质；课程总结，结合临床实际引入法律法规的思政元素——抗生素分级使用，强调合理使用抗生素、延缓耐药产生的重大意义，培养学生遵纪守法，居安思危的意识，激励学生立志攻克细菌耐药的挑战。

**【推广应用效果】**

本课程荣获重庆医科大学金课建设项目，入选重庆医科大学线上线下混合式一流课程建设项目。本课程所在教研室多次获评药学院理论授课第一名，获得课程思政相关教学改革项目 1 项。本课程案例撰写教师曾获由中国药理学会教学与科普专业委员会主办的第三届全国药理学青年教师教学基本功竞赛特等奖（2018 年 8 月），重庆市 2021 年思政课程与课程思政（学科德育）优秀案例及论文评选活动优秀案例三等奖，重庆医科大学课程思政创新设计大赛三等奖。

（周维英）

# 第二章　分子与细胞案例

## 案例一　DNA 的空间结构与功能

【课程名称】 分子与细胞（一）

【授课内容】 DNA 的空间结构与功能

【授课对象】 临床医学（“5+3”一体化）专业学生

### 【教学目标】

#### 一、专业知识目标

1. 掌握　DNA 双螺旋结构模型的要点。
2. 熟悉　DNA 中碱基组成规律——夏格夫法则（Chargaff rules）；DNA 的功能。
3. 了解　真核生物染色体 DNA 的高级结构；基因、基因组、基因表达的概念。

#### 二、思政育人目标

1. 培养学生唯实求真、探索创新、团结协助的科学精神。
2. 引导学生珍惜大好青年时光，勤奋学习、锐意进取、勇于创新、不负韶华。

### 【教学设计】

#### 一、导入

启发式提问引入教学授课内容。

1. 启发提问　上节课同学们了解了 DNA 的一级结构，那么 DNA 分子的各个原子在三维空间里的相对关系如何？现在我们一起进入 DNA 的世界，共同来探索 DNA 的空间结构与功能的奥秘。

2. 教学方法　通过图片展示和提问，并根据网络教学平台反馈的学生课前预习情况，带领学生回顾上节课的知识点，带着问题进入本节课学习，并点明学习重点、明确学习目标。

3. 思政元素融入　引导学生怀揣探索精神进入课堂。

#### 二、展开

按照教学大纲要求，根据课程逻辑展开讲授和学习。理论知识学习和思政元素融入双管齐下。结合双螺旋结构知识点的介绍及相关科学小故事的引导，培养学生的科学精神。

**（一）教学方法**

采用线上线下混合式教学。在线下课堂教学中以讲授法为主，结合演示法、提问法及案例教学法等多种教学方法的灵活运用，并有机融入课程思政元素，促进学生对专业知识的理解，引导学生主动思考。线上教学以课外自主学习为主。

灵活运用多媒体 PPT 课件，利用图片讲解、动画演示等开展课堂教学；利用信息化教学方法，依托网络教学平台，提供相关课件、视频和学习资料，以便学生及时获取教学资源并在移动端预习、学习和复习。

**（二）思政元素融入课堂教学**（表 2-2-1）

**表 2-2-1 思政元素融入课堂教学**

| 基本内容 | 思政元素融入 |
|---|---|
| 一、DNA 双螺旋结构提出的主要依据<br>1. 实验基础——碱基组成的夏格夫法则<br>（1）不同生物，其 DNA 碱基组成往往不同<br>（2）同一生物不同组织，其 DNA 碱基组成相同<br>（3）按摩尔数计算，则 A=T、G=C，即 A+G=T+C<br>（4）DNA 碱基组成不随年龄、营养状况和环境因素而变化<br>2. DNA 纤维 X 射线衍射图谱分析<br>3. DNA 的碱基物化数据测定 | 1. 讲解 DNA 双螺旋结构提出的主要理论依据，为思政案例作铺垫<br>2. 不同学科的研究成果成就了双螺旋结构模型，强调学科交叉和融合对于学科发展的重要性，培养学生的科学精神；展示相关实验数据和图片，引导同学们了解科研工作的求真、务实和创新<br>3. 威尔金斯提供富兰克林拍摄的 DNA 晶体衍射照片供沃森（Watson）和克里克（Crick）参考，鼓励学生在学习和研究中要多交流、多思考，不闭门造车，体现了团结协作精神的重要性 |
| 二、DNA 双螺旋结构模型的要点<br>（沃森-克里克结构模型/B-DNA）<br>1. DNA 双螺旋结构模型的提出<br>2. DNA 双螺旋结构模型要点<br>（1）DNA 是反向平行、右手螺旋的双链结构<br>（2）碱基互补配对<br>（3）DNA 两股链之间的螺旋形成两个凹槽（大沟+小沟）<br>（4）维持双螺旋结构稳定的力量：氢键+碱基堆积力 | 4. 引入年轻科学家沃森和克里克发现 DNA 双螺旋的故事，使学生体会取得重大科学发现所需要的天时地利人和等因素，引导激发学生珍惜大好青年时光，勤奋学习、锐意进取、勇于创新、不负韶华 |
| 三、DNA 双螺旋结构的多样性<br>1. B-DNA：是细胞内 DNA 存在的主要形式，也是生理条件下最稳定的结构<br>2. A-DNA：右手螺旋<br>3. Z-DNA：左手螺旋<br>四、DNA 的多链结构 | 5. 引入三螺旋结构模型小插曲，分析其不合理性，培养学生唯实求真、探索创新的科学精神 |

## 三、总结

**（一）专业知识要点小结**

DNA 双螺旋结构（B-DNA）：反向平行、右手螺旋的双链结构；大、小沟；碱基互补配对；氢键+碱基堆积力。

**（二）思政育人要点小结**

1. 结合双螺旋结构知识点的介绍及相关科学小故事的引导，培养学生唯实求真、探索创新、团结协助的科学精神。

2. 通过讲述年轻科学家沃森和克里克发现 DNA 双螺旋结构的故事，引导学生珍惜大好青年时光，勤奋学习、锐意进取、勇于创新、不负韶华。

## 四、课堂或课后练习

1. 布置课后作业及拓展阅读，隐性植入思政元素，课程思政贯穿全过程。

（1）简述 DNA 双螺旋结构模型（B-DNA）的要点及生物学意义。

（2）沃森为何能在 25 岁时发现 DNA 双螺旋结构？对你今后的学习有何启示？

2. 网络教学平台推送本章节教学视频、学习资料和思政资源，与教学目标相呼应。

3. 推荐图书《双螺旋——发现DNA结构的故事》[J. D. 沃森（美）]。

## 五、课后反馈

课程思政教学的育人效果是长期且隐性的，最终需要通过社会来检验。本课程从2019年开始开展课程思政教学，本章是本课程教学设计中第一个进行显性课程思政教学的章节，学生通过这一章的学习开启了分子与细胞课程思政教与学的序幕，所以本章的课程思政至关重要。

从近两年师生教学效果反馈来看，学生的科研思维能力得到了提升，主要表现在两个方面：一是学生在实验操作中普遍的严谨规范，实验数据处理也求真务实；二是参加学校及各层次的创新实验项目比赛的人数和组别增加，并且标书质量相较以前有很大的提升。这反映了学生已经具备一定的求真、务实、无畏和创新的科学精神及科学素养。

学生在课后互动讨论思考题“沃森为何能在25岁时发现DNA双螺旋结构？对你今后的学习有何启示？”给学生提供了内化提升及情感交流的机会。很多学生通过不同的方式都表达了要“珍惜大好青年时光，勤奋学习、锐意进取、勇于创新、不负韶华”的感想和感悟，这也是我们本章课程思政期望达到的教学目标之一。

另外，从分子与细胞实施课程思政的整体情况来看，课程目标评价和过程反馈评价良好，一致认为分子与细胞课程思政能够做到价值引领和知识传授相融合，对提高医学生的思想素养、专业水平具有一定的促进作用。

## 【课程思政解析】

### （一）本章课程思政设计基本思路

在核酸的结构与功能的教学中，围绕科学求真精神这一维度的课程思政元素较多，DNA双螺旋结构的提出是一个重要而常用例子，本课程尝试将这个老故事讲出新意，提高医学生的科学精神和专业素养。课程思政设计思路如下。

1. 启发导入，承前启后。启发式提问引入教学内容，引导学生怀揣探索精神进入课堂。

2. 讲解知识，做好铺垫。讲解DNA双螺旋结构提出的主要依据，做好思政融入的铺垫。

3. 寻找融入，引起共鸣。引入沃森和克里克发现DNA双螺旋结构的科学小故事，与教学内容契合，有机融入思政元素。沃森和克里克发现DNA双螺旋结构时很年轻，和学生是同龄人，他们的故事能极大地引起学生情感认同和学习乐趣。

4. 结合知识，层层引导。结合DNA双螺旋结构重要知识点的介绍及相关科学小故事的层层引导，双管齐下进行知识学习和思政融入，培养学生的科学精神。

5. 趁热打铁，总结升华。培养学生唯实求真、探索创新、团结协助的科学精神。

6. 提供资源（线上线下），延伸拓展。依托网络教学平台，提供优质学习资源和思政资源，使学生在学习知识的同时实现思政元素的隐性植入。

### （二）本章课程思政亮点

1. 课程思政内容和教学内容联系紧密。本章选择的主要思政案例“沃森和克里克发现DNA双螺旋结构”，与教学内容联系密切，思政融入逐步递进式展开，易于学生理解接受。

2. 思政元素的引入和融入自然而然，水到渠成。本章思政案例典型而有特色，时间长短合适，课堂教学阐述总时间不超过 10 分钟，且与理论知识密切联系，自然过渡并开展思政。

3. 从学生角度开展思政，注重学生的参与感和体验感。

4. 做到线上线下、课上课下相结合，使课程思政贯穿教学全过程。

## 【推广应用效果】

分子与细胞是重庆医科大学紧跟现代医学教育变革，在国内率先将传统以学科设置的生物化学、分子生物学、细胞生物学与医学遗传学四门课程进行有机精简整合，建立的一门新的医学基础类整合课程。本课程 2012 年开始运行，以学生为中心，注重立德树人，锐意改革，积极开展课程思政和线上线下混合式教学，入选重庆市高校精品在线开放课程和重庆市高校课程思政示范项目，被评为重庆市高校在线课程建设与应用先进典型，获校级和省级教学成果奖 5 项。本整合课程教学体系及相关成果已被国内多所院校借鉴采纳，在国内具有一定影响力。

（邓小燕）

# 案例二 核酸测序技术——桑格测序

**【课程名称】** 临床分子生物学检验技术

**【授课内容】** 桑格测序

**【授课对象】** 医学检验技术专业学生

**【教学目标】**

一、专业知识目标

1. 掌握 双脱氧链终止法测序（桑格测序，Sanger sequencing）的基本原理。
2. 熟悉 双脱氧链终止法测序的特点和应用。
3. 了解 测序技术的发展。

二、思政育人目标

1. 在应对突发疫情过程中，快速获得病原体基因组序列信息彰显中国优势和国家的强大；第一时间共享病原体基因组序列信息，体现大国风采和无私精神。

2. 牢记“生命至上、全力以赴，健康所系，性命相托”的医学使命。

3. 通过了解测序技术的发展，提升人类认识病原体的时效性、准确性，体会科技进步对大健康的推动。

**【教学设计】**

一、导入

疫情暴发后，中国科学家们率先完成病原体基因序列测定，仅用 8 天就明确了是何种病原体，并将获得的基因序列信息无私地分享给全世界人民，带领全国人民一起共同抗击疫情，并在后续检测试剂的研发中贡献了卓越的力量。

课程导入：通过播放新闻视频，向学生提出问题“如何获取病原体基因序列？”从而引出核酸测序技术（简称“测序”，sequencing）的概念，以及现有的四代测序技术发展状况，并让学生在视频观看过程中了解美丽的“逆行者”，体会身为医学（检验）生的荣耀感和使命感。

二、展开

对最经典的第一代测序技术的主要方法双脱氧链终止法进行展开介绍（表 2-2-2）。

**表 2-2-2 展开介绍**

| 要求 | 主要内容 | 备注 |
|---|---|---|
| 1. 重点 | • 测序关键点——重点明确脱氧核苷三磷酸（dNTP）与双脱氧核苷三磷酸（ddNTP）结构的区别对 DNA 链延伸的关键影响 | 磷酸二酯键形成的特点 |
| | • 测序反应体系：DNA 模板，DNA 聚合酶（DNA polymerase），测序引物（primer），dNTP，ddNTP | 回顾前面的学习知识点，聚合酶链反应（PCR）的反应体系，比较学习和记忆 |
| | • 难点——链终止：形成一系列不同长度的 DNA 链，且末端带有标记，从而将获得的新 DNA 链带上标记 | 再次回忆 dNTP 和 ddNTP 结构区别<br>记忆要点：ddNTP 终止链延伸 |
| | • 电泳分离：根据 DNA 分子在不同泳道的终止位置，结合标记，读取新合成 DNA 链的碱基顺序 | 介绍变性聚丙烯酰胺凝胶电泳的主要特点：分子筛和高分辨率<br>记忆要点：采用高分辨电泳区分，从前往后读序列 |

续表

| 要求 | 主要内容 | 备注 |
| --- | --- | --- |
| 2. 熟悉 | • 桑格测序的优缺点 | 最大特点：第一代测序金标准 |
| | • 桑格测序的临床应用 | 引入案例：以案例“一波三折”，向学生介绍肺癌晚期患者的治疗历程，重点讲述测序技术在肿瘤靶向治疗中的关键作用 |
| 3. 了解 | 测序技术的发展：疫情病原体基因序列获取的技术——第二代测序技术 | 为下次课学习内容做铺垫<br>融入思政元素：科技发展促进我们对病原微生物认识效率的显著提高，从而推动大健康的发展 |

## 三、总结

### （一）专业知识或实践能力要点小结

1. 以“打油诗”形式（ddNTP 终止链延伸，高分辨电泳来区分，从前往后读序列，第一代测序金标准）总结桑格测序原理的关键知识点。

2. 采用中英文思考题回顾本节课的学习重点。

3. 提供视频链接帮助学生直观形象学习桑格测序原理和过程。

4. 提供文献综述帮助学生了解测序技术的发展史，一方面为下次课学习第二代测序技术（病原体基因序列获取方法）奠定基础；另一方面帮助学生建立学习最新科研文献相关知识的意识。

### （二）思政育人要点小结

本次课学习的重点是引导学生厚植爱国情怀，牢记医者仁心，强化使命担当。在专业知识学习的过程中，感受国家科技的飞速发展，体会党中央对国家科技事业和医疗事业的重视和巨大投入；爱国敬业，深刻理解检验专业的重要性，坚定“健康所系，性命相托”的医者初心；勇于创新和担当，将医药卫生事业的发展和人类健康作为奋斗的终生目标，让青春在奉献中绽放绚丽之花。

## 四、课堂或课后练习

课后采用以下方式实现师生互动，掌握学生的学习的情况，促进师生共同学习进步。

1. 问卷调查（课堂最后 1 ～ 2 分钟） 采用匿名调研的形式，让学生利用移动设备填写针对本节课的意见与收获。

2. 网络教学平台

（1）分享本节课的重难点关键词：dNTP、ddNTP。

（2）建立 PBL 讨论组：学生根据学习内容、“打油诗”和视频用自己的语言撰写并分享自己理解的桑格测序原理，结合课后文献阅读，大家一起讨论学习桑格测序的临床应用。

（3）提供第一代 DNA 测序技术其他方法的微课视频供同学自主学习。

（4）思政相关视频：最美“逆行者”——检验人在一线。

3. 课程微信群 随时回答学生的问题，分享最前沿的相关文献。

## 五、课后反馈

本课程自开课以来受到学生和教学督导的一致好评。督导专家评价：通过热点新闻视频调动学生学习的兴趣，提出课程需要解决的问题激发学生探索的热情，利用生动的动画和有趣的“打油诗”来学习重点难点内容，结合典型的案例深刻体会所学所用，最后通过线上线下多途径地拓展学习升华知识点，并将课程思政全程融入学科教学中。学生评价：课程内容设计不再只是枯燥、抽象的知识点，而是有案例、有动画、有互动的多形式、重点难点突出的教学，学生反映乐听、愿学、会用，真正地在课堂把知识消化吸收，能在课后有余力拓展学习，并能从中体会医学生（检验）使命和坚定为之奋斗的信念。

## 【课程思政解析】

课程从导入—铺陈—展望三个方面融入思政元素。

**（一）导入**

中国科学家们利用核酸测序技术率先获得病原体基因序列信息，将获得的信息无私分享给全世界人民，带领全国人民一起共同抗击疫情，并在后续诊断试剂等的研发中贡献了卓越的力量，彰显中国优势、祖国的强大，教育学生爱国情怀和自豪感；在疫情应对过程中，“逆行者”生命至上、全力以赴，彰显中国大国风采和中国人民无私精神，教育医学生“健康所系，性命相托”的医学使命。

**（二）铺陈**

应用桑格测序寻找肿瘤相关的基因突变，为肿瘤的靶向治疗提供重要依据，开启了肿瘤精准治疗的新篇章。中国工程院院士程京认为，精准医疗应当包括精准检测、精准调理、精准诊断和精准治疗几大方面；《“健康中国2030”规划纲要》提出“引导发展专业的医学检验中心”。以此培养学生对检验的专业学习热情，明白检验在精准医疗等方面的重要性，增强检验人的使命感。

**（三）展望**

正是由于桑格测序存在的一些缺点，推动测序技术不断发展，涌现出了第二代、第三代、第四代测序技术，而第二代测序技术具有高通量检测的特点，从而使得呼吸系统传染病的病原体鉴定仅用时数天。以此向学生展示科技进步对大健康的推动，教育医学生努力学习知识，积极探索，不断创新，促进国家诊疗技术的发展，服务全民健康。

## 【推广应用效果】

1. 明确了课程的价值目标，提高育人效果。在学习基本理论知识的同时，进一步让医学生深刻体会抗击突发疫情过程中中国人民和中华民族的伟大力量，中华文明的深厚底蕴，中国负责任大国的自觉担当，将激励学生在新时代新征程上披荆斩棘、奋勇前进；同时让学生更好地了解了本专业学习的重要性，认识到“检验”不再仅仅是医院的辅助科室，只服务于临床，更加重要的是服务于人类大健康，是非常具有发展潜力的专业，加强了学生的专业自豪感。

2. 注重课程设计和课堂学习效率，较好地满足了不同学习需求的学生对知识的渴求，难易结合，趣味性和知识性融合，学生获得感增强。

（李千音）

# 第三章　口腔医学案例

## 案例一　口腔医学美学

**【课程名称】** 口腔医学美学

**【授课内容】** 口腔医学美学概论

**【授课对象】** 口腔医学技术专业学生

**【教学目标】**

一、专业知识目标

1. 掌握　美学、医学美学及口腔医学美学的基础理论知识。
2. 熟悉　与修复工艺相关的口腔各专业美学分析标准。

二、实践（临床）能力目标

1. 掌握　美学区域美学分析方法和口腔摄影技术。
2. 熟悉　各类美学相关口腔医疗器械制作方法。
3. 了解　相关学科美学处理方法。

三、思政育人目标

1. 树立核心价值。
2. 培养专业认同感。

**【教学设计】**

一、导入

随着口腔医学事业的发展，2014年重庆医科大学开设口腔医学技术四年制本科专业，旨在培养具有宽厚理论基础知识和独立修复技术能力的、德智体全面发展的、高素质口腔修复技术人才。但由于新专业、新课程，学生对自己所学专业不了解，就业前景不明，与口腔医学专业比较后落差较大，对学习提不起兴趣、意志消沉，对课程、教师评价偏低，甚至少数同学选择转专业或放弃学业。

口腔医学美学是口腔医学技术必修的线上线下混合课程，针对专业现状，教研室将本课程的课程思政建设目标设定为树立社会主义核心价值观与培养专业认同感两个方向。运用显隐结合的思政融入方式，线上采用显性展示西迁精神、风云人物、吾辈榜样、抗疫事迹以立德。通过榜样树立学生正确的价值观与认同感。线下将思政内容融入授课内容、教学活动、教师言行及评价体系四个方面，潜移默化地塑造学生的价值观与认同感。从而实现知识传授、价值塑造和能力培养的多元统一（图2-3-1）。

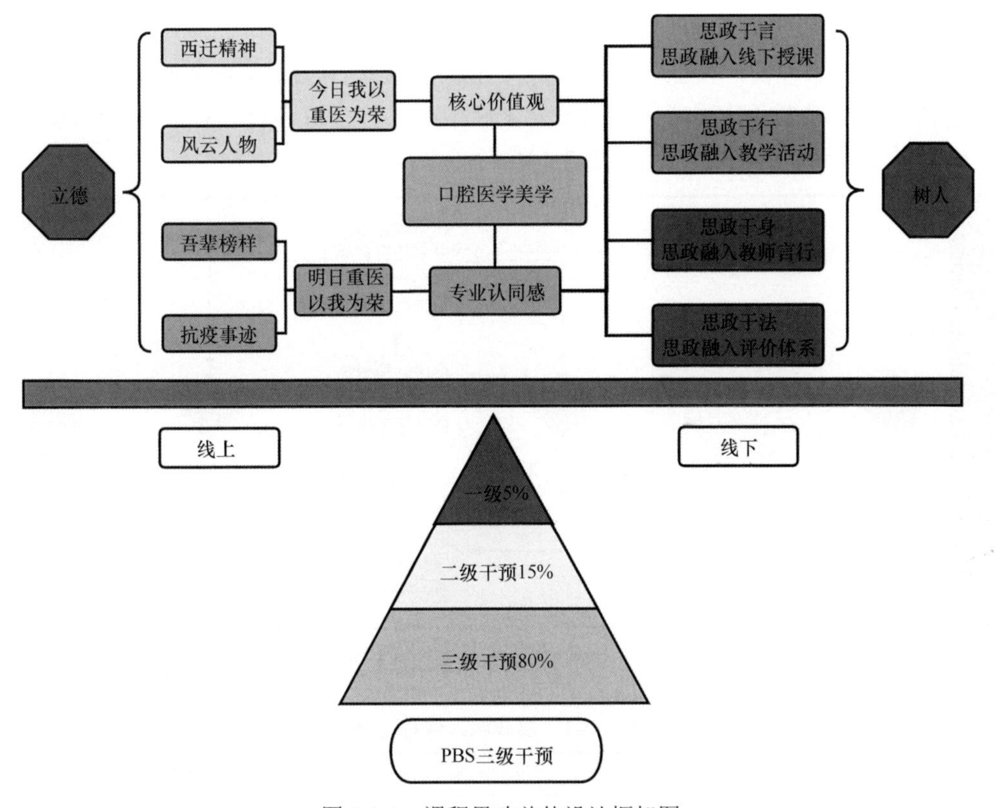


图 2-3-1　课程思政总体设计框架图

PBS：积极行为支持（positive behavior support）

在课程教学方法上我们从大学生积极心理品质培养角度着手，首创性采用积极行为支持的教育理念，利用行为调查问卷构建PBS三级干预金字塔，科学精准地进行思政教育，获得了很好的成效。

## 二、展开

为了科学实现口腔医学美学课程思政建设目标，为树立社会主义核心价值观与培养专业认同感，我们通过积极行为支持的教学理念和线上线下显隐结合的方式进行课程思政建设，力求实现知识传授、价值塑造和能力培养的多元统一（图 2-3-2）。

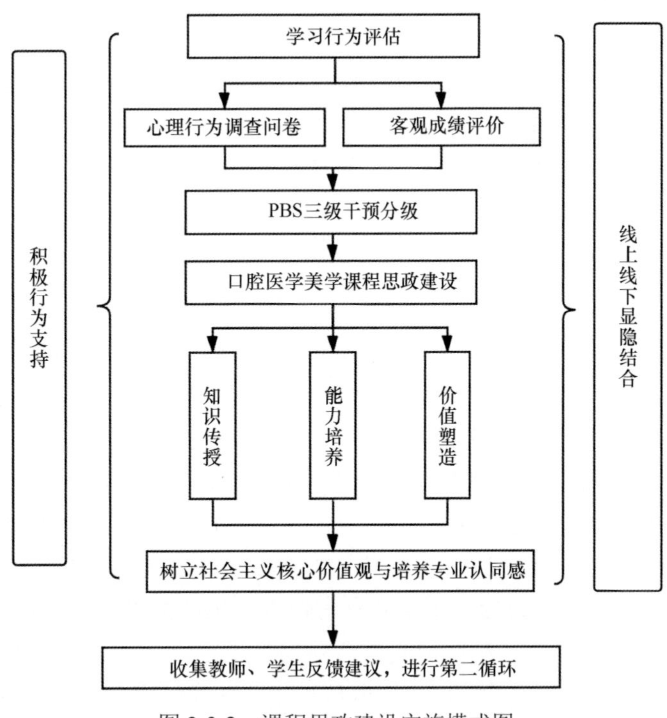


图 2-3-2　课程思政建设实施模式图

### （一）教师制订思政方案

在学生学习课程前，授课教师组成思政团队，根据口腔医学美学课程树立社会主义核心价值观与培养专业认同感，在思政元素库中筛选符合课程思政总体目标的思政元素有机融入教学设计中（图 2-3-3，表 2-3-1）。

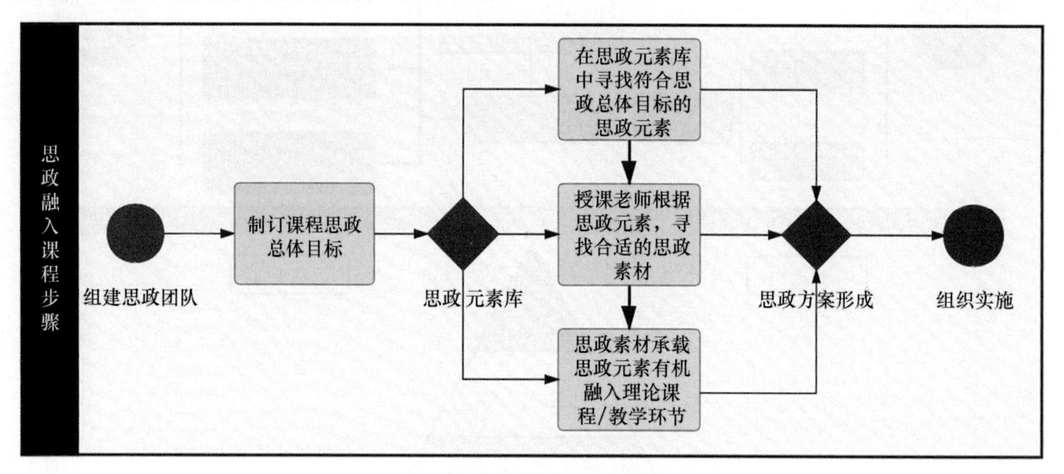


图 2-3-3　教师团队思政融入课程步骤图

**表 2-3-1　思政融入课程方案**

| 课程目标 | 思政元素 | 思政素材 | 课程环节 | 实施形式 |
| --- | --- | --- | --- | --- |
| 树立社会主义核心价值观 | 正确的人生观 | “十里长街送总理” | 理论授课 | 讲述什么是美的时候，用周总理诠释人格美 |
| | 理想信念 | 西迁精神 | 在线学习、理论授课 | 在线课程平台思政板块实时更新，国家需要我们去哪里建设，我们就义无反顾地前往 |
| | 奉献社会 | 抗疫重医人 | 在线学习、理论授课 | 在线课程平台思政板块实时更新、融入抗疫故事、升华从业的意义，无私奉献 |
| 培养专业认同感 | 以人为本 | 有“温度”的匠人 | 课后个人作业 | 为自己的第一个临时牙作品取名，并观看《有“温度”的匠人》视频，对作品进行诠释 |
| | 追求进步 | 华罗庚的事迹 | 理论授课 | 在授课过程中融入华罗庚的事迹，激励学生在自己的岗位上不断努力进取，追求进步 |
| | 爱岗敬业 | 口腔医学技术之美 | 课后团队作业 | 寻找口腔医学技术学习生涯中的美，并用图片或者视频（6～7 分钟）的方式记录下来 |
| | 奋斗不息 | 科技发展突破极限 | 理论授课 | 在美学仿真知识中，和同学们探讨科技发展中人类不断突破科技极限，激励同学们奋斗不息，挖掘潜力，突破自身极限 |

### （二）学生学情评估

我们使用 PBS 量表线上进行心理行为调查问卷。一方面了解学生的心理行为评分，便于我们分层干预；另一方面了解造成不良心理因素的原因，便于我们针对性干预。以心理行为评分与既往客观成绩为基础形成 PBS 三级预防金字塔。第三级约占班级总人数 80%，该层级的学生正常参与融入了思政的教学活动即可；第二级约占班级总人数 15%，该层级的学生在参加教学活动的基础上，需要授课教师给予较多的关注和反馈；第一级学生约占总人数的 5%，也是最需要关注的学生人群，教师需要针对该层学生进行个性化地分析，针对性地进行行为干预与价值塑造。

**（三）精准思政实施**

根据学情评估，发现该届学习者各项思政元素方面的情况，针对评估中思政元素缺乏的情况针对性设置对应思政融入。例如，部分学生对专业的喜爱程度不高，我们将针对爱岗敬业思政元素进行有机融入。对于第二级、第三级的学生将更细致地分析其思想政治情况，有目的地提供帮助与辅导，甚至采用专人辅导方式。

线下思政教育需要潜移默化地融入课程教学和能力培养中。针对学生，我们在成绩评价之外，还有情景化思政分组比拼。我们鼓励三级干预金字塔顶端的学生担任组长以培养其组织能力。开展线上线下教学活动、小组作业及实验课比拼，时时更新，并在迎新大会上，对排名靠前小组和个人进行表彰和嘉奖，力求在教授知识、培养能力的同时增强他们的专业认同感，表彰的同时也会影响到新入校的学生。

## 三、总结

思政环节融入课程评估考核中，课程学习结束后可通过学生学习成绩、PBS 思政小组比拼结果及完成同质调查问卷评估学生课程学习情况，以及思想政治觉悟改善与否。针对 PBS 预防等级高的同学可通过其个人思政作业、团队思政作业的参与度进行针对性地评价和反馈。学生在积极完成专业技能的同时树立社会主义核心价值观、培养了其对专业的认同感。

## 四、课堂或课后练习

**例子 1**：以人为本融入课程个人作业

美的“温度”

做一个有“温度”的匠人，通过两节实验课程，同学完成了基台调磨与临时义齿的制作。面对你们第一件种植修复作品，你有什么感想呢？

作业：学做一位有“温度”的匠人，为你第一件种植修复作品取一个“温暖”的名字，简要阐述名字的内在含义和你对“有‘温度’的匠人”的理解。

**例子 2**：爱岗敬业融入团队课程作业

作业名称：口腔医学技术之美

作业形式：小组成员分工合作，以“口腔医学技术之美”为大方向，收集相关素材（素材形式不限，视频、图片、文字、录音等），将素材有机整合到一起，配乐+字幕形成完整的微视频，视频题目自拟（表现主题为“口腔医学技术之美”），展示口腔医学技术专业在学习生活、实验课程、专业技能或者技术领域等诸多方面均可。

## 五、课后反馈

**（一）学生在作业中表露思政的感悟，从知识学习到对职业的感悟**

以自己的方式为祖国的医药事业添砖加瓦。

——学生吴丽萍

手有余温，心有感动，作品才会有温度。

——学生郭　欣

成为一个让医生和患者都尊敬的人。

——学生邓星洋

不断去沉淀去创造，终有一天也能成为一个有“温度”的大国工匠。

——学生侯敏敏

保持自己的信念，拥有千年磨一剑的信念，才能一鸣惊人。

——学生范　浪

**（二）学生视频作业对专业认可度的改变**

《口腔医学技术之美》

形式：歌曲串烧融入课程学习，以歌曲形式表达对口腔医学技术专业的喜爱。

《返工》

形式：讲述一个口腔医学技术专业的同学，从一开始对口腔医学技术专业的不认同，堕落于游戏中，后来通过一个临床参观让他幡然醒悟。

《口腔医学技术求学者的独白》

形式：用访谈的形式，诠释口腔医学技术的美在于何时何地。

《口腔医学技术绘技之美》

形式：运用小魔术的形式，展示口腔医学技术绘技之美。

《逐梦之路 · 遇见》

形式：运用小剧场展示学生追求口腔医学技术之美、追寻梦想的过程。

## 【课程思政解析】

基于 PBS 的分层精准思政理念在口腔医学美学课程思政中的应用案例具有以下特色与价值。

### 一、科学思政

课程组首创性寻找到适合开展思政建设的 PBS 教学理念，我们从大学生积极心理品质培养角度着手，利用行为调查问卷构建 PBS 三级干预金字塔，科学精准地进行思政教育，教育理念通过课程团队建设在线开放课程种植修复工艺学对沧州医学高等专科学校示范性推广，验证了其可行性与有效性，并于 2021 年获批重庆市思政示范课程。

### 二、动态课程思政

思政内容不是全部既定的内容，也不是杂乱无序的，应当是根据对授课群体客观分析后，针对性提出的科学内容。以 1956 ～ 2019 年展现重医丰碑；2020 年在疫情期间，开创抗疫重医人板块，陆续介绍 30 名重医抗疫榜样；2021 年，开设奥运拼搏板块，陆续介绍 30 名奥运健将。逐年结合时政更新，使思政建设与时俱进。

### 三、分层精准思政

课程组运用 PBS 干预金字塔，将学生分层，有针对性地进行思政教学，对于不良行为较多、思想政治敏锐性较低的学生，客观分析，针对性地制订思政方案，在保证学生隐私前提下通过积极行为支持等方法潜移默化地进行课程思政教学。

## 【推广应用效果】

1. 学生视频作业　对专业认可度的改善。

2. 学生成绩的变化　连续两学年学生成绩平均值（72.41±11.15、73.53±8.34）较

2017～2018学年未开展思政课程建设学生成绩平均值（64.69±9.03）显著提高（$P < 0.05$）。

3. 学生评教的变化　连续两学年学生评教分数平均值（92.28±1.38、92.49±2.85）较2017～2018学年未开展思政课程建设的学生评教分数平均值（89.66±1.06）显著提高（$P < 0.05$）。

4. 课程思政教学改革成效　案例负责人受邀完成了教育部西南高等学校教师培训中心组织的"高校课程思政改革创新暨课程思政示范课程与教学团队建设能力提升研讨会"。《思政理念培养职业认同感（医技协同）》在《中国医学论坛报·今日口腔》发表，提升了口腔医学技术人才的社会认同感；指导学生完成校级优秀论文两篇，院级优秀论文若干篇。

（冉雄文）

# 案例二　种植义齿的诞生

**【课程名称】** 消化系统疾病

**【授课内容】** 牙周组织疾病

**【授课对象】** 临床医学、儿科学、医学影像学专业学生

**【教学目标】**

一、专业知识目标

1. 掌握　牙周炎的临床表现和诊断。

2. 熟悉　牙周炎的治疗原则和方法。

二、思政育人目标

1. 树立“医者仁心，上医治未病”的医学理念。

2. 当代医学生应当树立全面、细致、坚持不懈的科研精神，为人类医学进步贡献最大的力量。

**【教学设计】**

一、导入

1. 通过一系列临床上常见口腔疾病的就诊主诉引出造成牙齿丧失最主要原因的疾病——牙周病的讲授，让学生树立“上医治未病”的医者理念，明白真正好的医生是能让大家有效地预防疾病的发生。

2. 通过牙周炎的治疗讲解，引出牙丧失后的最终解决办法——种植义齿的简介。

二、展开

按照教学大纲要求进行，导入后先展示教学安排和要求，让学生明确本节课的知识结构和重点内容，然后按照课程逻辑展开讲授和学习。

**（一）通过主诉引出牙周炎的定义**

临床上我们几乎每天都会遇到就诊患者这样的主诉：口腔反复出血，吃东西卡牙，咬东西费力，牙齿松动移位等；这一系列问题其实就是由牙周炎引起的。牙周炎是指由牙菌斑中的微生物所引起的牙周支持组织的慢性感染性疾病，导致牙周支持组织的炎症和破坏，牙周袋的形成、进行性附着丧失和牙槽骨吸收，最后可导致牙松动和缺失。

**（二）牙周炎的病因**

多因素（始动+局部+全身）协同作用。牙菌斑是牙周炎的始动因子，在牙周炎发病中起着重要作用。

**（三）牙周炎的分类和临床表现**

1. 牙周炎分为慢性牙周炎和侵袭性牙周炎。

2. 临床上 95% 的牙周炎为慢性牙周炎，病程长（十余年），活动期与静止期交替进行，一般侵犯全口多数牙，具有典型的炎症发展路径（早期，晚期），晚期牙周炎的其他伴发症状如急性牙周脓肿等，临床分局限型和广泛型。

**（四）牙周炎的流行病学**

牙周炎是人类最普遍疾病，在 40 ～ 50 岁成年人中发病率达高峰，我国第三次口腔流行病学调查显示：35 岁以上人群中牙周炎患病率达 80% ～ 90%。由于它发病隐匿，病程缓慢，易被忽略，因此牙周炎危害大，是造成牙齿丧失最主要原因。

**（五）牙周炎的预防**

前面学习的内容让学生明白了为什么牙周炎危害那么大，导致我们的牙齿无法保留，所以先启发学生树立“上医治未病”的医学理念：一个优秀的医者不仅要会治病，更重要的是要让患者去提前阻断疾病。一定要从源头来阻断牙周炎的发生，即有效控制牙菌斑，从而避免牙齿的丧失，保持牙齿及口腔的健康。

**（六）牙周炎的治疗**

1. 基础治疗（龈上洁治和龈下刮治）和牙周手术治疗。

2. 由患中晚期牙周炎最终无法保留牙齿的患者后续的牙齿修复方式，引出种植义齿的讲解。

（1）简要介绍目前口腔领域的热点——种植义齿的定义、优缺点及手术方式，从而引出其带来的广泛社会效应。

（2）种植义齿的发展史，详细介绍布伦马克（Brånemark）教授如何成为种植义齿之父的科研实践过程：1952 年瑞典教授 Brånemark 在一次无关口腔的实验中敏锐地捕捉到骨结合现象，即人体活的骨组织与钛种植体之间发生牢固、持久而直接的结合，并开始研究利用该现象。在 1965 年，他在一位全口无牙的志愿者口腔中，进行了第一次人体种植义齿手术尝试，并获得了成功，奠定了现代口腔种植学的基础，又经过二十余年的反复实验观察、完善，最终实现了我们今天造福亿万缺牙患者的第三副牙齿——种植义齿。造就了深远广大的医学、经济、社会价值。他也被誉为“种植义齿之父”。

三、总结

**（一）专业知识或实践能力要点小结**

通过本次课的学习不仅让学生学习了牙周病的病因、临床表现和治疗方式，也了解到了种植义齿的相关临床知识。

**（二）思政育人要点小结**

通过“牙齿杀手”牙周病的讲解让学生树立起“上医治未病”的医学理念。

通过“种植义齿之父”Brånemark 教授的科研实践过程的介绍引导学生树立远大的医学志向，建立全面、细致、坚持不懈的科研精神，把改善人类的健康作为其一生的目标，实现社会价值和自我价值的和谐统一。

四、课堂或课后练习

针对本次课内容，留有课后思考题。

1. 控制牙菌斑的方式有哪些？

2. 查阅钛金属在医学领域的应用及前景。

五、课后反馈

龋病、牙髓病等通过治疗牙齿都能得以保留，但牙周炎的发病及临床特点往往造成牙齿的丧失，没有牙齿咀嚼食物且影响口腔及全身健康能让学生感同身受，从而引起重视并深刻认识到预防牙周病的重要性；通过介绍牙齿丧失后目前最好的修复方式就是种植义齿，引出种植义齿诞生的思政内容，因为种植义齿目前是耳熟能详的概念，很容易引起共鸣，产生较好的思政效果。

**【课程思政解析】**

就口腔科学教育来说，不太好引入相关抗疫、西迁、医学奉献精神等类的思政教育内容，而且泛泛而谈，可能对当代医学生起到的思想冲击作用不强。本课程引入种植义齿是怎么诞生的？然后引出更重要的思政内容：Brånemark 教授做一个无关口腔的实验，是怎样发明了一个对口腔、对医学、对社会产生如此巨大的效能科研成果？是怎样坚持的？从而引发学生思考在医学科研和医学实践中该具备什么样的品质，怎么样能实现社会价值和自我价值的和谐统一。

**【推广应用效果】**

本思政内容点有较强的时代背景且是跨学科专业的创造，容易启发学生的科研创造精神，所引发的思政效果容易持久，能更有效地激发学生全面、细致的医学科研和实践精神。

（宋家虎　郑　华）

# 第四章　神经精神系统疾病案例

## 案例一　香由伤生——应激相关障碍的解读与干预

**【课程名称】** 神经精神系统疾病

**【授课内容】** 应激相关障碍

**【授课对象】** 临床医学专业学生

**【教学目标】**

一、专业知识目标

1. 掌握　应激相关障碍（stress-related disorder）的定义及分类：急性应激障碍、创伤后应激障碍（post-traumatic stress disorder，PTSD）、适应障碍。

2. 熟悉　急性应激障碍和创伤后应激障碍的主要临床表现。

3. 了解　适应障碍的主要临床表现。

二、实践（临床）能力目标

1. 掌握　急性应激障碍和创伤后应激障碍的典型临床表现和诊断。

2. 熟悉　适应障碍的临床表现和诊断。

三、思政育人目标

1. 培养学生对创伤、应激反应的理解和反思能力。

2. 树立珍爱生命的观念。

3. 树立将心灵创伤转化为生命动力的理想与目标。

**【教学设计】**

一、导入

**（一）小组讨论**

观看电影《范进中举》中范进金榜题名后出现精神行为异常的片段。让学生组成3人小组讨论，判断主角身上正在发生什么。

**（二）引出教学主题**

以范进为例讲解急性应激障碍的症状及临床表现，并引出急性应激障碍的上位定义——应激相关障碍：一组主要由心理、社会因素引起异常心理反应而导致的精神障碍，包括急性应激障碍、创伤后应激障碍、适应障碍等。

**（三）思政融入方式及映射点**

引发好奇的科学精神及鼓励自主思考。

二、展开

**（一）临床特点**

1. 精神刺激是发病的直接原因。

2. 症状表现与精神刺激的内容有关。病程、预后与精神因素的消除有关。

**（二）社会再适应量表**

让学生用社会再适应量表进行自评，测量自己身上发生的重大生活事件。评估生活事件对自己的整体影响。

**（三）创伤后应激障碍**

定义：异乎寻常的威胁性或灾难性心理创伤，导致延迟出现和长期持续的精神障碍。

1. 创伤后应激障碍的病因理论　素质应激模型如图 2-4-1 所示。

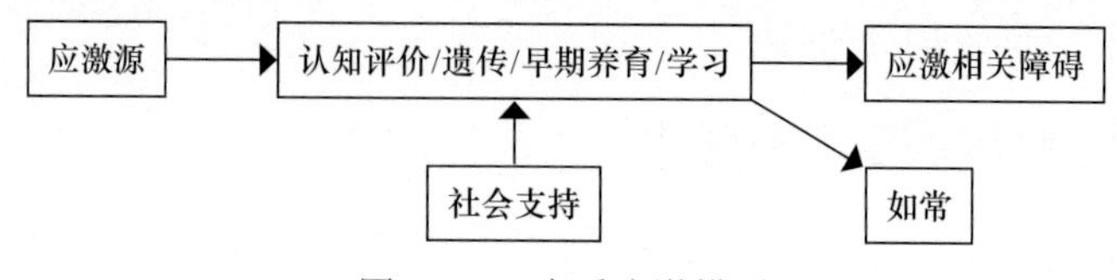


图 2-4-1　素质应激模型

2. 创伤后应激障碍的临床表现

（1）闪回，反复在错觉幻觉中重新体验创伤情境。

（2）持续性回避与创伤有关的刺激。

（3）警觉性增高，易激惹。

（4）情绪和认知改变。

**（四）治疗**

1. 抗抑郁药

（1）选择性 5-羟色胺再摄取抑制剂，代表药物包括帕罗西汀、舍曲林、西酞普兰或者氟西汀等。

（2）5-羟色胺和去甲肾上腺素再摄取抑制剂，如文拉法辛、度洛西汀。

（3）去甲肾上腺素和特异性 5-羟色胺再摄取抑制剂，如米氮平。

2. 抗焦虑药物

（1）苯二氮䓬类：地西泮、阿普唑仑等。

（2）非苯二氮䓬类：丁螺环酮、坦度螺酮等。

3. 心理治疗

（1）认知行为：关于应激反应的教育，焦虑处理训练，对病理信念的认知矫正，对创伤事件的情景暴露疗法。

（2）眼动脱敏与再加工疗法（eye movement desensitization and reprocessing，EMDR）：一种整合的心理疗法，建构了加速信息处理的模式，帮助患者迅速降低焦虑，并且诱导积极情感、唤起患者的观念转变和行为改变。EMDR 治疗的疗程可分为 8 个步骤，包括采集一般病史和制订计划、稳定和为加工创伤做准备、采集创伤病史、脱敏和修通、巩固植入、身体扫描、结束、反馈与再评估。

（3）团体治疗：一组有类似创伤经历的人（通常是 8 ～ 12 人），在团体治疗师的带领下，分享各自的经验及感受，彼此支持，共同成长。

**（五）思政案例：香由伤生**

讲述“沉香的故事”，将沉香的生成与人的成长过程进行类比。

沉香既是香料，也是药材。作为香料燃烧时散发出的香味高雅、沉静、清甜，沁人心脾，能使人心平气和，进入祥和平静的状态。沉香既可以作为熏香和赏玩的工艺品，也有重要的“温中、驱邪”的药用价值。

沉香树又名风树，当风树的表面或内部产生伤口时，为了保护受伤的部位，风树内部会紧急启动应激反应，驱动树脂在伤口周围聚集，来疗治创伤，自我保护。当伤口周围累积的树脂足够丰厚，并历经岁月变化后，将此部分取下，便成为可使用的沉香。

风树在遭受到外界的损伤后，如果无法分泌树脂来保护伤口和自我修复，树干内部脆弱的部分就会暴露在外，正常的代谢过程会受阻，甚至危及风树的生命。因此，受伤后无法分泌足够树脂的风树，可能就此死去；而努力分泌树脂来自我修复的风树，则能够顽强地活下来，并且在伤口上凝结成珍贵的沉香。

因此，风树要先受伤，才能在自我修复的过程中产生沉香。大自然造成风树受伤的原因有很多种，如山火侵袭、野兽攀爬、电闪雷击、虫蛀蚁噬……受伤后所积聚的树脂，在伤口处形成“香种子”，然后风树还会再接再厉，持续地把更多的树脂汇聚到伤口处。这样，香脂就会蔓延，再经足够长的时间进行醇化，沉香就诞生了。

## 三、总结

### （一）专业知识或实践能力要点小结

播放与创伤后应激障碍症状有关的视频（症状包括警觉性增高、闪回、回避行为），让学生识别并形成简单的诊疗方案。

### （二）思政育人要点小结

我们在从小到大的成长过程中，不可避免地会遇见各种大大小小应激性事件，小的如学业受挫、人际冲突、工作压力等；大的如自然灾害、金融危机、严重躯体疾病等，都会对我们的身体和心理状态造成一定的冲击，让我们产生紧张、害怕、恐惧、焦虑、痛苦、迷茫等情绪。面对应激性事件，我们会下意识地进入两种状态：要么逃避，要么战斗。逃避的方式有很多，如从物理空间离开应激事件所在地，包括休学、离职、搬家等；还有在心理层面对应激事件的回避和逃离，包括沉迷游戏、物质滥用、自暴自弃、卧床不起等。逃避可以在短期内保护我们的内心暂时不至于崩溃，但如果长期逃避，则可能会在心智和能力上停滞不前，甚至一蹶不振。如果在短暂逃避之后，整理好自己的内心，用耐心、包容、反思来保护自己的伤口；总结经验，调整自己的思维，改变自己的行为模式来更好地应对挑战。那么这个自我修复创伤的过程，就是我们提升自己的能力，形成自己的人生经验和智慧，结出属于自己的生命之香的过程。

## 四、课堂或课后练习

课后作业：请学生观看电影《比利·林恩的中场战事》，每人写一篇300～500字的观影感，内容包括：导致电影中主人公出现精神症状的主要的原因有哪些？在他成长的经历中，有哪些心理方面的保护因素？ 如果你是主人公的心理医生，你会从哪些方面，用哪些方法来着手帮他？

## 五、课后反馈

本课程开课以来，通过网络教学平台评论区等多渠道收到学生和同行的一致好评。学生评价：用大家耳熟能详的文学经典故事、著名电影为例子来进行病例解析，非常生动，富有吸引力。本课程能够更好地帮助学生理解和掌握专业知识，训练临床逻辑思维。思政观点及故事的娓娓道来，增强了对临床专业技能的体会和理解，引导学生对患者产生同理心，激发学生勇于面对挫折，化挫折为人生智慧的生命热情。

**【课程思政解析】**

开场引用大家耳熟能详的范进中举的故事，引起学生建立兴趣，培养学生的人文精神，从临床现象引出背后的理论原理。接下来使用沉香的故事，用类比的手法，来解释创伤对于生命体产生的影响和作用，以及生命体在应对和修复创伤的过程中，如何产生新的经验、能力及智慧。

解释生命的自我修复功能，进行生命教育，培养学生珍惜生命、面对挫折、应对挑战的乐观心态。因为创伤之后的自我修复过程，也是人生智慧和人生经验沉淀与形成的过程。我们生命中经历过的挫折与创伤，如果不回避，勇于面对，积极改变和调整，那么创伤最后会升华为我们生命中独一无二的珍宝，让我们的人生闪耀属于自己的独特光辉。

**【推广应用效果】**

本课程在心理学院连续两年获评本院理论教学第一名。

学生在课程中表现出极大的热情，对于本课程内容展开了热烈的讨论，课程结尾时提出了很多值得探寻的问题，对于该课程的授课形式表现出浓厚的兴趣。在课后作业中，许多同学表示该课程替自己打开了新的一扇门，让他们学习从全新的角度去看待自己所面临的压力和困难，开始尝试用更积极主动的姿势来应对挑战，重新反思以前的挫折带给自己的经验和改变，从而以更加乐观的心态来憧憬未来。

该课程的成功经验已向其他兄弟院校的心理学系等单位推广，在授课效果上获得广泛好评。

（李茜茜）

# 案例二　颅脑损伤

【课程名称】神经系统疾病与精神疾病

【授课内容】颅脑损伤

【授课对象】临床医学（“5+3”一体化）、儿科学专业学生

## 【教学目标】

### 一、专业知识目标

1. 掌握　颅底骨折的临床表现、诊断及治疗原则。
2. 熟悉　原发性颅脑损伤和继发性颅脑损伤的区别和联系，以及临床意义。
3. 了解　头皮损伤和开放性颅脑外伤的临床表现、诊断及治疗原则。

### 二、实践（临床）能力目标

1. 掌握　闭合性颅脑损伤的发病机制、临床表现、诊断及治疗原则。
2. 熟悉　常见外伤性颅内血肿的临床表现、诊断及治疗原则。

### 三、思政育人目标

1. 弘扬器官捐献者的无私奉献、遗爱人间的精神。
2. 歌颂在颅脑损伤患者救治过程中，医生的责任心及职业素养。
3. 激发医学生热爱科学，勇于探索未知世界，增加对神经外科的学习兴趣。

## 【教学设计】

### 一、导入

1. 课程开始之前，分享一例重型颅脑损伤患者捐献器官案例——《男子不慎摔倒身亡，家人含泪捐器官助5人“重获新生”》：宿迁市泗阳县的王先生在晚上和朋友聚餐，回家路上王先生意外摔伤，导致重型颅脑损伤，当场就不省人事，最终被医院宣布脑死亡。在王先生不幸去世后，他的父母和妻子共同做了一个决定，把他身体健康的器官全部捐献出去。王先生的一个肝脏、两个肾脏和一对眼角膜将让5位重症患者重获新生。

2. 引入“颅脑损伤”的主题，通过实际案例向学生展示这类疾病“重”且“急”的特点，发病后需要及时的专业救治才可挽救性命，然而仍有一部分人因病情过重而失去生命。通过本例捐献者，以小见大，弘扬捐献者的无私奉献、遗爱人间的精神。

3. 引导学生思考以下问题

（1）什么是颅脑损伤？分为哪些类型？诊治原则是什么？

（2）如何快速判断患者意识状态？

（3）什么是器官捐献？

让学生带着问题进入课程，在思考中学习知识。

### 二、展开

按照教学大纲的思路进行讲解。

**（一）概述**

全球每年急性颅脑损伤人数超过 57 000 000，占全部损伤人数的 1/6，其病死率可高达 10% ～ 50%，已成为继心脏病、恶性肿瘤、脑血管意外之后第四位死因。

**（二）头皮损伤**

头皮损伤分类：①头皮血肿，包括皮下血肿、帽状腱膜下血肿、骨膜下血肿；②头皮裂伤；③头皮撕脱伤。

**（三）颅骨骨折**

1. 解剖

2. 分类　线形骨折、凹陷性骨折。

3. 线形骨折

（1）头盖骨线形骨折

（2）颅底骨折

1）临床表现：略。

2）处理原则：不堵流，采用头高患侧卧位，预防感染，忌腰椎穿刺。手术指征：脑脊液漏＞ 4 周，视神经损伤。

4. 凹陷性骨折

（1）诊断：略。

（2）手术指征：①骨折范围大、顽固性颅内压增高（RICP）；②脑重要功能区受压，失语，瘫痪；③骨折凹陷深度＞ 1 厘米；④静脉窦受压；⑤开放性骨折；⑥前额骨折，影响外观。

**（四）颅脑损伤**

1. 损伤方式

（1）直接损伤：加速性伤、减速性伤、挤压伤。

（2）间接损伤：传递伤、甩鞭伤、旋转伤。

2. 分类

（1）原发性：①闭合性颅脑损伤，包括脑震荡、弥漫性轴索损伤、脑挫裂伤、脑干损伤、下丘脑损伤；②开放性颅脑损伤。

（2）继发性：①颅内血肿；②脑水肿；③颅内感染。

**（五）脑震荡**

头受外力作用，脑组织轻微受损，昏迷在半小时以内，醒后有逆行遗忘、头痛、恶心等症状。病理、发病机制：无肉眼可见之病理改变，发病机制不清，与轻微弥漫脑损伤有关。特点：神经系统（NS）检查、腰椎穿刺（LP）检查、CT 检查无异常。

**（六）弥漫性轴索损伤**

1. 头受惯性力作用，脑白质轴索广泛损害，长时间昏迷及神经系统泛化损害。

2. 病理：点、片状出血，神经轴索断裂，可见“回缩球”。

3. 临床表现：影像轻而表现重。

**（七）脑挫裂伤**

头受外力作用，脑组织受损，昏迷在半小时以上，神经系统受损，生命体征改变，蛛网膜下腔出血（SAH）。临床表现：意识障碍、顽固性颅内压增高。神经系统检查：有阳性体征，瘫痪，失语等。生命体征：常有脉搏缓慢，LP 检查（+），CT 检查示片状、点状出血。

**（八）硬膜外血肿**

头受外力作用，出血聚集在硬膜外，表现有中间清醒期、颅内压增高、脑受压、脑疝等。

1. 病因　脑膜中动脉、脑膜静脉窦、板障静脉的损伤、出血。

2. 临床表现　有外伤史。意识障碍：中间清醒期，迟发昏迷。瞳孔：先缩小，后散大。神经系统检查：锥体束征（+）。生命体征改变：脑缺血反应。辅助检查：X 线可见骨折线，CT 检查示棱形高密度影。

**（九）急性硬膜下血肿**

头受外力作用（减速性），出血聚集于硬膜之下，有意识好转期或逐渐加重、颅内压增高、脑疝等症状。

1. 病因　脑表面小动脉、静脉出血；桥静脉出血，脑外伤轻，似硬膜外血肿。

2. 表现　有外伤史，枕部着地。意识障碍：中间意识好转期，昏迷加深。急性顽固性颅内压增高：频繁呕吐。脑疝。生命体征改变：脑缺血反应；CT 检查示新月形高密度影。

**（十）慢性硬膜下血肿**

临床表现：慢性顽固性颅内压增高；脑受压轻，偏瘫，尿失禁，智能下降。

**（十一）颅脑损伤处理**

1. 急诊

（1）轻症：留院观察，CT 检查，对症治疗。

（2）中症：住院，CT 检查，监测。

（3）重症：住院，手术，CT 检查，进入 ICU。

2. 一般治疗

3. 脱水治疗

4. 手术治疗

（1）开放性损伤

（2）颅内血肿

1）保守治疗征：幕上区出血量＜ 40ml，幕下区出血量＜ 10ml，中线结构移位＜ 0.5 厘米，颅内压（ICP）＜ 2.7kPa，格拉斯哥昏迷量表（GCS）＞ 9 分。

2）手术指征：脑疝、脑疝前期；意识不清逐渐加深；局灶性定位体征加重；颅内压＞ 2.7kPa；幕上区出血量＞ 40ml，幕下区出血量＞ 10ml；中线结构移位＞ 1 厘米；保守治疗中病情加重。

（3）手术方式：血肿清除术，去骨瓣减压术，钻孔探查术，脑室引流术，钻孔冲洗引流术。

5. 对症治疗　处理高热，蛛网膜下腔出血，癫痫，尿崩，消化道出血，肺水肿等。

**（十二）格拉斯哥昏迷量表评分**

1. 睁眼反应　4 分为自主睁眼，3 分为呼唤睁眼，2 分为刺痛睁眼，1 分为不睁眼。

2. 语言反应　5 分为正确成句，4 分为错误但成句，3 分为说话短句，2 分为仅可发声，1 分为不说话。

3. 肢体运动　6 分为遵嘱活动，5 分为刺痛定位，4 分为刺痛躲避，3 分为刺痛屈曲，2 分为刺痛过伸，1 分为不活动。

三、总结

**（一）专业知识或实践能力要点小结**

明确格拉斯哥昏迷量表评分方法在急诊中判断患者意识状态的重要性。梳理颅底骨折各种类型颅脑损伤、颅内血肿、头皮损伤的临床表现、诊断及处理原则。分享临床新进展。激发医学生热爱科学，勇于探索未知世界，增加对神经外科的学习兴趣。

**（二）思政育人要点小结**

弘扬器官捐献者的无私奉献、遗爱人间的精神。

四、课堂或课后练习

1. 格拉斯哥昏迷量表评分的具体方法是什么？
2. 简述颅底骨折的临床诊断。
3. 简述急性硬膜外血肿与急性硬膜下血肿的鉴别。
4. 简述弥漫性轴索损伤的临床研究进展。

五、课后反馈

本课程在课后受到学生和督导专家的一致好评，从课程当中学生的积极互动及课后的问题思考中可以看出学生对本课程内容的吸收是比较充分的。有学生评价：器官捐献者的事迹令人大受感动，很好地将学生的注意力引入了课堂。在这种令人痛心也令人动容的临床事件中，学生希望能够习得救助危重症患者的重要知识。课堂内容非常有吸引力，能够帮助学生更好地理解知识、巩固知识。同时，思政元素的融入，无疑也成为学生的新启发与新思路：一种全新的救助方向——生命力在不同个体上的传递，正是人间的奉献与伟大的精神的延续。

## 【课程思政解析】

器官移植为无数的患者带来了生的希望，器官移植的发展，也促进了免疫、麻醉、外科及制药等多学科的共同进步。虽然中国在器官移植技术领域已达到世界水平，但有关器官捐献的法律法规目前还不完善。器官捐献作为一种公民自愿履行的善行，只许捐赠，不可买卖，完全是无偿的、公益的。每个人的生命都是宝贵且无价的，如果选择器官移植，使得另外一条生命得到延续，这何尝不是一种自身精神价值的延续呢？这种人道、奉献的精神正与互敬、互帮、互爱的中华民族价值体系一脉相承、共融共济。

教师在讲授颅脑损伤、脑疝课程时，让学生一起缅怀大爱无疆的器官捐献者，让大爱传承，让生命延续！在传授学生专业知识的同时，用这些事迹去熏陶他们，潜移默化地引导他们，从而培养学生高尚的情操。而器官捐献这一敏感话题，与很多传统观念相悖，更需要我们这些身兼医生与教师的人，去传道、授业、解惑。

**【推广应用效果】**

所有听课的医学生都对这些器官捐献者及其家属肃然起敬，大家表示要认真学习好颅脑损伤、脑疝的救治，使得这类患者有更好的预后，真到了无可挽回的地步，会向他们的家属宣教器官捐献。在生命的长河里，逝去并不意味着一切的终结。一个生命的结束，将是另一个生命的开始。生命之花，接力绽放！

（刘国栋）

# 案例三　阿尔茨海默病

**【课程名称】** 神经精神系统疾病

**【授课内容】** 阿尔茨海默病

**【授课对象】** 临床医学专业学生

**【教学目标】**

一、专业知识目标

1. 掌握　阿尔茨海默病（Alzheimer's disease，AD）的概念、临床表现、诊断、鉴别诊断和治疗。

2. 熟悉　AD 的病因、危险因素及病理特点。

3. 了解　AD 的流行病学趋势及预防、预后。

二、思政育人目标

1. 培养医学生要传承医学知识，对医学未知领域要有钻研和探索的精神。

2. 培养学生的民族自豪感。

**【教学设计】**

一、导入

**（一）病例导入**

患者，女，52 岁，已婚。就诊 5 年前出现不明原因的记忆力减退，反应迟钝，忘记刚发生的事情及说过的话，出门迷路，判断力减退，生活渐不能自理。就诊半年前出现明显精神行为异常，藏匿物品，怀疑丈夫不忠，夜间漫游、尖叫，沟通困难，后期几乎停止进食。

问题：该病例为哪个部位的病变？是什么性质的病变？

**（二）讲述 AD 的由来，讲述阿尔茨海默医生的故事**

上述病例是一百多年前发生在德国的一个痴呆患者。

1906 年德国精神科医生阿尔茨海默首次在精神病学年会中报告了他对一例痴呆患者长达 4 年 9 个月的观察、诊治、追访及研究的结果，该痴呆患者所患疾病后来被称为阿尔茨海默病。随着社会老龄化的加剧，AD 发病率越来越高，威胁着人民群众的健康，医学家也在研究该病的攻克办法。对一个病例长期随访，观察时限长达 4 年 9 个月，这需要坚持不懈的精神；能在患者死后进一步研究，完成病理检查，需要对医学的浓厚兴趣和执着的精神；能够在精神病学年会中报道，一定有创新的内容，这种医学的创新离不开对原有医学知识的继承和发扬。

试想：如果阿尔茨海默医生没有扎实的理论知识和临床技能，没有对患者的高度责任心，没有对未知领域坚持不懈、勇于探索的精神，他能有这样的建树吗？

二、展开

**（一）AD 的概念**

AD 为起病隐匿、缓慢进展，以进行性记忆衰退，精神行为异常和日常生活能力障碍为主要表现的中枢神经系统变性疾病。主要的特征性病理改变包括细胞外老年斑（senile plaque，SP）沉积和神经元内神经原纤维缠结（neurofibrillary tangle，NFT）。常见于老年人群，是老年期痴呆中最常见的临床类型。

**（二）AD 的流行病学特点**

AD 是老年人致残、致死的第三大疾病，多发生于 65 岁以上的老年人，女性多于男性。全球目前至少有 5000 万 AD 患者。2018 年全球治疗及照料费用已达万亿美元，给患者家庭和社会带来沉重负担。我国 AD 患者约 1000 万人，是世界上患病人数最多的国家。

问题：结合病例中的这个患者的临床表现，为什么要考虑 AD 可能？

总结病例特点，通过典型病例的临床表现提出问题并导出 AD 的临床表现。

**（三）AD 的临床表现**

1. 多见于 65 岁以上老年人群，女：男约为 3 ∶ 1。

2. 起病隐匿，缓慢进行性加重。

3. 早期为情景记忆减退（告知的事情、说过的话或近期发生的事情忘记，经提醒也不能回忆，属于近记忆减退而长期记忆保留）。

4. 典型表现为进行性认知功能（cognitive）衰退、精神行为（behavior）异常和日常生活能力（ability of daily life）逐渐下降等症状。

5. 痴呆的行为和精神症状（behavioral and psychological symptoms of dementia，BPSD）：焦虑、激惹、抑郁、淡漠、幻觉、妄想、行为异常、睡眠障碍、攻击行为等。

问题：该患者下一步如何检查证实？

**（四）辅助检查**

1. 神经心理学测验

（1）筛查量表：简易精神状态量表（mini-mental state examination，MMSE）、蒙特利尔认知评估量表（Montreal cognitive assessment，MoCA）和画钟试验（clock drawing test，CDT）等。

（2）临床痴呆评定量表（CDR）。

2. 神经电生理检查　脑电图、事件相关电位（ERP）。

3. 影像学检查

（1）结构影像：脑磁共振成像（MRI）和计算机断层扫描（CT）。

（2）功能影像：Aβ 正电子发射断层显像（PET）和 Tau-PET。

4. 脑脊液生物标志物　β 淀粉样蛋白（Aβ）$_{42}$ 降低、$Aβ_{42}/Aβ_{40}$ 值降低，T-tau 蛋白、P-tau181 蛋白含量增高。

问题：通过以上的临床表现及辅助检查，该患者诊断能明确吗？

**（五）AD 的诊断**

AD 主要根据临床表现诊断：根据老年患者隐匿起病、进行性认知功能衰退、精神行为异常和日常生活能力下降，神经心理学量表达到痴呆标准，有典型的影像学改变等可做出临床诊断，确诊需依据特征性病理学或生物标志物改变。

**（六）AD 的鉴别诊断**

1. 抑郁症（depression）。

2. 血管性痴呆（VaD）。

3. 额颞叶痴呆（FTD）。

4. 路易体痴呆（DLB）。

问题：该患者既往体健，为什么会得 AD？

**（七）AD 的病因和发病机制**

Aβ 学说、Tau 蛋白学说、胆碱能学说、兴奋性氨基酸毒害学说、神经炎症学说。

痴呆的危险因素：文化水平低、吸烟、少动、抑郁、高血压、糖尿病、肥胖、脑外伤、视力听力减退、遗传因素。

**（八）AD 的病理**

大体病理：脑容积缩小，脑回萎缩变小、脑沟加深、脑室扩大、海马萎缩明显。镜下病理：神经元减少、老年斑沉积、神经原纤维缠结、淀粉样血管变性。

问题：该患者诊断明确，如何制订治疗方案？

**（九）AD 的治疗**

目前无肯定的疾病治疗方法。主要是支持和对症的综合治疗，缓解和减轻临床症状，提高生活质量与延长生存期。应遵循早治疗、早干预的原则，早期治疗获益高于延迟治疗。AD 的药物治疗如下。

（1）益智药物：胆碱酯酶抑制剂、*N*-甲基-*D*- 天冬氨酸（NMDA）受体拮抗剂。

（2）临床上也将脑代谢增强剂、抗氧化剂、中药等用于辅助治疗：甘露特钠胶囊每次 450mg，每日 2 次。

（3）我国自主研发的一类新药。

自发现 AD 100 多年来，全球用于临床治疗的药物只有 5 款，临床获益不太明显。全球各大制药公司在过去的 20 多年里，相继投入数千亿美元研发新的 AD 治疗药物，320 多个进入临床研究的药物已宣告失败。

2019 年 11 月 2 日，国家药品监督管理局批准了中国上海绿谷制药有限公司治疗 AD 新药甘露特钠胶囊的上市申请，用于轻度至中度 AD，改善患者认知功能。甘露特钠胶囊这款中国原创、国际首个靶向脑-肠轴的 AD 治疗新药，将为广大 AD 患者提供新的治疗方案。甘露特钠胶囊是由中国科学院上海药物研究所耿美玉研究员领导研究团队，坚持 22 年努力研发成功的原创新药。

**（十）预后及预防**

预后：慢性进行病程，总病程一般为 2 ～ 12 年，平均 6.8 年。

预防：减少 AD 相关危险因素，保持良好的心态和健康生活方式。

三、总结

**（一）专业知识要点总结**

本次课围绕典型病例，运用多媒体、相关病例、医学图片等辅助资料，以临床诊疗路径为导向，系统讲解 AD 的典型临床表现、诊断、鉴别诊断和治疗，以培养学生良好的临床思维能力。

**（二）思政育人要点小结**

结合 AD 的认识过程及我国自主开发的一类新药，激发科学探索精神和民族自豪感。

四、课后反馈

学生通过对医学史上著名的AD病例的学习及疾病的认识过程，不仅学习到AD具体形象的临床表现，而且感受到医学家对科学的探索精神，受到鼓励，有信心去探索未知领域。通过对AD领域的治疗现状，新药研发屡试屡败的了解，对我国自主研发的甘露特钠一类新药产生了民族自豪感。

## 【课程思政解析】

通过讲述阿尔茨海默医生的故事，唤起学生的好奇心，有助于学生加深对AD的认识，培养医学人文精神，学习阿尔茨海默医生的探索与科学精神，鼓励学生钻研医学难题，唤起学生的探索与科学精神。

讲述目前国际AD治疗领域药物研发的困境，介绍我国自主研发的一类新药——甘露特钠胶囊，引起全世界关注。通过让学生了解我国自主研发的新药，激起学生的民族自豪感。

## 【推广应用效果】

学生不仅学习到专业知识，而且培养了医学人文精神，不畏艰难的科学探索精神，产生民族自豪感。

（李小凤）

# 案例四　应激相关障碍

**【课程名称】** 精神病学

**【授课内容】** 应激相关障碍

**【授课对象】** 精神医学专业学生

## 【教学目标】

### 一、专业知识目标

1. 掌握　急性应激障碍的诊断和治疗。
2. 熟悉　急性应激障碍的定义和分类。
3. 了解　急性应激障碍的发病机制。

### 二、实践（临床）能力目标

1. 掌握　急性应激障碍的临床特点。
2. 熟悉　麻醉后恢复室（PACU）接诊患者流程。

### 三、思政育人目标

1. 提高学生的民族自豪感和职业信仰。面对全球新冠肺炎疫情肆虐，我国坚持共产党的领导，坚持生命至上，实施积极有效的举措抗击新冠肺炎疫情，在稳定民心、减少心理应激和社会经济复苏中起到关键作用，并已在全球范围内表现出明显优势。

2. 培养学生的西迁精神。习近平总书记 2020 年 4 月在西安交通大学讲话指出，西迁精神的核心是爱国主义。

3. 结合精神心理医护人员积极参与抗疫，宣传抗疫精神。结合重医校友著名小儿传染病学专家石美森的故事，宣传舍己为人、薪火相传的医学奉献精神。

## 【教学设计】

### 一、导入

观看动画（一女子目睹车祸发生后，突然尖叫一声后滑倒在地，表情呆滞，没有反应，不再言语）。引出急性生活应激事件及该女子应对时的情绪、行为等反应。

### 二、展开

**（一）概念**

1. 1936 年，加拿大学者塞里（Selye）首次提出应激学说，认为心理应激是“在任一时刻由生活所造成的身体损耗和破坏率”。引起应激反应的各种各样的生活事件就是应激源。

提问 1：21 世纪以来我们共同经历的最大应激源是什么？

提问 2：请同学们回忆，在个人生活及社会生活中还有哪些可以称为应激源的事件？

提问 3：请根据同学们的讨论，试着总结哪些事件是我们生活中共同的应激源。

分组讨论：让同学们分组讨论，各抒己见，并组内选择代表同学发言。

加深“应激源是人类生活中共同面对的生活事件”的印象。

2. 生活中常见的应激源　按个体参加社会活动的范围及人际关系分类如下。

（1）家庭：恋爱或结婚，恋爱失败，妊娠，流产，夫妻矛盾，婆媳矛盾，外遇，分居，离异，丧偶，家庭经济困难，生病伤残，死亡等。

（2）工作或学习：高考失败，待业，无业，晋升，降级，惩罚，学习或工作中的压力，同学、同事关系紧张，出国，退休或离休。

（3）社会及其他：好友重病，重伤或死亡，被人误会，错怪诬告，议论法律纠纷，被拘留，受审，失窃，财产损失，事故，灾害。

提问 4：那么目睹严重车祸发生属于哪种类型的应激源呢？

3. 急性应激障碍（acute stress disorder）　急性应激障碍指遭受急剧而严重的创伤性应激源后数分钟至数小时出现的短暂精神障碍，又称急性应激反应（acute stress reaction），是应激相关障碍的其中一种。

指出此为课程重点，需掌握英文单词，抓住定义中的重点部分，深刻理解和记忆疾病概念；同时结合临床案例和网络漫画，直观形象地展示疾病状态。

复习：应激相关障碍的定义？

提问：比较急性应激障碍和应激相关障碍的概念有什么异同？

启发学生联系课程前后内容，在理解中学习，对理论知识脉络形成逻辑框架。

**（二）病因和发病机制**

提问 1：请同学到讲台上为大家讲解急性应激障碍的病因和可能的发病机制。

提问 2：是否有同学需要补充？

提问 3：请同学来点评上一位同学的意见。

自主学习课堂：在上一课时提前布置以上作业，鼓励学生在课堂外利用课外教学资源、网络教学平台、教学补充材料、文献查阅等多种学习方法开展自主学习，并且促进互相学习和交流。

总结：病因和发病机制，讨论生物-社会-心理的疾病模式。

1. 创伤性应激源。

2. 危险因素。

3. 个体易感性。

4. 生物学因素。

**（三）临床表现**

强调教学重点，强调急性二字——急性应激障碍是在遭受创伤性应激源之后最早出现的精神障碍，典型表现包括意识、行为、情绪三个方面的改变。讲解过程中，结合多种内容和多种形式，引发讨论和思考。

1. 创伤性应激源　患者直接亲身经历、目击或间接体验（如通过电视、网络媒体等获悉）创伤性事件，并伴随创伤性体验。特点：创伤性影响的负性情绪；对身体或生命有巨大威胁。

提问：为什么新冠肺炎疫情对某些人来说，是创伤性应激源？

2. 意识障碍　不同程度的意识障碍，如定向力障碍、意识范围缩小、注意力狭窄、意识不清（心因性朦胧状态）、非真实感、人格解体等。

视频：热播电视剧中，车祸后心因性遗忘。

3. 行为改变　主要表现为精神运动性兴奋或精神运动性抑制。喊叫、激越、行为过多或表情呆滞、沉默寡言等，甚至心因性木僵。

视频：观看教学视频。

测试：如何区分不同类型的木僵？

4. 情绪障碍　患者出现焦虑、抑郁情绪，严重时有自杀的想法或自杀行为；部分表现为躁狂状态，情感暴发。

讨论：在最近公开报道的新闻中，你看到哪些类似的表现？讨论是否存在急性应激障碍的可能？

**（四）案例分享**

抗疫英雄自己讲抗疫故事，在故事中，抗疫医生以自己为案例，分享自己在隔离病房中的心理活动和心理反应、应对方法，面对危重症患者时的内心变化过程，直面死亡时的“无能为力和束手无策”。

扩展：老校友的故事。

**（五）治疗**

治疗包括心理治疗、药物治疗。

1. 心理治疗　重申定义和病因，既然是因创伤应激事件引发，故而心理治疗是首选。

（1）基本原则

提问：基本原则是什么？

答：及时、就近、简洁、紧扣重点。

（2）紧急事件应激晤谈（critical incident stress debriefing，CISD）

参考和拓展:《新冠肺炎医护人员心理危机干预手册》

提问：以上危机干预手册是否有体现急性应激障碍的干预原则？

2. 药物治疗　对症治疗和支持治疗。

自学：请结合临床症状及精神药理学知识和内科基本知识自学药物治疗部分。

## 三、总结

急性应激障碍是指遭受急剧而严重的创伤性应激源后数分钟至数小时出现的短暂精神障碍，主要表现有意识障碍、行为改变、情绪障碍及其他症状。其治疗包括心理治疗、药物治疗。以理论讲授为纲，结合临床病例讲解。突出重点，及时总结归纳，有效开展课堂互动，引导学生自觉学习，培养主动学习能力。以PPT课件为主线，合理配以图片，辅以板书、师生互动等方法讲授。在课程中融入思想政治教育，提高思想政治觉悟。

## 四、课堂或课后练习

利用信息化教学方法，使用网络教学平台进行随堂测验，强化对重点内容的掌握与记忆。

## 五、课后反馈

本课程开课以来受到学生和督导专家的一致好评，通过网络教学平台评论区、教学联席会和网络教学平台等多渠道收到学生的良好反映。学生们评价：用特殊的病例引导贯穿整个线上线下的专业知识学习非常有吸引力，能够更好地帮助理解和掌握专业知识，训练临床逻辑思维。同时，学习重庆医科大学第一临床学院精神病学教研室老师联合重庆市精神卫生行业专家共同编著的《新冠肺炎医护人员心理危机干预手册》，思考该手册体现了本节课学习的哪些内容，让同学们分组讨论并汇报。

## 【课程思政解析】

全球新冠肺炎疫情蔓延，疾病和死亡威胁，亲人健康受到威胁或亲人死亡，经济形势不好，工作、学习、家庭关系及人际关系等被迫发生改变和调整，是几乎每个人都难以逃离的、共同经历的21世纪最为重要的应激源。全球都在通过国家政策、医疗举措、社会措施等方方面面应对应激源，整个教学过程都将贯穿以上几个方面，并积极融入思想政治教育。首先，在引入的视频中，以悲悯之心对视频中女子进行共情，然后再结合个人生活经验和社会事件讨论个人日常生活和社会生活中可能会面临的应激事件，最后升华到医者需要关注人类共同命运的大视野和大情怀。在讲解临床表现时，强调严重精神症状的发生仍与我们（当然包括医生）有着共同的基本心理活动过程和情感，医生的同理心是永远的一剂良药。在新冠肺炎疫情最严峻时期，医生请战参与抗疫工作，主动将自己暴露在创伤风险中，具有奉献精神，令人动容。结合我校老校友的故事，学习舍己为人、一脉相承的医学奉献精神，同时加强心理技能训练，践行医生的古老誓言——“总是去安慰”。

## 【推广应用效果】

本课程入选重庆市首批线上线下混合式一流课程、重庆市精品在线开放课程。本课程所在教研室连续多年被评为院、系理论教学前三名，荣获相关校级教学成果奖一项。

该课程的成功经验已向精神医学系其他专业课程、校内其他专业及其他兄弟院校等推广，在精神病学教育界受到关注，影响较大。

（鞠远智）

# 案例五　重症肌无力

**【课程名称】** 神经病学

**【授课内容】** 重症肌无力

**【授课对象】** 临床医学专业学生

**【教学目标】**

**一、专业知识目标**

1. 掌握　重症肌无力的诊断。
2. 熟悉　重症肌无力的临床表现及分型。
3. 了解　重症肌无力的病因、发病机制及治疗。

**二、实践（临床）能力目标**

1. 掌握　重症肌无力危象的临床表现。
2. 熟悉　重症肌无力危象的处理流程。

**三、思政育人目标**

1. 通过案例和图片结合展示重症肌无力危象患者的神经-心理治疗模式。
2. 培养学生的高尚医德和树立对患者不离不弃的大爱精神。

**【教学设计】**

**一、导入**

通过多媒体教学方式播放患者上睑下垂、吞咽困难、四肢无力并表现为晨轻暮重的影像资料，并提供一个重症肌无力临床病例：

患者，女，46岁，上睑下垂4个多月，吞咽困难3个多月，四肢无力1个多月。晨轻暮重，休息后好转，活动后加重。

神经系统查体：右侧眼裂小，双侧瞳孔等大等圆约3毫米，对光反射灵敏；双侧软腭上抬差；四肢肌力$5^-$级；四肢腱反射（++），病理征（–）；无深浅感觉障碍。提出问题：定位？定性？患者可能是什么病？引导学生带着探索精神进入课堂。

**二、展开**

1. 经过患者多媒体视频的播放，建立起学生对重症肌无力疾病整体的认识，为思政案例的展开做铺垫。

[讲解定义] 重症肌无力（myasthenia gravis，MG）是一种神经-肌肉接头传递功能障碍的获得性自身免疫性疾病。因神经-肌肉接头的突触后膜上的乙酰胆碱受体（AChR）受到损害所致。主要临床表现是骨骼肌无力，休息后或使用抗胆碱酯酶药物后症状减轻。

[设问] 根据定义的内容，思考上述病例是什么疾病。定位及定性呢？

[回答] 结合患者临床表现：骨骼肌极易疲劳，且晨轻暮重，活动后症状加重，休息后缓解及查体考虑重症肌无力，定位于神经-肌肉接头的突触后膜，定性为自身免疫性疾病。

2. 用“视物不清楚、行走困难、吞咽困难”的表现来很好地解释重症肌无力患者的症状，使学生们认识疾病症状的同时，学会去切身体会重症肌无力患者身体及心理的痛苦。

［设问］同学们想象一下如果自己某一天开始看东西模糊，重影，稍微多走几步就费力甚至连吃东西都吞不下去，也许想梳头都抬不起手臂，那会是怎样的感受？

［学生回答］走路摔跤、会焦虑、恐惧、很难受、最后也许会死去……

［教师引导］生活中，有这样一群人，他们看起来和正常人无异，四肢健全，却可能无法正常行走、奔跑，或无法正常说话、微笑，甚至无法正常吃饭、呼吸。他们是一群经受病痛折磨的人，因为不幸患上重症肌无力，人生从此发生改变……

老师相信大家都能用心去感受患者生活的不易，对于我们来说只是日常生活中的小事，对于他们而言，每一件事都是挑战，作为一种神经系统免疫性疾病，重症肌无力在临床上主要表现为骨骼肌无力，有高度致残风险和死亡率，女性患病率大于男性。由于全身各部位肌肉受累，容易导致各类症状，包括眼睑闭合及鼓腮力弱、苦笑面容、咀嚼困难、吞咽困难、饮水呛咳及声音嘶哑、抬头困难、抬臂困难等，致使很多患者陷入恐惧、孤独，甚至自卑的情绪中。因此，他们需要更多关爱的力量，帮助他们渡过难关，陪伴他们追寻梦想。

3. 讲述临床病例，充分结合本堂课的授课知识点，使学生身临其境感受到医者的同理心在临床工作中的具体体现。

［案例讲述］一位 19 岁的女孩，反复吞咽困难、构音障碍，药物控制差，本拟定血浆置换，但由于吞咽困难误吸导致肺部感染，血氧饱和度下降，采取气管插管呼吸机辅助呼吸，最后因肺部感染严重，未能抢救过来。

［案例讲述］一位 45 岁的男性患者，因开车疲劳后出现眼睑下垂，视物成双，最后经重复电刺激、新斯的明试验等辅助检查后考虑重症肌无力，给予免疫治疗后患者生活恢复正常。

## 三、总结

### （一）专业知识或实践能力要点小结

重症肌无力是一种获得性自身免疫异常引起的神经-肌肉接头处传递障碍疾病，其主要临床特征是部分或全身骨骼肌病态易疲劳（晨轻暮重、活动或用力后加重而休息后减轻）。最常累及肌肉为四肢近端、脑神经和呼吸肌；如肌无力累及呼吸肌而不能维持正常换气功能（出现呼吸困难）时，称为重症肌无力危象。

### （二）思政要点小结

引导学生对患者产生共情，树立对患者不离不弃的大爱精神。提供课后学习资料，延伸拓展学习内容：课后提供相关学习资源，介绍重症肌无力患者教育活动的开展情况，并举例说明及时有效的医患互动对患者病情控制的帮助，增强学生献身医学事业的责任感，激发其主动学习积极性。

## 四、课堂或课后练习

利用信息化教学方法，使用网络教学平台发布随堂测验，强化对重点内容的掌握与记忆。

### 五、课后反馈

课程收到学生的良好反馈。学生评价：思政的融入不仅加强了对知识点的理解，更学会站在患者的角度去思考，体会到“医者仁心”的精神，也受到了伟大抗疫精神的洗礼。通过这样的课堂，学生们体会到医德比医术更为重要，培养良好的医德必须与学习专业技术同行。

## 【课程思政解析】

进行课程思政教学时，教学过程中要注意事例自然引入，不要直接讲述事例，而是要在学生们面对问题时，适时提出来，自然而然地把学生带入情境之中。此外我们配合教学的事例还是太少，应该再多加积累。我们打算把这些配套的事例结合到更多的实验项目中，制作更多的教学案例供本课程组教师使用。作为生命科学相关专业的学生，不仅要通过所学知识维护自身身心健康，还应该做好科普工作，用所学知识帮助亲人朋友。

## 【推广应用效果】

本课程通过多媒体引入，结合 CBL、PBL 多模式教学法，通过讲述病例、引导学生思考并结合常见案例，启发学生主动思考问题并解决问题，同步自然融入思政教育，引导学生在科学探索精神的指引下充分发挥主观能动性，在对患者同理心的指引下充分体会医学人文精神的内涵，促使学生重视医德的培养，对学生的医学人文教育起到了积极的推动作用。

（罗　晶）

# 第五章　消化系统疾病案例

## 案例一　消化性溃疡

**【课程名称】** 内科学

**【授课内容】** 消化性溃疡

**【授课对象】** 临床医学专业学生

**【教学目标】**

一、专业知识目标

1. 掌握　消化性溃疡的临床表现、并发症与治疗原则。

2. 熟悉　消化性溃疡的病因、发病机制、鉴别诊断及预防。

二、实践（临床）能力目标

1. 掌握　诊疗消化性溃疡的能力、与患者及家属沟通的能力。

2. 熟悉　消化性溃疡的诊治流程。

三、思政育人目标

1. 培养学生树立坚持和追求真理的求真务实精神，以及爱岗敬业、甘于奉献的职业精神。

2. 激发学生对患者的同情心与同理心、积极投身医学事业的热情及救死扶伤的使命感。

3. 培养学生成为倡导使用“公筷”、提倡“分餐制”等“健康中国”理念的践行者与传播者。

**【教学设计】**

一、导入

**（一）教学设计**

通过多媒体演示，以典型临床病例为切入点，提问式引入主题及概念。

**（二）思政融入方式及映射点**

1. 通过消化性溃疡典型临床病例展示激发学生的好奇心，使学生初步理解该疾病的临床表现及对患者造成的痛苦，唤起学生对消化性溃疡患者的同情心，激发学生救死扶伤、攻克疾病的使命感。

2. 通过“溃疡与糜烂有什么区别？”的提问，让学生认识到医学知识的专业性与严谨性，树立坚持和追求真理的求真务实精神。

二、展开

**（一）教学设计**

1. 发病机制　以简单易懂的比喻：屋顶和酸雨分别比喻防御因子和侵袭因子，来讲解其复杂的发病机制——两者平衡则正常、两者失衡即发生消化性溃疡。将复杂问题通过浅显易懂的道理讲述，便于学生理解。

2. 病因　从2005年诺贝尔生理学或医学奖入手，引出幽门螺杆菌。介绍2005年两位诺贝尔生理学或医学奖获得者是如何发现幽门螺杆菌的。既往的权威观点认为胃内不可能存在细菌，但是两位科学家不畏权威，坚持真理，最终发现了这一导致各种胃病的细菌。

3. 临床表现的三大特点　慢性过程、反复发作、周期性发作的特点，给患者造成长期痛苦，影响正常生活，加重经济负担，为后续讲解规范化治疗埋下伏笔。

4. 诊断　强调幽门螺杆菌检测的重要性；胃镜、上消化道钡餐检查对诊断的价值；通过表格对比、胃镜图片讲述良、恶性溃疡的特点及鉴别点，加深印象，便于学生记忆。

5. 并发症　通过临床病例的不同起病方式举例讲解消化性溃疡四大并发症：消化道出血、穿孔、幽门梗阻、癌变，结合临床病例提升学生学习兴趣，加深学习印象。

6. 治疗　突出患者教育的重要性（预防及促进愈合），重视疾病一级预防。强调幽门螺杆菌是否根除对消化性溃疡预后的影响，以及正规、足疗程治疗和治疗后复查随访的重要性。倡导使用“公筷”、提倡“分餐制”等健康饮食新风尚，阻断幽门螺杆菌的传播途径。

**（二）思政融入方式及映射点**

1. 发病机制　通过讲述侵袭因子和防御因子的失衡是造成消化性溃疡的主要发病机制。

2. 病因　一是从2005年诺贝尔生理学或医学奖的获奖科学家不畏权威，通过自己吞服幽门螺杆菌证实其为多种胃病的重要致病因素的故事，将勇于创新、坚持真理、敢于奉献的医学精神融入课堂，突出两位科学家的求真务实精神，从而培养学生爱岗敬业、甘于奉献的职业精神，并激发学生积极投身医学事业的热情。二是通过“常年服用头痛粉的老年女性患消化性溃疡”的病例提高学生对于基础医疗科普重要性的认识，激励学生不仅要治病救人，更要走入基层宣传健康科普知识，倡导“健康中国”理念的使命感。

3. 临床表现　突出消化性溃疡症状迁延反复，治疗周期长，给患者造成长期痛苦。激发学生的同情心、同理心和为患者解除病痛的使命感，体会理解、关心、爱护和鼓励患者的重要性。

4. 诊断　着重强调疾病的“早诊断早治疗”“坚持预防为主”等“健康中国”的理念。使学生形成积极预防为主的医疗思维，培养学生成为先进健康知识的传播者。

5. 治疗　强调根除幽门螺杆菌对消化性溃疡预后和转归的影响。强调正规、足疗程治疗及治疗后复查随访的重要性。结合我国“健康中国”战略及幽门螺杆菌感染防治政策，倡导使用“公筷”、提倡“分餐制”等健康饮食新风尚。

## 三、总结

**（一）教学设计**

总结消化性溃疡的诊疗流程，讲述消化性溃疡病因防治的重大意义，以及早期诊断的重要性。

**（二）思政融入方式及映射点**

1. 以消化性溃疡临床病例为导入，唤起学生对消化性溃疡患者的同情心和对该疾病的好奇心，以及攻克疾病、救死扶伤的使命感，从而激发学生对于疾病的探索精神。

2. 介绍我国慢性胃炎、消化性溃疡、胃癌的发病率较高，严重威胁我国人民的健康，增加国家医疗经济负担。结合我国“健康中国”战略及幽门螺杆菌感染防治政策，讲述幽门螺杆菌防治的现状与重要性。倡导使用“公筷”、提倡“分餐制”等健康饮食新风尚。

3. 从 2005 年诺贝尔生理学或医学奖的获奖科学家不畏权威，通过自己吞服幽门螺杆菌证实其为多种胃病的重要致病因素的故事，将勇于创新、坚持真理、敢于奉献的医学精神融入课堂，强调两位科学家的求真务实精神，从而培养学生爱岗敬业、甘于奉献的职业精神，并激发学生积极投身医学事业的热情。

### 四、课堂或课后练习

1. 消化性溃疡患者的饮食及生活习惯管理有哪些？

2. 消化性溃疡经久不愈的原因有哪些？

### 五、课后反馈

1. 以学校网络教学平台为依托，制订学生调查问卷，主要反馈内容：①课程思政内容设置的满意度；②课程思政融入方式的评价；③对课程思政的反馈意见等。

2. 加入专家现场督导的方式，根据督导专家的意见进行改进，并且可加入同行听课与主任听课模式，通过教研室内部反馈机制，不断改进思政课程建设。

3. 教研室通过以上反馈模式可以了解学生与督导专家对于课程思政的看法，同时可以根据提出的意见对思政教学内容、方法等进行改进，进一步提高思政教学的质量，达到育人目标。

## 【课程思政解析】

本课程以学生为中心，将临床病例与历史资料作为切入点，激发学生的学习热情，让学生初步了解该疾病的临床表现及对患者造成的痛苦。同时将思政教学合理地融入授课内容中，唤起学生对患者的同情心、对疾病的探索精神。本课程以 PPT 课件为主线，合理配以临床病例、典型图片、表格，采用现场教学结合多媒体教学模式等多种教学方式。本课程思政亮点如下。

1. 以临床病例为导入：结合病例，以具体的临床表现代替抽象的文字描述，快速集中学生的注意力、提高学生的学习效率、唤起学生的好奇心及对患者的同情心，让学生带着探索精神和攻克疾病、救死扶伤的使命感进入学习。

2. 从著名诺贝尔生理学或医学奖获得者发现幽门螺杆菌并“以身试菌”讲起，逐渐升华到思政亮点，鼓励学生勇于创新、坚持真理、钻研医学难题（探索精神）的科学精神。

3. 本课程使用了多样化的教学方式，以具体的数据讲述幽门螺杆菌感染的危害：高发病率、对患者造成长期痛苦与癌变率的数据，有利于帮助学生加深幽门螺杆菌感染危害的认识，唤起学生对幽门螺杆菌感染防控及消化性溃疡规范化治疗的重视，提高学习专注度和学习效率，激发探索精神。

4. 从诊断及预防内容的讲解，鼓励学生形成疾病“积极预防为主”的医疗理念，培养学生成为“健康中国”战略的先行者和先进健康知识的传播者。

5. 最后，强调我国消化性溃疡发病率高的原因，鼓励学生投身基层医疗及医疗科普工作，通过引导学生努力钻研与探索，培养学生的奉献精神、探索精神，总结归纳，并升华主题。

**【推广应用效果】**

本课程“坚持立德树人，德育为先”，把对学生的立德育人放在首位，通过讲述消化性溃疡的发病率高和对患者造成的痛苦，让学生们印象深刻。值得注意的是，该课程立足我国基本国情讲述幽门螺杆菌感染的危害，是思政内容的亮点。思政元素的融入可以增强学生对于消化性溃疡患者的同情与关爱，培养学生作为一名医务工作者的责任感；同时对于发现幽门螺杆菌这一重要病因的讲解，也融合了医学生应该具有勇于创新、坚持真理、敢于探索的科学精神。总之，本课程合理地融入了思政元素，丰富了教学方式，达到了育人目标。

（李　娟）

# 案例二 阑尾疾病

【课程名称】 外科学

【授课内容】 阑尾疾病

【授课对象】 医学影像学专业学生

## 【教学目标】

### 一、专业知识目标

1. 掌握 急性阑尾炎的临床病理分型、临床表现、诊断要点、鉴别诊断和治疗原则。
2. 熟悉 特殊类型阑尾炎的临床特点和处理原则。

### 二、实践（临床）能力目标

1. 掌握 急性阑尾炎的问诊重点和体格检查。
2. 熟悉 急性阑尾炎的手术步骤。

### 三、思政育人目标

培养学生对患者的同理心，提高职业道德修养；培养学生敢于挑战、勇于创新的精神，激发职业使命感。

## 【教学设计】

### 一、导入

采用现场调查的形式，引出急性阑尾炎是腹部外科中最为常见的疾病之一，也是最常见的急腹症之一，大多数患者能及时就医，获得良好的治疗效果。但是，有时该病诊断相当困难，处理不当时可发生一些严重的并发症。到目前为止，急性阑尾炎的死亡率仍为 0.1% ～ 0.5%，因此如何提高疗效，减少误诊，仍然值得重视。

思政元素：在课程开场中，通过现场调查，提问了解学生中有多少人曾经患过阑尾炎，进而让学生认识到该疾病就在身边。现场采访曾患阑尾炎的同学，让其简单回顾生病、就医的经过，以身边病例引导学生认识该疾病，引发学生的同理心，产生共情。

### 二、展开

**（一）阑尾的解剖生理概要**

1. 阑尾特点 位于右髂窝部，长 2 ～ 20 厘米，直径 0.5 ～ 0.7 厘米，其根部位于盲肠末端，体表投影于麦氏点，位置多变，症状略有不同。

2. 解剖类型有六种 ①回肠前位；②盆位；③盲肠下位；④盲肠外侧位；⑤回肠后位；⑥盲肠后位。

3. 阑尾血供 动脉系回结肠动脉分支，为一种无侧支的终末动脉。静脉与动脉伴行回流入门静脉，淋巴管与系膜血管伴行到回结肠淋巴结。（解剖图示例解释阑尾为什么易出现坏疽原因）

4. 阑尾的神经 由交感神经纤维经腹腔丛和内脏小神经传入脊髓节段的第 10、11 胸节。（解释急性阑尾炎为什么会出现转移性右下腹痛，为阑尾炎特征性腹痛奠定基础）

思政元素：插入医学史上对阑尾解剖生理认识的过程。1492 年达 · 芬奇在一幅解剖图的右下角对阑尾作出第一次描述，然而这样在人类历史上具有里程碑意义的发现，在当时却没有引起任何重视，直到几个世纪后人们在整理达·芬奇的众多手稿时才无意发现。这个故事提示我们，医学的发展并非总是一帆风顺，波折总是难免，但结局一定是光明的，鼓励学生在从医过程中不怕困难，激发他们的探索精神。

**（二）急性阑尾炎**

1. 病因

（1）阑尾管腔的阻塞。

（2）细菌感染。

（3）其他。

2. 临床病理分型及转归

（1）急性单纯性阑尾炎。

（2）急性化脓性阑尾炎。

（3）坏疽性、穿孔性阑尾炎。

（4）阑尾周围脓肿。

3. 转归　炎症消退、局限化、扩散。

**（三）临床表现**

1. 症状　急性阑尾炎早期80%有转移性腹痛，6～8小时后炎症累及腹膜出现定位症状。以定点压痛为特征。可有轻度消化道症状，有轻度腹痛，梗阻性者可剧痛。中毒症状、腹膜刺激征不明显。

2. 体征

（1）右下腹固定压痛：是急性阑尾炎最常见的重要体征。

（2）腹膜刺激征象。

（3）右下腹部包块。

（4）间接体征。（诊断性试验阳性、直肠指检）

3. 辅助检查

（1）血、尿、大便常规。

（2）影像检查：腹部平片、B超、CT。

（3）腹腔镜探查。

**（四）诊断与鉴别诊断**

1. 诊断依据

（1）转移性右下腹痛：转移性腹痛是急性阑尾炎的重要特点。

（2）右下腹有固定的压痛区和不同程度的腹膜刺激征，以右下腹最为明显。

（3）必要的辅助检查。

2. 鉴别诊断

（1）外科疾病。

（2）泌尿系疾病。

（3）妇产科疾病。

（4）内科疾病。

**（五）并发症**

腹腔脓肿；内、外瘘形成；门静脉炎。

思政元素：通过对疾病学习的逐渐深入，使学生意识到疾病并不可怕，只要我们充分认识它，通过我们的努力，疾病是可以战胜的，由此引导学生产生战胜疾病的成就感，增强他们的职业信心，进而激发他们的使命感和荣誉感。

**（六）治疗**

1. 手术指征及手术方法

（1）手术选择：原则上一经确诊，应尽早手术切除阑尾。

（2）术后并发症。

2. 非手术治疗　仅适用于如下情况。

（1）不同意手术的单纯性阑尾炎。

（2）接受手术治疗前后。

（3）急性阑尾炎的诊断尚未确定。

（4）发病已超过 72 小时或已形成炎性肿块等有手术禁忌证者。

思政元素：插入阑尾炎手术发展的历程。1735 年，克劳迪斯·阿米兰德医生在伦敦进行了历史上第一例阑尾切除术。不过这只是一次在腹股沟疝手术当中意外发现阑尾穿孔而进行的附带手术。真正意义上第一台主动实施且成功的阑尾切除术，是在 19 世纪 80 年代进行的。此后，麦克伯尼在总结自己和前人经验的基础上，系统提出麦氏点（1891 年）和麦氏切口（1894 年）的说法，使得阑尾炎的诊断和手术大为简化，成为此后延续一百年的阑尾炎诊治标准。这段历史揭示，任何医学上的突破，都是在不断总结积累的基础上取得的，借此鼓励学生夯实基础，在此基础上开拓进取。

**（七）特殊类型阑尾炎**

1. 婴幼儿急性阑尾炎　新生儿急性阑尾炎极少，因不能提供病史，早期表现无特殊性，故术前难早期确诊，穿孔率高达 80%，死亡率很高。

2. 老年人急性阑尾炎　痛觉迟钝，腹肌薄弱，防御功能差，主诉常欠清，体征不典型。

3. 妊娠期急性阑尾炎

（1）妊娠中期子宫增大较快，盲肠和阑尾被推挤向右上腹移位，压痛部位随之上移，炎症发展易致流产或早产，威胁母子安全。

（2）治疗以早期阑尾切除为主，妊娠后期的腹腔感染难以控制，更应早期手术。围手术期应加用黄体酮。

4. 获得性免疫缺陷综合征患者/人类免疫缺陷病毒感染患者的阑尾炎　免疫力低下，原则上手术治疗。

思政元素：当前医学发展的阶段，对疾病的诊治除了要求标准化，还要求个体化。结合特殊类型的阑尾炎，由典型推演至特殊，提高学生个体化治疗的意识。

三、总结

利用诊断流程图总结本课程。在本部分，引用医学大家的语录进行思政总结。

思政元素：现代腹部外科奠基人比尔罗特曾说：当医生的乐趣并不多，患者知感恩者太少，而物质上的回报则更少，但这些东西却不能阻止那些有着内在动力的医生。借此鼓励学生不忘初心，弘扬医务人员不计私利，勇于奉献的精神。

四、课堂或课后练习

1. 急性阑尾炎诊断依据包括哪些？

2. 是否所有的阑尾炎患者都会出现转移性右下腹痛？

五、课后反馈

在课堂最后提问及课后交流环节，了解学生对本堂课思政内容的认识，必要时可把思政故事展开讲述，提高学生的兴趣，以加强思政效果。

## 【课程思政解析】

阑尾炎是生活中的常见疾病，学生周围甚至学生本人可能都曾患过，因此可以利用学生的“感同身受”唤起学生的共情，同时提高学生们对学习此病的兴趣。

在学习本章节之前，学生们可能跟普通人的认识一样，认为阑尾炎是一个“小病”。因此我们通过插入达·芬奇等对该疾病的认识过程来说明即使是普通人眼中的小病，实际上也是经过了漫长而艰辛的探索过程才逐渐认识清楚的，借此说明，医学的发展总是困难而曲折的，鼓励学生应该学习前人不畏艰险勇于探索的精神，同时也可激发学生求知探索的勇气，培养学生的意志力，只要持之以恒，即使目前认为不可战胜的疾病，也终有一天会被人类征服。

随后，我们辅以历史上的医学大家的经典语录，升华学生们对医学事业的奉献精神。

## 【推广应用效果】

通过课后反馈了解到，学生们普遍反映，没想到小小的阑尾炎背后竟然有这么多曲折的故事，学生们对阑尾炎学习的兴趣明显更强烈，认识也更深刻，同时对自己以后所从事的事业有更坚定的信念。

（唐云昊）

# 案例三　肝细胞癌

【课程名称】 外科学

【授课内容】 肝细胞癌

【授课对象】 医学影像学专业学生

【教学目标】

一、专业知识目标

1. 掌握　肝细胞癌的临床表现及治疗方法。

2. 熟悉　肝细胞癌的诊断和鉴别诊断。

3. 了解　肝细胞癌的病因与发病机制。

二、实践（临床）能力目标

1. 掌握　肝细胞癌的临床诊断和预防措施。

2. 熟悉　肝细胞癌的临床治疗方式。

三、思政育人目标

1. 培养学生的职业责任感和使命感。

2. 培养学生的家国情怀、责任担当精神和勇于创新的科学精神。

3. 帮助学生树立正确的社会主义职业价值观。

【教学设计】

一、导入

引导学生做一名合格的医生：既要有仁心，又要有担当。

讲述肝细胞癌在古代、近代及现代医学的认识和发展历程。询问学生是否知道在肝细胞癌治疗领域做出重大贡献的先驱，为之后引出张定凤教授及吴孟超院士的事迹埋下伏笔。

二、展开

**（一）肝细胞癌的定义**

肝细胞癌：指原发于肝细胞的恶性肿瘤。

**（二）肝细胞癌的流行病学**

用一组数据及图片介绍肝细胞癌的发病率、发病人群分布情况。

**（三）肝细胞癌的病因和发病机制**

1. 介绍肝细胞癌的病因

（1）引入重庆医科大学病毒性肝炎研究所所长张定凤教授的事迹。

（2）思政切入：张定凤教授的事迹体现了无私奉献、艰苦创业和胸怀大局的西迁精神。从而鼓励学生要有不怕吃苦，勇于探索的医学精神。

2. 肝细胞癌的发生机制　播放视频展示肝细胞癌发生发展的过程。

**（四）肝细胞癌的病理和肝细胞癌的转移途径**

略。

**（五）肝细胞癌的临床表现**

1. 结合视频和图片重点讲解肝细胞癌患者的典型症状，提醒学生理解患者的痛苦。

2. 早期肝细胞癌患者缺乏典型的临床表现。

3. 中晚期肝细胞癌患者出现肝大、黄疸、腹水、消化道出血、门静脉高压及肝癌破裂出血等症状。

4. 晚期肿瘤的常见症状：发热、恶病质、感染等。

5. 思政切入：培养学生敬畏生命，关爱患者的医者仁心品德。

**（六）肝细胞癌辅助检查方法**

1. 血清学检测　甲胎蛋白（AFP）是诊断肝细胞癌最重要的指标。

2. 影像学检查

（1）B 超检查是首选的筛查方法，呈不均匀回声肿块。

（2）CT 检查与 MRI 检查可以确定肿瘤大小与大血管的关系，如原发性肝癌的特点是“快进快出”。

（3）血管造影检查：观察肿瘤血供情况。

（4）肝穿刺活体组织检查：必要时进行，可以检查并确定癌细胞。

（5）强调科学、合理和经济的检查可以减轻患者负担。

**（七）肝细胞癌的诊断与鉴别诊断**

1. 结合临床实例　引入一个具体肝细胞癌患者的病史、实验室检查结果、CT 等影像学图片，让学生从中掌握肝细胞癌的诊断和鉴别诊断。

2. 诊断

（1）乙型肝炎或丙型肝炎病史、甲胎蛋白＞ 400ng/ml、超声/CT/MRI 检查发现肝实质肿块且具有肝细胞癌典型影像学表现，可做出临床诊断。

（2）最终诊断以病理学诊断为准。

3. 鉴别诊断

（1）妊娠、活动性肝病、生殖腺胚胎源性肿瘤等患者血清甲胎蛋白可能持续性增高，应予以排除。

（2）肝细胞癌主要应与肝硬化、继发性肝癌、肝良性肿瘤、肝脓肿、肝棘球蚴病等鉴别。

**（八）肝细胞癌的治疗**

1. 结合手术视频及操作动画视频，重点讲解不同肝细胞癌患者选择治疗方式的原则和利弊。

2. 早期诊断、早期采用以手术切除为主的综合治疗，是提高肝细胞癌患者长期治疗效果的关键。

（1）部分肝切除：是治疗肝细胞癌首选和最有效的方法。适应证：诊断明确，病变局限于一叶或半肝，肝功能代偿良好等患者。引入中国肝脏外科创始人之一吴孟超院士在肝癌治疗上的事迹。

（2）肝移植：根治方式，局限性在于肝源少，指征严格。

（3）肿瘤消融：微创、小于 3 厘米肝细胞癌的治疗效果不劣于手术切除，也可降期治疗。

（4）经肝动脉/门静脉化疗栓塞术：为肝细胞癌非手术疗法中的首选方法之一。

（5）其他治疗方法：体外放疗，全身化疗，靶向治疗和中药治疗等。

（6）思政切入点：吴孟超院士的事迹体现了以为患者解除病痛为终身追求的医者精神；开垦荒芜，不断突破肝脏手术“禁忌”，勇攀医学高峰的创新精神。

三、总结

1. 肝细胞癌与病毒性肝炎和肝硬化密切相关。甲胎蛋白和B超检查有助于高危人群的筛查，CT检查和MRI检查诊断准确率高；结合病史、甲胎蛋白、影像学检查做出临床诊断，但病理学检查为金标准。手术切除是首选的治疗方法。

2. 肝细胞癌的病因和防治研究中，张定凤教授响应党的号召，舍小家、为国家，用理想信念和青春芳华铸就了医学教育史上的丰碑，从而鼓励学生作为医学生要不怕吃苦，勇于探索。而肝癌的治疗中，吴孟超院士为解除患者病痛，精益求精，不断突破创新，从而鼓励学生在医学生涯中要有不断突破、创新，勇攀医学高峰的精神。

四、课堂或课后练习

课外阅读《中国临床肿瘤学会（CSCO）原发性肝癌诊疗指南》。

五、课后反馈

课堂气氛活跃；学生互动积极，对本课程教学内容和方法的总体评价较为满意。学生认为课程对知识传授与价值引领的关系处理较好，尤其引入了张定凤教授事迹及吴孟超院士事迹，使学生对医学的认识进一步提升。

## 【课程思政解析】

重庆医科大学病毒性肝炎研究所原所长张定凤教授，年轻时响应党的号召，舍小家、为国家，献青春、洒热血，用理想信念和青春芳华铸就了医学教育史上的丰碑。他早期在极端艰苦的环境下开展科研工作，为我校及全国开展抗肝炎病毒工作做出巨大贡献。张定凤教授从事传染病及肝病研究四十余年，取得显著成绩，使得我校在肝炎病毒研究领域处于国内领先地位。张定凤教授事迹体现无私奉献、艰苦创业和胸怀大局的西迁精神。

吴孟超院士作为我国肝脏外科的主要开拓者和创始人，创立了肝脏“五叶四段”理论，奠定了我国肝脏外科的解剖和理念基础；发明了间歇性肝门阻断切肝法和无血切肝法。进入新时代，年近百岁的吴孟超院士依然与时俱进、满怀冲劲，仍然坚持为患者做手术。吴孟超说：“我的本事是党培养出来的，也是国家培养出来的，不是我私有的。因此，我一定要把我的本事贡献出来，能够坚持做到哪一天，就到哪一天。”吴孟超院士的事迹体现了为患者解除病痛为终身追求的医者精神；国家荣誉高于一切的爱国精神和国家情怀；开垦荒芜，不断突破肝脏手术“禁忌”，勇攀医学高峰的创新精神。

## 【推广应用效果】

在具体教学实践中，体现西迁精神的张定凤教授事迹及体现医者精神的吴孟超院士事迹融入肝细胞癌的专业课程教学的环节，从中鼓励学生不怕吃苦，勇于探索的医学精神，也鼓励学生在医学生涯中不断突破“禁忌”，勇攀医学高峰。学生在课堂学习中对理论知识理解和掌握更加深刻，对学习肝细胞癌这门课程更加积极、主动。

（张文锋）

# 案例四　克罗恩病

**【课程名称】** 消化系统疾病

**【授课内容】** 克罗恩病

**【授课对象】** 临床医学专业学生

**【教学目标】**

### 一、专业知识目标

1. 掌握　克罗恩病与肠结核、溃疡性结肠炎的鉴别要点。
2. 熟悉　克罗恩病的临床表现及治疗原则、病理特点。
3. 了解　克罗恩病的病因、发病机制。

### 二、实践（临床）能力目标

识别克罗恩病的症状和体征。

### 三、思政育人目标

1. 培养学生树立以患者为中心、充分保障患者安全的意识。
2. 培养学生对患者的同理心，提高学生的职业道德修养。
3. 将终身学习、认真、负责、团结的工作态度融入病例讲解中，树立正确的社会主义职业价值观。

**【教学设计】**

### 一、导入

见表 2-5-1。

**表 2-5-1　导入**

| 教学设计 | 知识结构 | 思政融入方式及映射点 |
|---|---|---|
| （1）播放关于“患者安全”的视频导课 | 导课 ↓ | 树立以患者为中心的观念——职业精神 |
| （2）用图片、文字导入一例克罗恩病合并肠瘘的病例 | 病例导入 ↓ | 患者的悲惨经历让同学们对克罗恩病患者产生同情及同理心——人文精神 |
| （3）用多学科诊疗（MDT）模式探讨克罗恩病的诊断及鉴别诊断 | 临床表现 ↓ | 教学中引导同学们临床工作需要认真、负责、团结合作——集体主义教育 |
| （4）总结专业及思政 | 总结 | 临床医生需要以患者为中心，始终保持认真、负责、团结的工作态度，保障患者安全 |

### 二、展开

**（一）导课**

观看教师在临床工作中长期义务为克罗恩病患者进行患者教育的视频及图片，问教学老师为什么要坚持长年做患者教育？提出“患者安全”的理念。引出克罗恩病的课程名称。

**（二）病例导入**

导入一例克罗恩病合并肠瘘的病例，患者因为没有及时地诊断及准确地治疗，导致患者出现严重的并发症：肠瘘。同时因为当时不及时进行患者教育，导致患者不正规停药，不得不面临多次手术，失去劳动能力。患者的悲惨经历让学生对克罗恩病患者产生同情及同理心，在了解克罗恩病的自然病程中揉入人文关怀。同时指导学生养成终身学习的习惯，不断提高自己的诊治水平。

**（三）概述**

克罗恩病是病因未明的慢性炎性肉芽肿性疾病，多见于末段回肠和邻近结肠，呈节段性或跳跃性分布。临床上以腹痛、腹泻、体重下降、腹块、瘘管形成和肠梗阻为特点，可伴有发热、贫血、消瘦等全身症状，以及关节、皮肤、眼、口腔黏膜、肝脏等肠外损害。病情控制不佳，可出现肠梗阻、肠瘘、肠道大出血、穿孔、癌变等严重致残的并发症，被称为绿色癌症。该病有终生复发倾向，重症患者迁延不愈，预后不良。15 ～ 30 岁多见，欧美多见，在中国也逐渐成为常见病。

**（四）临床表现、辅助检查、诊断及鉴别诊断**

1. 临床表现

（1）消化系统表现

1）腹痛：为最常见症状。

部位：右下腹或脐周。发作特点：间歇性发作，痉挛性疼痛伴有肠鸣，餐后加重，排便后暂时缓解。

如持续性腹痛、压痛明显，提示炎症波及腹膜或腹腔内脓肿形成。

急腹症：可能是病变肠段急性穿孔所致。

2）腹泻：为常见症状。

原因：由病变肠段炎症渗出、蠕动增加及继发性吸收不良引起。

特点：间歇性发作，病程后期为持续性。糊状便，一般无脓血或黏液，病变涉及结肠下段或直肠者，可有黏液血便及里急后重。

3）腹部包块：10% ～ 20% 患者会出现腹部包块，以右下腹与脐周为多见，肠壁增厚、肠系膜淋巴结肿大、内瘘、局部脓肿形成。

4）瘘管形成：因透壁性炎性病变穿透肠壁全层至肠外组织或器官而形成瘘管。瘘管形成是克罗恩病临床特征之一，分为内瘘、外瘘。

肛门直肠周围病变：瘘管、肛周脓肿形成及肛裂等病变，是部分患者首发症状。

（2）全身表现

1）发热：常见的全身表现之一，系由肠道炎症活动或继发感染引起。

2）营养障碍：因慢性腹泻、食欲减退及慢性消耗等所致，患者可出现消瘦、贫血、低蛋白血症、维生素缺乏、缺钙致骨质疏松等临床表现，青少年可出现发育迟缓。

3）急性发作期有水、电解质紊乱。

（3）肠外表现：部分患者有眼、口腔黏膜、皮肤、关节、肝脏损害等肠外表现。以口腔黏膜溃疡、皮肤结节性红斑、关节炎、眼病为最常见。

（4）临床分型

1）临床类型（B）：B1 为非狭窄非穿透型；B2 为狭窄型；B3 为穿透型。

2）病变部位（L）：L1 为回肠末段型；L2 为结肠型；L3 为回结肠型；L4 为上消化道型。

3）严重程度：克罗恩病活动指数（CDAI）评分、活动期、缓解期。

（5）并发症：肠梗阻、腹腔脓肿、急性穿孔、大量肠出血、癌变。

2. 辅助检查　注意提醒检查的顺序，如同一天检查肠镜及小肠 CT 造影（CTE），避免患者反复使用泻药，增加患者痛苦。

1）实验室检查：血常规示贫血，血红蛋白（Hb）降低，活动期白细胞（WBC）升高，红细胞沉降率（ESR）升高，血清白蛋白降低。粪便隐血（OB）试验（+）。

2）影像学检查：CTE 示黏膜皱襞粗乱，纵行溃疡或裂沟，鹅卵石征，假性息肉，多发性狭窄，瘘管形成等征象，病变呈节段性分布。可见跳跃征、线样征。

3）结肠镜检查：①节段性、跳跃式分布，非对称性黏膜炎症；②见纵行或匐行性溃疡，溃疡周围黏膜正常或增生呈鹅卵石样；③肠腔狭窄，肠壁僵硬，炎性息肉形成，病变肠段之间黏膜外观正常。

4）病理学检查

好发部位：回肠末段与邻近右侧结肠者最多见，也可累及从口腔到肛门各段消化道。病变分布呈节段性或跳跃式分布，口疮样溃疡、纵行溃疡，形成炎性息肉。鹅卵石样外观；病变累及肠壁全程，肠壁增厚、变硬、肠腔狭窄。

病理特点：非干酪性肉芽肿、裂隙状溃疡可深达肌层，肠壁各层组织有炎性细胞浸润，以淋巴细胞和浆细胞为主，黏膜下层增宽、淋巴管扩张及神经节炎，肠壁全层病变致肠腔狭窄，可发生肠梗阻，溃疡穿孔引起局部脓肿，或穿透至其他肠段、器官、腹壁，形成内瘘或外瘘。

3. 诊断及鉴别诊断

（1）诊断：克罗恩病主要根据临床表现，结合影像学检查、结肠镜检查及可能的病理检查结果，进行综合分析作出诊断。必须排除肠道感染性疾病或非感染性疾病及肠道肿瘤。

克罗恩病完整的诊断应包括病情严重程度、病变范围、活动性及肠外表现和并发症。

1）严重程度：根据活动指数及全身和局部症状分为轻度、中度和重度。

2）病变范围：分为小肠型、结肠型和回结肠型。

3）活动性：依据患者腹痛、腹泻、腹块、并发症等指标的克罗恩病活动指数可做出判断。

WHO 标准：①内镜、影像学检查或手术切除标本见非连续性或节段性肠道病变；②内镜、影像学检查或手术切除标本见鹅卵石样黏膜或纵行溃疡；③全壁性炎症性反应改变，临床发现腹部包块，内镜、影像学检查发现狭窄；④病理活检或手术后切除标本发现非干酪性肉芽肿；⑤临床、内镜或影像学检查或手术切除标本发现裂沟或瘘管；⑥临床、影像学等检查发现肛门部病变。

具有上述①②③者为疑诊；再加上④⑤⑥三者之一可确诊；具备④项者，只要再加上①②③中的两项，也可确诊断。

（2）鉴别诊断

1）需与各种肠道感染性或非感染性疾病及肠道肿瘤鉴别。

**特别注意：**克罗恩病急性发作时与急性阑尾炎鉴别；克罗恩病慢性发作时与肠结核、肠道恶性淋巴瘤鉴别；病变单纯累及结肠者与溃疡性结肠炎鉴别。

2）与溃疡性结肠炎的鉴别。

3）与肠结核的鉴别。

**（五）治疗**

强调达标治疗。目标：黏膜愈合、肠壁透壁愈合。

1. 一般治疗　饮食调理和营养补充，补充多种维生素及微量元素。严重营养不良、肠瘘及短肠综合征者，全胃肠外营养。病情重者禁食，输液（白蛋白、广谱抗菌药物）。腹痛、腹泻者对症治疗，重症患者不宜用抗胆碱药物。

2. 控制炎症反应　活动期诱导缓解，稳定期维持缓解。

（1）糖皮质激素：适用活动期患者。泼尼松 30 ～ 60mg/d，病情缓解后递减维持，但不宜长期维持治疗，因为激素不能防止复发，而且副作用大。

（2）生物制剂：抗肿瘤坏死因子 -α（TNF-α）、单克隆抗体、阿达木单抗等。

（3）免疫抑制剂：对于激素疗效不佳或有依赖的慢性活动性病例，可加用免疫抑制剂，逐渐减少激素用量乃至停用，如硫唑嘌呤、甲氨蝶呤、环孢素。

（4）抗菌药物：甲硝唑、环丙沙星。

（5）氨基水杨酸制剂：作用有限，仅对控制轻度回结肠克罗恩病患者有一定疗效。缓解期的治疗：硫唑嘌呤、生物制剂。

3. 手术治疗　手术后复发率高。

（1）手术适应证：限于完全性肠梗阻、瘘管与脓肿形成、急性穿孔、不能控制的大量出血。

（2）术后预防（术后克罗恩病患者的自然病程）：硫唑嘌呤、英夫利昔单抗。

4. 患者教育　很重要，教育是最好的药物。可提高患者对治疗的依从性，更好地理解疾病，配合医生的治疗；消除患者焦虑抑郁的情绪，提高患者生活质量。

**三、总结**

对本节课的重点难点知识进行梳理、复习，并布置课后作业。

**四、课堂或课后练习**

1. 布置随堂测验题。

2. 课后思考题

（1）什么是炎症性肠病（IBD）？

（2）溃疡性结肠炎和克罗恩病的临床表现有何不同？

（3）炎症性肠病的诊断依据和治疗原则。

（4）WHO 对克罗恩病的诊断标准。

（5）溃疡性结肠炎的临床表现有哪些？

3. 课后推荐炎症性肠病相关科普视频；推荐炎症性肠病相关网站链接。

**五、课后反馈**

学生对此课印象深刻，课程中即有学生表示愿意成为志愿者；课后部分学生参加炎症性肠病的患者教育。

## 【课程思政解析】

1. 教学方法　以学生为授课中心，以“患者安全”为线索贯穿全程，通过病例导入、病情讨论、视频演示等教学方法，在医学知识中自然融入思政教育的内容，让学生在同理心的指引下充分体会医学人文精神的内涵；用多学科诊疗模式讨论方式让学生体会认真、负责、团结的职业精神；用患者教育的实例指导学生体现人文关怀，从而达到教学目的。

2. 教学方法　采用线上线下混合教学模式，以 PPT 课件为主线，辅以视频及动画、线上预习及课后测试、病例图片、执业医师资格考试真题、板书设计、师生互动等完成教学。

3. 教学亮点　采用启发式全程引领学生带着探索精神开展学习，使学生充分融入课堂，调动课堂积极性，提高效率，激发学生自主学习的热情。巧用类比，使学生产生同理心，培养患者安全的理念，在医学教育中自然融入思政教育的内容。

## 【推广应用效果】

本课程让更多的医生及医学生了解克罗恩病，本院规培教学主任邀请本课程老师前往授课。本课程老师的科普视频有上万人观看。

（罗　玲）

# 案例五　消化系统放射学技术及应用

**【课程名称】** 消化系统疾病

**【授课内容】** 消化系统放射学技术及应用

**【授课对象】** 临床医学专业学生

## 【教学目标】

### 一、专业知识目标

1. 掌握　食管和胃肠道 X 线造影的正常表现及基本病变。

2. 熟悉　消化系统常用影像学检查技术的适应证及优选。

3. 了解　肝、胆、胰、脾 CT 及 MRI 检查的正常表现及基本病变。

### 二、实践能力目标

1. 能够对消化系统疾病的各种影像学检查方法进行优选。

2. 能够识别食管和胃肠道 X 线造影的正常表现及基本病变。

### 三、思政育人目标

结合习近平总书记提出的“三牛”精神。

1. 培养学生树立以患者为中心的理念及甘于奉献的职业精神，即孺子牛精神。

2. 培养学生勇于探索、敢于创新的拼搏精神，即拓荒牛精神。

3. 培养学生坚持“吃苦耐劳、艰苦奋斗”的底色，勤于钻研、夯实基础，即老黄牛精神。

## 【教学设计】

### 一、导入

复习人体消化系统的解剖组成，通过设问“人体上消化道的解剖组成与下列哪些动物不同？”引出“牛”及“三牛”精神（甘于奉献、敢于创新、埋头苦干），增加课堂趣味性，激发学生积极性，引出思政元素。

### 二、展开

**（一）消化系统影像学检查方法**

1. 普通 X 线检查

（1）腹部立位和仰卧前后位：适用于异物、急腹症的诊断。

（2）仰卧水平侧位：适用于不能站立患者。

2. X 线造影检查

（1）造影剂：钡剂（医用硫酸钡）、碘剂和气体等。

（2）食管及上消化道钡餐检查：气钡双重造影+低张。

（3）结肠气钡双重造影。

（4）碘水造影：适用于胆管造影、胃肠道有梗阻或穿孔者。

（5）血管造影：适用于消化道出血、胃肠道血管性病变及富血管肿瘤等。

[思政融入方式] 讲述我科老前辈们在过去造影设备落后的情况下不惧射线，坚守工作岗位的事迹。

[思政映射点] 培养学生甘于奉献、全心全意为患者服务的职业精神，即孺子牛精神。

3. CT 检查

（1）CT 平扫。

（2）CT 三期动态增强扫描：动脉期、静脉期及延迟期。

（3）CT 血管成像（CTA）。

（4）CT 结肠成像（CTC）。

4. MRI 检查

（1）MRI 平扫。

（2）MRI 增强扫描。

（3）MR 血管成像（MRA）。

（4）磁共振胰胆管成像（MRCP）。

5. 小结

[思政融入方式] 在对上述影像学检查方法进行小结时，引入近几年来医学影像设备的发展历程，指出这些进步离不开学医人敢为人先、大胆突破的精神。

[思政映射点] 培养学生勇于探索、敢于创新的拼搏精神，即拓荒牛精神。

**（二）消化系统影像学检查方法的适应证及优选**

1. 消化系统影像学检查方法的适应证

（1）肠梗阻：首选腹部立、卧位平片，CT 检查有助于明确梗阻位置、是否存在血运障碍及梗阻原因。

（2）胃肠道穿孔：首选立位胸片或腹部立位片，CT 检查较腹部平片更敏感。

（3）食管静脉曲张：首选钡餐造影，呕血患者禁用；CT 检查、MRI 检查能检出中晚期食管静脉曲张。

（4）食管异物：首选钡餐造影。

（5）脂肪肝：首选超声检查，MRI 检查最敏感且可行脂肪定量。

（6）肝硬化：首选超声检查，增强 CT 检查及 MRI 检查常用于确诊，肝细胞特异性 MRI 对比剂增强扫描对结节定性诊断最准确，超声弹性成像能明确纤维化程度。

（7）肝脏实性占位性病变：首选超声检查，增强 CT 检查及 MRI 检查常用于确诊。

（8）胆道系统疾病：胆囊结石首选超声检查，胆管变异、胆管结石及其他原因胆管梗阻首选 MRCP 检查，胆道系统肿瘤常用检查方法为增强 CT 检查及 MRI 检查。

（9）胰腺疾病：急性胰腺炎首选增强 CT 检查，相关胰管及胆管检查选择 MRCP 检查；胰腺肿瘤首选增强 CT 检查。

2. 各种检查技术的优选　掌握各种成像技术在消化系统疾病诊断中的优势和限度，是进行成像技术优选的前提，其原则是经济、简便、实用、安全。

[思政融入方式] 以胰头癌伴肝转移为例，通过设问、学生回答及教师引导的方式让学生逐步掌握各种检查技术的优选原则，提出检查方法的合理选择对疾病的早期诊治至关重要，我们在进行选择时应充分考虑患者的经济条件，在满足诊断的前提下，优先选择费用较低的成像技术。

［思政映射点］培养学生设身处地为患者着想的情操，做到医者仁心，即孺子牛精神。

**（三）消化系统的正常影像表现及基本病变**

1. 食管和胃肠道 X 线造影的正常表现及基本病变

（1）食管和胃肠道 X 线造影的正常表现

（2）食管和胃肠道 X 线造影的基本病变

1）轮廓改变

A. 充盈缺损（filling defect）：由于食管或胃肠道壁的肿块向腔内生长或腔内异物占据一定空间而不能被钡剂充填所形成的轮廓缺损。X 线表现：切线位示局部轮廓缺损；正位示局部低密度区。常见于胃肠道肿瘤。

B. 龛影（niche）：为食管或胃肠道壁的局部溃烂形成凹陷被钡剂充填形成局部向外突出的影像。X 线表现：切线位示局部突出影；正位示致密钡斑。常见于胃肠道溃疡。

C. 憩室（diverticulum）：由于食管或胃肠道壁薄弱或外力牵拉而形成局部向外突出的囊袋状空腔，有正常黏膜通入，形态、大小可变，多见于十二指肠。

2）黏膜改变：①黏膜破坏；②黏膜皱襞纠集；③黏膜皱襞增宽和迂曲；④黏膜皱襞平坦。

3）管腔改变：①管腔狭窄；②管腔扩张。

4）功能改变：①张力改变；②蠕动改变；③运动力改变；④分泌功能改变。

2. 肝、胆、胰 CT 检查及 MRI 检查的正常表现及基本病变

（1）肝、胆、胰 CT 检查及 MRI 检查的正常表现

（2）肝、胆、胰 CT 检查及 MRI 检查的基本病变

1）肝脏

A. 形态异常：肝硬化。

B. 实质异常

局灶性实质异常：形态、大小、数目、密度或信号、强化特点（无强化；环形强化；快进快出，如原发性肝癌；快进慢出，如海绵状血管瘤）及周围管道结构的异常。

弥漫性实质异常：体积增大、质地不均匀、门脉周围晕环征（肝内淋巴淤滞）、肝纤维化或肝硬化。

C. 肝内血管异常：①解剖学变异；②病理性异常。

2）胆道系统：①管（囊）腔大小改变；②管（囊）壁改变；③管（囊）腔内容物异常。

3）胰腺

A. 形态异常：包括直接征象和间接征象。

B. 实质异常：①囊性占位示低密度或长 T1 长 T2 信号。②实性占位示低密度或长 T1 稍长 T2 信号。③胰管内结石或钙化、胰腺内出血示高或稍高密度影；低信号。④胰管异常：胰管扩张。

［思政融入方式］进行小结时引入戚警吾老主任勤于钻研的感人事迹，提出要想成为一名好医生，就要从现在开始脚踏实地地掌握好每一个知识点，发扬吃苦耐劳、艰苦奋斗的精神，才能打下坚实的基础。

［思政映射点］培养学生吃苦耐劳、精益求精的老黄牛精神。

三、总结

**（一）专业知识或实践能力要点小结**

通过病例分析、测试问答及师生互动的方式对本章节重要知识点进行小结。

**（二）思政育人要点小结**

根据习近平总书记提出的“三牛”精神，引导学生树立正确的社会主义职业价值观，做一名合格医生。

四、课堂或课后练习

通过课后思考题强化学生对重点内容的掌握与记忆。

1. 肝脏实性占位性病变的影像学检查流程有哪些？

2. 龛影与憩室的 X 线钡餐造影表现有哪些？如何鉴别？

3. 恶性胃肠道肿瘤的 X 线钡餐造影表现有哪些？

4. 原发性肝癌的 CT 动态增强扫描特点有哪些？如何与肝脏海绵状血管瘤鉴别？

五、课后反馈

本课程开课以来受到学生和督导专家的一致好评，通过网络教学平台评论区、教学联席会和课程网络群等多渠道收到学生的良好反馈。学生们认为课堂上使用丰富的病例图片，辅以案例分析及测试问答能够增加课堂趣味性，激发学习积极性，更好地理解和掌握专业知识。同时，思政元素的融入不仅加强了学生对知识点的理解，同时激发了学生学习的主动性及创新性，使学生能够站在患者的角度去思考问题，领悟到了医学中的“三牛”精神。

## 【课程思政解析】

本课程首先通过设问方式，抓住牛胃与人胃解剖结构的差异引入“牛”及“三牛”精神，然后在讲解过程中逐步引入思政案例，层层引导，使学生产生共鸣，最后趁热打铁、总结升华。在讲解造影检查时，引出老前辈们在过去造影设备落后的情况下不惧射线，坚守工作岗位的事迹，培养学生甘于奉献的孺子牛精神。在对影像学检查方法进行小结时，讲述近几年来医学影像设备的发展历程，培养学生勇于探索、敢于创新的拓荒牛精神。在讲解检查方法的优选时，提出在选择检查方法时应充分考虑患者的经济条件，培养学生设身处地为患者着想的孺子牛精神。在对消化系统正常影像表现及基本病变进行小结时，讲述戚警吾教授勤于钻研的感人事迹，告诫学生要想成为一名好医生，就要从现在开始脚踏实地地掌握好每一个知识点，发扬吃苦耐劳、艰苦奋斗的老黄牛精神。

## 【推广应用效果】

通过将专业知识与思政案例有机结合，适当利用课堂互动，自然融入思政教育，培养学生甘于奉献、敢于创新、勤于钻研的“三牛”精神，达到润物无声地思政育人目的，对学生的医学人文教育起到了积极的推动作用。

（李　琦）

# 第六章　呼吸系统疾病案例

## 案例一　原发性支气管肺癌

**【课程名称】** 呼吸系统疾病

**【授课内容】** 原发性支气管肺癌

**【授课对象】** 临床医学专业学生

**【教学目标】**

一、专业知识目标

1. 掌握　肺癌的临床表现、诊断、鉴别诊断和治疗原则。

2. 熟悉　肺癌的病因及病理特点。

3. 了解　个体化精准治疗在当代医学中的意义。

二、思政育人目标

1. 培养学生对肿瘤患者的同理心，提高学生的职业道德修养。

2. 激发学生的职业使命感，努力提高临床诊疗水平。

3. 树立正确的社会主义职业价值观，立志投身医学研究。

**【教学设计】**

一、导入

**病例：**患者，男，69 岁，因“间断咳嗽 3 个月，加重伴痰血、声音嘶哑 10 余天”入院。患者近 3 个月体重减轻约 8kg。查体：左侧锁骨上扪及淋巴结肿大，左侧呼吸音稍低，余无阳性体征；既往 40 年吸烟史，每日约 20 支。

问题 1：该患者的临床诊断考虑什么？为什么？（要回答这个问题首先需要了解肺癌的临床表现及诊断方法）

二、展开

1. 概述

（1）原发性支气管肺癌（primary bronchogenic carcinoma）简称肺癌（lung cancer），为起源于支气管黏膜上皮细胞或腺体的恶性肿瘤，是最常见的肺部原发性恶性肿瘤，发病率和死亡率在我国均居各癌症之首。

（2）简介肺癌的流行病学特点：通过典型病例的临床表现提出问题并导出肺癌的临床表现。

2. 肺癌的临床表现　肺癌可无明显症状，当病情发展到一定程度才出现症状，多数患者在就诊时已有与肺癌相关的症状与体征。

临床表现与肺癌发生的部位、类型、大小、有无转移和并发症等有关，按部位可分为原发肿瘤、局部扩展、远处转移和肺外表现 4 类。

原发肿瘤引起的症状和体征：咳嗽、咳痰或咯血、喘鸣、胸闷、气急、胸痛、发热。

肿瘤局部扩展引起的症状和体征：胸痛、呼吸困难、吞咽困难、声音嘶哑、上腔静脉阻塞综合征、霍纳（Horner）综合征。

肿瘤远处转移引起的症状和体征：脑转移、肝转移、骨转移、肾上腺转移的各种症状和体征。

肿瘤的肺外表现：异位内分泌综合征、其他肺外表现。

问题 2：该患者下一步如何检查证实？

3. 实验室和其他辅助检查

（1）影像学检查：肺癌筛查可选用 X 线胸片或胸部低剂量 CT，其中胸部低剂量 CT 是首选检查方法。 核医学检查：正电子发射体层摄影（PET）。

（2）获得病理学诊断的检查

1）痰细胞学检查：痰细胞学检查是目前诊断肺癌简单方便的非创伤性诊断方法之一。强调标本质量，反复多次检查，可提高癌细胞检出率。

2）呼吸内镜检查：纤维支气管镜检查是诊断肺癌的主要方法之一，现已广泛应用于肺癌的诊断，特别是中央型肺癌。采用支气管镜检查图像截图、小视频辅助教学。

3）开胸手术探查。

问题 3：通过以上的临床表现及辅助检查，该患者诊断能明确吗？

4. 肺癌的诊断

（1）肺癌的诊断包括定性诊断、肿瘤分期及分子生物学诊断三部分内容。强调：影像学是发现肺癌征象的常用且有价值的方法，而病理学检查是肺癌确诊的必要条件。

问题 4：该患者诊断肺癌明确后，到底是早期还是晚期？

（2）肺癌的临床分期：肺癌的 TNM 分期是制订治疗方案的重要依据，也是影响患者治疗预后的重要因素。

（3）分子病理诊断：为后续的个体化治疗方案提供基础，应提供分子病理诊断。

问题 5：该患者诊断肺癌分期明确后，还要做些什么？为什么要做分子病理学诊断？（引出大家对精准化治疗的疑问和兴趣）

5. 肺癌的鉴别诊断

（1）肺结核。

（2）肺炎。

（3）肺脓肿。

在此带领同学简要回顾上述疾病的诊断要点。

问题 6：该患者既往体健，为什么会得肺癌？

6. 肺癌的病因和发病机制　肺癌的病因和发病机制迄今未完全明确，但有证据显示与下列因素有关。

（1）吸烟是引起肺癌的最重要原因。

（2）空气污染。

（3）职业致癌因子，如工作环境中存在镍、石棉、氯乙烯、煤焦油等。

（4）饮食与营养如维生素 A、维生素 E、维生素 $B_2$ 的缺乏。

（5）其他因素如病毒感染、遗传等。

7. 肺癌的病理分型

（1）肉眼类型：中央型、周围型和弥漫型三种主要类型。

（2）组织学类型及病变：鳞癌、腺癌、小细胞癌、大细胞癌、类癌等类型。

问题 7：该患者诊断分期明确，如何制订治疗方案？

8. 肺癌的治疗 肺癌的治疗原则：多学科综合治疗与个体化治疗相结合原则，即根据个体状况、组织类型和分子分型、临床分期，合理、有计划地应用手术、化疗、放疗、免疫和靶向治疗，以期最大限度地延长患者的生存时间和改善患者的生活质量。

针对不同肿瘤类型和分期，治疗策略有差别。

非小细胞肺癌：以手术为主的综合治疗。

Ⅰ～Ⅲa 期：以手术为主的综合治疗。

Ⅲb 期：以放疗为主的综合治疗。

Ⅳ期：以化疗、靶向治疗、免疫治疗为主的综合治疗。

小细胞肺癌：以化疗为主的综合治疗。

局限期：化疗+手术治疗。

广泛期：化疗+放疗。

（1）手术是早期肺癌的主要治疗方法，也是目前临床治愈肺癌的重要方法。

（2）肺癌的药物治疗

1）化疗：姑息化疗、辅助化疗和新辅助化疗。

2）靶向治疗：表皮生长因子受体（EGFR）、间变性淋巴瘤激酶（ALK）抑制剂，血管内皮生长因子（VEGF）抗体等。

3）免疫治疗：PD-1、PD-L1 抑制剂等。

（3）放射治疗：根治性放疗、姑息放疗、辅助放疗和预防性放疗等。

思政案例导入：肿瘤患者不仅承受着疾病的苦楚，还要承担精神和经济上的重负。电影《我不是药神》的大热将抗癌药物价格高昂的现实推到了舆论的风口浪尖。党和国家提出建设健康中国战略，将维护人民健康提高到国家战略水平，并且高度重视百姓疾苦，特别是对癌症的预防诊治与研究。

目前已有数十种抗癌药纳入国家医保药品目录，曾经某些被视为天价的抗癌药如今可以医保报销了！这让很多癌症患者重新点燃起对生活的希望。患者现在该感谢的远不止“药神”！

### 三、总结

围绕典型病例，运用多媒体、相关病例、医学图片等辅助资料，以临床诊疗路径为导向，系统讲解肺癌的临床表现、多种诊断方法、鉴别诊断和综合性、个体化治疗等，着重讲述相关临床表现、影像学特点及诊断思路的应用，以培养学生良好的临床思维能力。结合思政，培养学生对肿瘤患者的同理心，提高职业道德修养。激发同学职业使命感，努力提高临床诊疗水平，立志投身医学研究。

## 【课程思政解析】

以经典的临床病例导入，以 PPT 展示该典型病例，模拟临床接诊过程，并以该病例为线索贯穿整个讲课内容，启发学生思考，引出肺癌概念，引导学生观察与思考。突出肺癌临床发病率高、预后差，引起大家对该病的重视，并以此培养学生对肿瘤患者的同理心，提高职业道德修养。结合图片、示意图、视频等介绍活检标本获取途径，着重介绍支气管镜及经皮肺穿刺术在临床的应用价值，结合肺癌的病理分型，通过基础与临床交叉，引导学生系统学习。通过阐述病因和发病机制，使学生了解肺癌发生的高危因素，培养健康的生活习惯。通过介绍肺癌综合治疗方法，展示诊疗研究进展快，激发学生动力，提高诊疗水平。导入思政案例，激发学生爱国热情及学习动力，鼓励学生投身医学研究，为肺癌患者谋福祉。

（杨　帅）

# 案例二　肺　　炎

【课程名称】呼吸系统疾病

【授课内容】肺炎

【授课对象】临床医学专业学生

## 【教学目标】

### 一、专业知识目标

1. 掌握　肺炎的定义、分类、病理、临床表现、诊断标准和治疗原则。
2. 熟悉　肺炎的病因和发病机制，重症肺炎的诊断标准和治疗原则。
3. 了解　肺炎的流行病学、预后和预防。

### 二、实践（临床）能力目标

能够根据病史，进行重点查体，并结合辅助检查，作出肺炎的初步诊断，提出下一步检查和治疗原则。

### 三、思政育人目标

1. 坚定爱党爱国、为人民服务的信念，培养学生的职业使命感、荣誉感、责任感。
2. 培养严谨的科学精神、循证医学精神。
3. 引导学生尊重生命，培养学生的爱伤意识和人文素养。

## 【教学设计】

### 一、导入

**（一）思政素材导入**

以新冠肺炎疫情为切入点，与学生一起回顾党和国家以人民为中心，带领全国上下团结抗疫的事迹，以及广大医务工作者白衣执甲，为人民健康忘我战斗的故事。从而坚定学生爱党爱国和为人民服务的信念，同时激励学生努力学习、培养献身医学事业的使命感和能力。

**（二）病例导入**

给出一个具体肺炎病例，并以该病例贯穿全课讲授内容。

**病例：**患者，男，41岁，咳嗽、咳黄痰、发热5天，呼吸困难3天。查体：体温38.7℃，呼吸32次/分，脉搏110次/分，血压120/63mmHg，口唇及指甲发绀，双肺呼吸音粗，右下肺可闻及支气管呼吸音和湿啰音。

### 二、展开

围绕导入病例提问，并通过知识点的讲授回答相关问题。在讲授和互动讨论的过程中，穿插融入思政素材和教育。

问题1：该病例的诊断是肺炎吗？

**（一）肺炎的定义**

肺炎（pneumonia）是指终末气道、肺泡和肺间质的炎症，可由病原微生物、理化因素、免疫损伤、过敏及药物所致，其中细菌性肺炎最为常见（本课程中所讲的肺炎主要指病原微生物所致肺炎）。

**（二）肺炎的流行病学**

介绍肺炎的发病率和死亡率，让学生认识到肺炎给国家和人民带来的疾病负担，增强学生学习动力和为人民健康事业奋斗的责任感。

**（三）肺炎的分类**

1. 解剖学分类　大叶性肺炎、小叶性肺炎、间质性肺炎。

2. 病因学分类　病原体所致；理化、过敏、药物因素等所致。

3. 患病环境分类　社区获得性肺炎（CAP）、医院获得性肺炎（HAP）。

问题 2：该患者的临床表现与肺炎的临床表现一致吗？

**（四）肺炎的临床表现**

1. 症状　咳嗽、咳痰、咯血、胸痛、呼吸困难、发热等。

2. 体征　呼吸频率增快、鼻煽、发绀、湿啰音、叩诊浊音等。

3. 并发症　肺炎旁胸腔积液、呼吸衰竭、脓毒性休克、多器官功能衰竭等。

讲授中注意引导学生对肺炎患者产生同理心，培养学生爱伤意识，培养医学人文精神。

问题 3：为了明确诊断，需要做哪些进一步检查？

**（五）肺炎相关辅助检查**

1. 胸部影像学检查　X 线、CT。

2. 病原相关检查

（1）涂片镜检和培养：标本包括痰液（自主咳痰、诱导痰、气管镜吸取）、保护性毛刷刷片、肺泡灌洗液、血液、胸腔积液、经皮穿刺肺活检术等。

（2）抗原抗体检测：标本包括血液、肺泡灌洗液、尿液、痰液等。

（3）介绍通过支气管镜采集病原学检查标本。

3. 其他检查　血常规、C 反应蛋白（CRP）检查、降钙素原（PCT）检查、血气分析、与鉴别诊断相关的检查等。

给出患者检查结果，引导学生根据信息继续思考和讨论。

问题 4：根据临床表现和辅助检查结果，该患者的肺炎诊断是否成立？是否还需要做进一步评估？

**（六）肺炎的诊断和评估**

1. 明确诊断

（1）肺炎的诊断标准：符合以下第①～④项中任一项+第⑤项，在除外其他疾病后，可建立肺炎临床诊断。①新近出现的咳嗽、咳痰或原有呼吸道疾病症状加重，并出现脓性痰，伴或不伴胸痛；②发热；③肺实变体征和（或）闻及湿啰音；④白细胞计数＞ $10\times10^9$/L 或＜ $4\times10^9$/L，伴或不伴中性粒细胞核左移；⑤胸部 X 线及 CT 检查显示不同范围和形态的实变影或间质性改变，伴或不伴胸腔积液。

（2）肺炎的鉴别诊断

1）感染性疾病：包括上呼吸道感染、支气管炎、肺结核、肺脓肿、肺部真菌感染等。

2）非感染性疾病：包括肺癌、肺栓塞、间质性肺疾病、肺不张、血管炎等。

通过诊断和鉴别诊断，培养学生严谨的科学精神和临床思维。

2. 评估严重度　介绍重症肺炎的诊断标准。

3. 确定病原体

问题 5：一个疾病的诊断标准是如何确定出来的？

讲述新冠肺炎指南的制订和更新过程，让学生体会医务工作者是如何对一个新的未知疾病，通过观察、分析、试验，逐步了解，积累经验，并不断更新认知，制订指导全国抗疫行之有效的指南的，从而让学生体会并培养其科学探索和循证医学精神。

问题 6：该患者应如何治疗？

**（七）肺炎的治疗**

1. 一般治疗原则

（1）抗感染治疗：经验性治疗、针对病原体的目标治疗。

（2）对症治疗：止咳、祛痰、退热等。

（3）一般治疗。

2. 重症肺炎的治疗原则

（1）抗感染治疗：遵循“重锤猛击”和“降阶梯”原则。

（2）呼吸支持：经鼻高流量湿化仪吸氧、无创和有创机械通气等。

（3）抗休克：血管活性药物的应用。

（4）糖皮质激素的应用：解释细胞因子风暴。

（5）脏器保护支持治疗。

讲述抗疫期间，医生在护送新冠肺炎患者做 CT 的途中，停下欣赏夕阳的故事，让学生理解人是一个整体，治疗是为了维护生命的质量、尊严和意义，而不是技术方法的盲目堆砌，从而培养医学人文精神。

**（八）预后和预防**

略。

三、总结

**（一）专业知识或实践能力要点小结**

肺炎是终末气道、肺泡和肺间质的炎症，可由病原微生物、理化因素、免疫损伤、过敏及药物所致，以细菌性肺炎最常见。根据咳嗽咳痰、发热、肺部湿啰音等症状和体征、白细胞升高或减少、结合胸部影像学检查的改变，排除鉴别诊断后，可确立肺炎诊断。确立诊断后，需积极进行严重度的评估，并完善病原学及其他相关检查。根据严重程度和病原学情况，给予抗感染、对症、支持治疗。

**（二）思政育人要点小结**

肺炎为常见病、多发病，并可能暴发为传染病，为国家和人民带来疾病负担。我们需要坚定爱党爱国和为人民服务的信念，牢记医者责任使命，努力学习掌握肺炎的相关知识，并培养、提高诊断和治疗的能力，并以严谨的科学精神、循证医学精神不断探索、精益求精，才能真正做好人民健康的守护者，为祖国卫生事业作出贡献，实现人生价值。同时，我们也需牢记，医学不是冷冰冰的，而是需要充满人文关怀；尊重患者的生命、尊严，努力提高生存的质量，是医学真正的价值和意义。

四、课堂或课后练习

课后思考题：面对发热、咳嗽的患者，要如何分析、检查并给出治疗方案？在诊疗的过程中，除了检查和用药，还需注意什么？

五、课后反馈

本课程受到学生和同行专家的一致好评。课程的讲授方式是以病例导入，并贯穿学习讲授的全过程。该教学方式能够有效地吸引学生注意力，帮助学生理解和掌握知识，并更好地培养临床思维。同时，课程中自然融入思政元素，结合实事，让学生更好地理解为什么学、如何学、学习后需要达到的能力目标是什么，培养学生正确的价值观和爱国情怀，增强学习钻研的动力，并更具体地体会到医学的科学精神及人文情怀。

## 【课程思政解析】

本课程教学设计中，从导入到总结，均有意识地在课程中融入思政教育。在导入部分，结合当前时政，以身边真实故事、事迹，坚定学生爱党爱国爱人民的信念，深刻理解自己的职业使命和责任。在对肺炎基本情况介绍中，以实际数据让学生直观看到肺炎所带来的疾病负担，从而让学生增强学习动力和职业使命感。讲到临床表现时，通过形象地描述和换位思考，让学生对肺炎患者产生同理心，增强其爱伤意识，培养人文精神。在诊断和鉴别阶段，再通过临床实际思维过程和指南制订过程的介绍，强调科学的严谨，培养学生严谨的作风和科学精神。最后，在治疗和预后的讲解中，以新冠肺炎治疗过程中的真实故事，引导学生思考生命的意义，培养学生医学人文情怀。

## 【推广应用效果】

本课程教学效果在学生和同行专家中广受好评，并已积极向学院及校内外其他课程推广。

（杨　旭）

# 案例三　支气管哮喘

**【课程名称】** 呼吸系统疾病

**【授课内容】** 支气管哮喘

**【授课对象】** 临床医学专业学生

**【教学目标】**

**一、专业知识目标**

1. 掌握　支气管哮喘的定义、临床表现、辅助检查、诊断及鉴别诊断、治疗。

2. 熟悉　支气管哮喘的病因及发病机制。

3. 了解　支气管哮喘的病理及预后。

**二、实践（临床）能力目标**

1. 掌握　支气管哮喘的诊断及处理。

2. 熟悉　支气管哮喘患者的接诊流程。

**三、思政育人目标**

1. 普及医学生“救死扶伤，生命至上”的大爱医德。

2. 医学生应该要全面学习医学知识，了解常见危急重症，对疾病严重程度具有判别能力，能够对危急重症患者进行基本救治。

3. 普及哮喘知识，提高预防意识，对哮喘进行全程化管理，控制并减少哮喘急性发作，提高患者早期识别、自我救治能力，进而降低哮喘的急救和死亡率。

**【教学设计】**

**一、导入**

以图片方式通过临床病例导课。患者为年轻女性，接触刺激性气味后出现咳嗽、喘息就诊，既往有鼻炎病史。引导学生总结患者临床特点，并提出问题：患者得的是什么病？通过临床病例启发学生思考，引导学生带着探索精神进入课堂。

**二、展开**

按照教学大纲要求进行，导入后先展示教学安排和要求，让学生明确本节课的知识结构和重点内容，然后按照课程逻辑展开讲授和学习。

**（一）概念、流行病学特点**

1. 概念　支气管哮喘：以慢性气道炎症为特征的异质性疾病；表现为喘息、气促、胸闷和咳嗽等呼吸道症状；可变性症状及可变的呼气气流受限，常由呼吸道病毒感染、锻炼、接触过敏原、天气变化等触发，多数患者可自行缓解或治疗后缓解。

2. 流行病学特点　通过图片展示强调中国是“支气管哮喘病死率最高的国家之一”这一流行病学特点，特别是儿童的发病率高，严重危害人民健康，是需要重点关注的疾病。

**（二）临床表现**

1. 症状　典型症状如下。

（1）发作性伴有哮鸣音的呼气性呼吸困难、胸闷或咳嗽。

（2）症状及程度随时间变化是重要特征。

（3）常在夜间及凌晨发作或加重。

2. 体征

（1）典型体征：双肺广泛、多变的呼气相哮鸣音，呼气音延长。

（2）危重症者：沉默肺，呼吸音减弱或者消失，提示病情危重。

（3）非发作期可无异常。

3. 分期及控制水平分级　结合图片及音频、视频介绍支气管哮喘的临床表现，以及典型的支气管哮喘发作时的肺部体征，加深学生对症状及体征的理解，培养学生对患者的同理心。

（1）急性发作期严重程度分级。

（2）非急性发作期哮喘控制水平分级。

**（三）诊断及鉴别诊断**

1. 介绍支气管哮喘的辅助检查方法、诊断标准，结合之前引入病例对支气管哮喘诊断流程进行梳理。

2. 介绍与支气管哮喘鉴别的相关疾病，从查体到辅助检查的不同，强调医生掌握扎实临床能力的重要性，树立作为医务工作者救死扶伤的职业荣誉感。

**（四）病因及发病机制**

介绍支气管哮喘的病因和发病机制，通过视频的讲解将支气管哮喘发病机制与临床症状联系起来，引导学生对哮喘的病理生理与哮喘本质的关联的理解。鼓励学生勇于创新及钻研，攀登医学科研高峰，更加深入研究支气管哮喘的病因及发病机制，从而发现更加有效的治疗及预防方式。

**（五）病理生理**

通过网络教学平台完成连线题，引导学生了解哮喘的病理生理与哮喘本质的关联。

**（六）治疗**

最后讲解本章节核心内容支气管哮喘的治疗与预防，通过讲解不同时期治疗策略强调哮喘急性发作需提高预防意识，哮喘治疗需全程管理，控制并减少哮喘急性发作，提高早期识别、自我救治能力，进而降低哮喘的急救和死亡率。

此后，讲述案例“医学院老师课堂中紧急救援，花季少年转危为安”，让学生深刻体会作为医学生应当全面学习，了解常见危急重症，对疾病严重程度具有判别能力，能够冷静对危急重症患者进行基本救治，培养学生“救死扶伤，生命至上”的大爱医德。在课程最后阶段布置课后思考题作业，加深学生对该疾病的学习，指导学生课后查阅最新指南文献。

## 三、总结

**（一）专业知识或实践能力要点小结**

结合病例，系统梳理支气管哮喘的流行病学、临床表现、病因及发病机制、治疗及预防等知识点。

**（二）思政育人要点小结**

回顾支气管哮喘教学内容，引出医生职业的荣誉感及使命感、人文关怀等思政元素。结合思政案例，巩固思政育人的课程目的。

### 四、课堂或课后练习

1. 利用信息化教学方法，如网络教学平台完成在线测试题及课后作业，强化对重点内容的掌握与记忆。

2. 推荐阅读 *Global Strategy for Asthma Management and Prevention (Global Initiative for Asthma*, GINA, 2020)。

### 五、课后反馈

为提升课堂教学的成效，课后设计知识、能力和思政目标相融合的思考题：①如何进行支气管哮喘的全程化管理？②对支气管哮喘患者进行患者教育的思考。学生可继续学习最新指南文献，进一步思考、体会本节课所设置课程思政内容，从而达成课程思政教育目标。

通过网络教学平台、师生面对面交流调查学生满意度及收集学生评价，开放师生沟通渠道，了解学生对思政教学内容的感悟。同时，教研室开展集体备课，对本章节课程进行思政元素、思政对接点、思政融入情况的讨论，并持续改进。

## 【课程思政解析】

本课程以支气管哮喘为主题，以“立德树人”为价值导向，通过挖掘、提炼课程中内蕴的社会责任、科学和人文精神等思想政治教育资源，实现知识传授与价值引领的有机统一，进而构建了本课程与思政课程同向同行、多方协同的全员、全程、全方位的育人格局。

通过介绍支气管哮喘的流行病学调查，帮助学生建立“中国是哮喘病死率最高的国家之一，哮喘严重危害人类健康”的概念，激发学生作为医生的职业责任感。通过讲解不同时期治疗策略强调哮喘急性发作需提高预防意识，提出哮喘治疗需全程管理的理念，控制并减少哮喘急性发作，提高早期识别、救治能力，进而降低哮喘的急救和死亡率。培养学生树立“敬佑生命、救死扶伤”的医者精神。

通过学习支气管哮喘的诊断、治疗方法，鼓励学生勇于攀登医学科研高峰，改善患者生存质量，培养医师的职业荣誉感和责任心，培养具有仁心仁术、人文关怀理念的医生。

通过情境营造引申至“医学院教师课堂中紧急救援，花季少年转危为安”的真实事件，弘扬医务人员在危急时刻救死扶伤的责任和担当。培养学生“救死扶伤，生命至上”的大爱医德，树立“道路自信、理论自信、制度自信、文化自信”的价值观。

本次课堂教学从思政目标的制订、对接点的查找、教学过程的设计等方面进行了系统设计。其中教学过程与思政教育内容如何有机融合等，尚需进一步完善。尤其是如何评价学生的课程思政目标是否达成更是一个需要深入思考的论题。

## 【推广应用效果】

本教学案例在 2020 ～ 2021 学年第一、二学期于重庆医科大学第一临床学院本科生授课中应用效果好，学生对本章节知识技能内容掌握情况较好，期末考试对应题目失分率＜ 15%；学生满意度＞ 95%，整体评价较高。

（黄　靓）

# 案例四　肺血栓栓塞症

**【课程名称】** 呼吸系统疾病

**【授课内容】** 肺血栓栓塞症

**【授课对象】** 临床医学专业学生

## 【教学目标】

### 一、专业知识目标

1. 掌握　肺血栓栓塞症的流行病学、临床表现、危险因素、治疗和预防。

2. 熟悉　肺血栓栓塞症的病因及发病机制。

### 二、实践（临床）能力目标

1. 掌握　在高危人群中识别肺血栓栓塞症并及时诊治的临床能力。

2. 熟悉　肺血栓栓塞症的预防策略。

### 三、思政育人目标

1. 树立学生积极诊治肺栓塞的观念，体现主动救治与被动防护的双重意义，培养学生作为医务工作者的责任与担当。

2. 激发学生对患者的同理心，在诊治疾病的同时，对患者生活方式进行健康宣教，避免不良习惯导致的疾病发生。

3. 体会“生命至上、举国同心、舍生忘死、尊重科学、命运与共”的抗疫精神，培养学生的职业荣誉感。

## 【教学设计】

### 一、导入

情景营造：“小张乘坐长途飞机后突发左下肢肿胀、胸闷气促，后晕倒在飞机走廊上”。通过病例引导学生从专业知识和自我认识层面剖析并思考：“小张可能患有什么疾病？如果在飞机上遇到这样的场景会怎么做？”为讲解肺栓塞这一疾病“危急危重、猝死率高、需紧急救治”等特点做铺垫。接着，展示我院医护人员多次在飞机上成功抢救乘客的真实案例，激励学生救死扶伤的责任担当，培养学生“生命至上，人民至上”的大爱医德，教导学生扎实学习专业知识，掌握临床技能，以面对紧急时刻并成功施救。

### 二、展开

首先，通过介绍肺栓塞具有“高发病率、高死亡率、多发而少见（高漏诊率+高误诊率）”的流行病学特点，揭示肺栓塞易导致猝死，进而导致医疗纠纷，是临床医生需要重点关注的风险疾病。同时，引入王辰院士牵头建立国家级的静脉血栓栓塞症（VTE）防治管理体系，简单介绍其内容及构架，使学生领会党和国家对疾病防控的整体部署和对人民群众健康的重视，树立学生“健康中国”的家国情怀。在学习理论知识的同时，对接国家整体管理防控理念，升华学生不仅作为“医生”，也是作为“人民健康管理者”的视野。

其次，阐述本章节的重点与难点——临床表现，使学生掌握肺栓塞患者可能猝死的特点，并理解临床医生在高危人群中识别肺栓塞可疑征象的重要性。同时，分享一个成功挽救危重肺栓塞患者的病例，培养学生敏锐的观察力和钻研的精神，及时发现患者潜在的病征及可能的病因，尽可能解决问题，挽救患者的生命，树立作为医务工作者救死扶伤的职业荣誉感。

再次，通过分享我院多学科联合每年定期举办的世界血栓日活动及科普小视频，培养学生对健康的更高层次的理解，加强对自身生活方式的管理。同时了解栓塞存在多种病因及高危因素，是一个通过调整生活方式达到医患共同参与预防及管理的疾病，培养学生对患者的同理心、对职业的认同感，在诊治疾病的同时需对患者生活方式进行健康宣教，避免不良习惯导致的肺栓塞发生。

此外，肺栓塞的病因及发病机制尤其是基因方面的驱动因素，是目前医学界的热门研究。通过分享两例近期肺栓塞相关科学研究成果，鼓励学生攀登医学科研的高峰，勇于创新及钻研，更加深入研究肺血栓栓塞症这种复杂疾病的病因及发病机制，从而发现更加有效的治疗及预防方式，培养医学生职业荣誉感和责任心。

最后，通过讲解本章节核心内容肺栓塞的治疗与预防（即肺栓塞的治疗主要包括足疗程规范用药和定期复查），树立学生充分进行患者宣教的意识，形成“医患合作共同抵御疾病”的医疗思维，提高患者的依从性，以期实现临床治愈。此后，提出课后思考：“如在飞机上高度怀疑小张为急性肺栓塞，应等待紧急迫降后送往医院进行确诊检查，还是有条件可立即使用抗凝药？”指导学生课后查阅最新指南文献及个案报道以回答该问题并鼓励学生在网络教学平台上分享答案。

预防策略的实施是降低肺栓塞及 VTE 发病率的关键。通过讲解预防策略，回顾小张案例并提问：“长途空中旅行时可以使用哪些方式进行 VTE 预防？”分享我科医务工作者在疫情前线为新冠肺炎患者行 VTE 预防的真实案例，体现“生命至上、举国同心、舍生忘死、尊重科学、命运与共”的抗疫精神。建立预防比治疗更重要的肺血栓栓塞症治疗观念，诠释我国传统医学“治未病”的观点，深化医务工作者“治病救人”的理念。

通过以上肺血栓栓塞症知识点与思政元素的对接，我们将本章节教学内容与课程思政有机对接、深度融合，从而达成知识、能力与情感、态度及价值观的有效衔接，既学习了知识、培养了能力，又达到了课程思政的目的。

## 三、总结

### （一）专业知识或实践能力要点小结

完成上述知识点学习后，再次结合小张病例，系统梳理肺血栓栓塞症的流行病学、临床表现、病因及发病机制、治疗及预防等知识点，掌握在高危人群中识别肺血栓栓塞症并进行及时诊治的临床能力，并熟悉肺血栓栓塞症的预防策略，在临床工作中加以推广。

### （二）思政要点小结

完成上述知识点学习及与思政内容对接后，在肺血栓栓塞症诊治体系的基础上，升华大爱医德、医生职业的荣誉感及使命感、抗疫精神等思政元素。回顾本堂课主要讲述的教学内容，巩固思政育人的课程目的。

## 四、课堂或课后练习

为提升课堂教学的成效，课后设计知识、能力和思政目标相融合的作业，课后思考：

"如在飞机上高度怀疑小张为急性肺栓塞，应等待紧急迫降后送往医院进行确诊检查，还是有条件可立即使用抗凝药？"学生可继续学习最新指南文献，进一步思考、体会本节课所设置课程思政内容，从而达成课程思政教育目标。

利用信息化教学方法，使用网络平台进行随堂测验，强化对重点内容的掌握与记忆。

**五、课后反馈**

本课程开课以来受到学生和督导专家的一致好评，通过网络教学平台评论区、教学联席会和课程网络群等多渠道收到学生的良好反馈。在重庆医科大学第一临床学院本科生授课中应用效果好，学生对本章节知识技能内容掌握情况较好，学生满意度＞95%，整体评价较高。通过本节课学习，教学内容与课程思政有机对接、深度融合，学生反馈既学习了知识又培养了能力，达到了课程思政的目的。

## 【课程思政解析】

本课程以肺血栓栓塞症为主题，以"立德树人"为价值导向，通过挖掘、提炼课程中内蕴的家国情怀、社会责任、科学和人文精神等思想政治教育资源，实现知识传授与价值引领的有机统一，进而构建了本课程与思政课程同向同行、多方协同的全员、全程、全方位的育人格局。

通过情境营造引申至我院医护人员在飞机上成功抢救乘客的真实事件，弘扬医务人员在危急时刻救死扶伤的责任和担当。培养学生"救死扶伤，生命至上"的大爱医德，树立"道路自信、理论自信、制度自信、文化自信"的价值观。

通过对接肺栓塞理论知识及思政元素，了解并拥护党和国家对于人民群众健康需求的整体战略部署。通过分享我科医务工作者在疫情前线为新冠肺炎患者行 VTE 预防的真实案例，结合我国传统医学"治未病"的经典理念，弘扬"生命至上、举国同心、舍生忘死、尊重科学、命运与共"的抗疫精神。

本次课堂教学从思政目标的制订、对接点的查找、教学过程的设计等方面进行了系统设计。其中课程教学目标如何具体描述，教学内容和思政教育的对接点如何充分体现，教学过程与思政教育内容如何有机融合等，尚需进一步完善。尤其是如何评价学生的课程思政目标是否达成更是一个需要深入思考的论题。

## 【推广应用效果】

本课程入选重庆市线上线下混合式一流课程、重庆市第一批"市级虚拟教研室"，荣获重庆市高校课程思政示范项目，以及参评 2021 年国家级线上线下混合式一流课程。本教学案例由本教研室优秀教师改编后，荣获重庆医科大学第一临床学院 2021 年课程思政创新设计大赛一等奖、最受学生欢迎奖和最佳教案奖。

本课程的成功经验已形成示范并向整合医学其他系统专业课程、校内其他专业及其他兄弟院校等推广，在国内整合医学教学教育界受到广泛关注。

（杨毕君）

# 第七章　循环系统疾病案例

## 案例一　慢性心力衰竭的治疗

**【课程名称】** 循环系统疾病

**【授课内容】** 慢性心力衰竭

**【授课对象】** 临床医学专业学生

### 【教学目标】

#### 一、专业知识目标

1. 掌握　慢性心力衰竭（chronic heart failure，CHF）的治疗原则，药物治疗“金三角”等；洋地黄制剂的合理应用。

2. 熟悉　慢性心力衰竭的分阶段治疗原则；利尿剂、血管扩张剂的合理应用。

3. 了解　心力衰竭治疗的变迁和发展，以及20世纪90年代里程碑式的治疗进展和原因。

#### 二、实践（临床）能力目标

1. 临床思维能力　以慢性心力衰竭的治疗策略转变为切入点，引导学生对防治战线前移的开放性思考，引出慢性疾病的治疗目标：在带病共存的前提下优化治疗方案，延缓疾病进展，改善生存质量，降低再住院率，延长生存时间。

2. 科研兴趣与思维能力　以时间为轴连接慢性心力衰竭治疗策略演变和心力衰竭机制研究进展的内在关系，激发学生临床科研兴趣及科研思维萌芽。

#### 三、思政育人目标

1. 培养学生“敬佑生命、仁心大爱”的医者精神。

2. 鼓励学生“以患者为中心”为出发点、保持对慢性疾病患者全生命周期的关注和关爱。

3. 引导学生以改善慢性疾病患者健康质量的治疗需求为切入点，激发学生迎难而上、锐意进取、勇攀医学高峰的无产阶级革命精神。

4. 培养全心全意守卫人民健康的温暖医者。

### 【教学设计】

#### 一、导入

在前次课程基础上，简要回顾“慢性心力衰竭”的课程构成，在“发病机制、临床表现和诊断”基础上引出本次课程：慢性心力衰竭的治疗。引用著名心脏病学家布朗威（Brauwald）教授的评价：心力衰竭是人类战胜心血管疾病的最后战场之一。

通过提出问题：“慢性心力衰竭，迄今为止难以根治，那学习这节课的意义何在？”来启发学生。通过播放一例心力衰竭青年患者虽经抢救却遗憾离世的视频，引导学生对慢性心力衰竭治疗目标的思考与定位，并提问“对于心力衰竭这类无法治愈的疾病，医生到底能够帮助患者做些什么？”延伸出“从医初心”：敬佑生命、救死扶伤。引导学生对慢性心力衰竭治疗目标的思考，提出本次课程概述。

二、展开

**（一）心力衰竭病理生理机制回顾及心力衰竭四阶段探讨**

1. 通过播放动画，回顾慢性心力衰竭时心脏结构和血流动力学变化。

2. 简单复习心力衰竭的四阶段：1994 年美国心脏病学会（AHA）将广义心力衰竭分为 A、B、C、D 四期。A 期为前心力衰竭阶段；B 期为前临床心力衰竭阶段；C 期为临床心力衰竭阶段；D 期为难治性心力衰竭阶段。

大多数时候我们所说的心力衰竭指 C 期和 D 期，而把对 A/B 期的治疗称作心力衰竭的预防阶段。

3. 通过直方图展现我国心力衰竭住院患者常见病因构成：主要病因从风湿性心脏瓣膜病转变为冠心病等。

思政融入：由心力衰竭住院患者的疾病谱变化提及几代中国医生对瓣膜病防治的成效，体现医者价值，同时激发客观理性的科研思维。

**（二）分步骤剖析慢性心力衰竭的治疗**

1. 治疗内容：包括病因治疗、一般治疗、药物治疗和非药物治疗（器械、移植等）四个方面（重点）。

2. 引出心力衰竭分阶段治疗原则：A 期，控制危险因素；B 期，控制危险因素+治疗基础疾病；C 期，治疗基础疾病+急性期的处理+慢性期的管理；D 期，ABC 期的治疗原则+非药物治疗措施。

从目前慢性心力衰竭患者全生命周期的管理谈起，引导学生思考：“为什么慢性心力衰竭防治策略前移至 A 期？有何意义？”“同学们认为慢性心力衰竭防治最关键的阶段在哪里？为什么？”让学生带着问题去学习、去思考、去探索。

3. 以时间为轴，呈现心力衰竭机制的研究进展，同时呈现防治策略的相应变迁和发展方向（重点及难点）；详细讲解不同历史时期的治疗策略，强调为重点和考点。

（1）20 世纪 70 年代以前：心力衰竭是心肌收缩力下降所致，因此大量使用强心剂联合利尿剂，短期内症状改善，病死率却并未下降。

（2）20 世纪 70 年代至 90 年代：认识到心力衰竭时血流动力学的改变，引入血管扩张剂联合洋地黄类药物使用，短期内症状改善更加明显，仍然未能降低病死率。心力衰竭治疗经典总结：强心、利尿、扩血管。

1）用情景剧呈现利尿减负、洋地黄类药物增强心肌收缩力对心力衰竭治疗的原理和效果，吸引学生的注意力、帮助记忆。枯燥的理论知识以情景剧呈现，生动活泼，寓教于乐。

2）接着，以思维导图形式逐步呈现洋地黄类药物的适应证、禁忌证，以及洋地黄中毒的临床表现与处理。分类解析利尿剂的临床应用价值和进展。简单提及血管扩张剂的研究进展，视频播放心力衰竭的治疗，教师配音讲解（去除视频原声，以增加课堂吸引力）。

（3）20 世纪 90 年代至今，基础研究发现心力衰竭时神经内分泌系统的过度亢进，造成心室重构、细胞凋亡等不可逆的损伤，药学家和临床医生开始尝试使用药物抑制过度激活的神经内分泌系统。阐明神经内分泌系统紊乱的机制进展对降低慢性心力衰竭患者病死率具有里程碑式意义，逐一剖析药物的治疗作用、临床应用价值。重点强调慢性心力衰竭药物治疗“金三角”组合的演变和进展。同时强调治疗过程中对重要指标（心律/心率、电解质、血压等）的观察随访，对患者的生存状态具有重要意义。阐明 2014 ～ 2018 年“金三角”的更新和临床意义，简单提及血管紧张素受体脑啡肽酶抑制剂（ARNI）背后的故事，并通过线上课堂进一步了解。提醒大家课后巩固相关药理知识。

思政融入：以知识链条串起心力衰竭治疗 80 年发展历程，讲述背后的科研故事和精神，体现医者价值。对于暂时无法治愈的疾病，应始终秉承“医疗技术有限，医者仁心无界”的高尚情操，以“患者利益最大化”为全程目标，安慰、鼓励和治疗同步推进。

（4）教师提问：“假如慢性心力衰竭进一步发展，药物治疗不能继续帮助到患者，那怎么办？”学生回答：“非药物治疗！”

从而引出器械治疗——器官移植部分内容，这部分内容以图片和视频形式呈现，因为临床实际使用比例较小，实习阶段可能也很少能看到。

思政融入：引导学生体验“仁心大爱”的医者精神，以患者为中心，迎难而上地实践和优化治疗策略，可谓风雨兼程，已经实现通过规范的治疗和管理，达到“改善患者生活质量，延长患者生命”的里程碑式进步。提及“重庆造”人工心脏和中国医生提出的左束支区域起搏。以视频形式直观呈现心力衰竭终末期的终极治疗措施——心脏移植。

（5）最后从病因治疗角度提及心力衰竭的根本治疗措施：预防。回答课堂早期问题：慢性心力衰竭最好的治疗阶段在 A/B 期，而最能让患者看到疗效的是 C 期，最危险且治疗难度最大的是 D 期。

心脏病因治疗进入基因时代，对学生提出殷切希望：心力衰竭治疗的未来在同学们的努力中。

## 三、总结

### （一）专业知识要点小结

以口诀形式总结慢性心力衰竭的治疗策略便于记忆。

控制危险要趁早，对因治疗很关键；

强心利尿扩血管，神经内分泌勇担当；

如果病情仍进展，非药物治疗不能忘；

起搏辅助加移植，心衰防治满希望！

### （二）思政育人要点小结

1. 引导学生体验“仁心大爱”的医者精神：以患者为中心，迎难而上地实践和优化治疗策略，可谓风雨兼程，已经实现通过规范的治疗和管理，达到“改善患者生活质量，延长患者生命”的里程碑式进步。

2. 引导学生认识医学科学持续发展的内在动力，以及当下的局限，激发学生开拓进取、为攻克人类疾病勇攀高峰的科学精神！

## 四、课堂或课后练习

课后学生可以在网络教学平台上参与答题和讨论，课后思考题分为基础版和进阶版。

### （一）基础版

1. 不同时期慢性心力衰竭的药物治疗“金三角”有哪些？为什么它们能成为“金三角”？

2. 慢性心力衰竭的分阶段治疗原则是什么？不同时期的治疗对慢性心力衰竭患者的

意义何在？

3. 洋地黄类药物在心力衰竭治疗中的应用及注意事项有哪些？

**（二）进阶版**

患者，女，68 岁，确诊风湿性心瓣膜病 10 年，劳力性心悸气促 4 年余，近 2 年因气促伴下肢水肿反复住院，每次住院时间 7 ～ 20 天，请为该患者提出可能的治疗策略及风险分析。

介绍拓展学习资源：网站、书籍、公众号等。

五、课后反馈

本课程开课以来受到学生和督导专家的一致好评，通过网络教学平台评论区、教学联席会和课程网络群等多渠道收到学生的良好反馈。学生评价：用时间链条贯穿心力衰竭机制及治疗的思维导图、课堂情景剧、音视频融入等形式便于帮助记忆知识点，思政教育在专业知识讲授过程中无痕融入，得到学生的肯定。

## 【课程思政解析】

课程以“坚守初心，风雨兼程；突破进取，勇攀高峰”串起初心、实践和理想的思政教育主线；在专业课程中润物无声地多维度、多层次融入思政元素，培养新时代兼具人文关怀与专业能力的温暖医者，具体体现在如下方面。

1. 以学生在线预习课程后的困惑为引子：“慢性心力衰竭，迄今为止难以根治，那我们学习‘慢性心力衰竭的治疗’这部分内容，意义何在？”，延伸出“从医初心”：“敬佑生命、救死扶伤”。

2. 对于临床暂时无法治愈的疾病，医者应始终秉承“医疗技术有限，医者仁心无界”的高尚情操，以“患者利益最大化”为全程目标，安慰、鼓励和治疗同步推进，培养学生积极的职业价值观。

3. 以时间为轴线呈现心力衰竭机制与治疗演变发展，引导学生体验“仁心大爱”的医者精神：以患者为中心，迎难而上地实践和优化治疗策略，达到“改善患者生活质量，延长患者生命”的里程碑式进步。

4. 传播唯物主义世界观，引导学生客观认识人类智慧对疾病认知的时代局限，同时又科学辩证地对待新方法，在为患者选择治疗方案时，牢记无创方法优先，而有创治疗务必以“患者利益最大化”为前提。

5. 以持续改善患者健康质量的治疗需求为切入点，激发学生积极探索未知领域、勇攀医学高峰的无产阶级革命精神，培养全心全意守卫人民健康的温暖医者。

思政讨论以开放式提问的线上思考题得以延伸，为学生进一步见习、实习等临床实践学习奠定坚实基础。

## 【推广应用效果】

本课程的现场讲课获得 2020 年重庆医科大学思政讲课比赛优秀奖；本课程的成功经验已在重庆医科大学第二临床学院内其他专业课程推广。

（朱　悫）

# 案例二　心　包　炎

**【课程名称】** 循环系统疾病

**【授课内容】** 心包炎

**【授课对象】** 临床医学专业学生

**【教学目标】**

一、专业知识目标

1. 掌握　急性心包炎的临床表现、治疗原则。

2. 熟悉　心包炎的诊断、鉴别诊断。

3. 了解　心包炎的类型、病因和病理。

二、思政育人目标

1. 通过患者因经济原因放弃治疗的案例，让学生了解医生如何个体化帮助患者。

2. 了解国家对贫困人群医疗保障制度“一站式”结算、肺结核免费治疗政策，培养学生在临床细节上灌注爱心，主动帮助患者解决问题。

**【教学设计】**

一、导入

**病例：** 患者，女，54岁，因“胸痛伴活动后气促5天”入院；查体：呼吸急促，端坐呼吸，心脏叩诊浊音界增大；既往2年肺结核病史，因家庭经济原因，未规范治疗，自行停药，外院CT提示心包中少量积液。

向学生提出问题：该患者的临床诊断有哪些？为明确是否为心包炎需作哪些进一步检查？（引出急性心包炎诊断）

二、展开

以案例导入急性心包炎的诊断后，可进一步追问学生。

问题1：为什么这个患者要考虑急性心包炎可能？（需要详细了解急性心包炎的临床表现）

急性心包炎的临床表现：①胸痛，疼痛常位于心前区；疼痛的性质可尖锐，疼痛也可呈压榨样，需注意与心肌梗死所致胸痛相鉴别。②呼吸困难，端坐呼吸、身体前倾、呼吸浅速。③全身症状，发热、乏力、食欲下降、消瘦等。

问题2：该患者入院后重点做哪些检查？（先让学生回答了解的项目，然后着重强调哪些属于重点检查，以训练学生临床诊断的思路）

实验室和其他辅助检查：①实验室检查。②心电图示ST段抬高，见于除aVR、$V_1$导联以外的所有常规导联中，呈弓背向下型。③X线检查示心脏阴影呈“烧瓶样”。④超声心动图。⑤CT/MRI检查。⑥心包穿刺检查：抽取积液可缓解心脏压塞症状，同时也可对抽取的液体进行常规、生化、病原学、测定肿瘤标志物等检查。

问题3：通过以上的临床表现及辅助检查，该患者诊断能明确吗？

急性心包炎的诊断及鉴别诊断。（强调：急性心包炎的病因诊断不同，涉及其治疗及

预后各不相同，因此了解心包炎常见的五种病因鉴别非常重要）

五种常见心包炎的鉴别诊断：①特发性心包炎。②结核性心包炎（我国常见心包炎）。③化脓性心包炎。④肿瘤性心包炎。⑤心脏切开术后综合征。

问题 4：急性心包炎的病因有哪些？

急性心包炎的病因：①特发性，即非特异性。②感染。③肿瘤。④免疫-炎症。⑤放射性损伤。⑥创伤性因素。⑦先天性疾病。其中以非特异性、结核性、化脓性和风湿性心包炎较为常见。

急性心包炎的病理与病理生理：①纤维蛋白性心包炎。②积液渗出性心包炎。

问题 5：如何为该患者制订治疗方案？

急性心包炎的治疗如下。①一般治疗。②药物治疗：抗结核药及抗生素使用，抗肿瘤药物，糖皮质激素治疗。③手术治疗：心脏压塞者，可行心包穿刺引流；含较多凝块和纤维条索样物质的积液，建议行心包开窗引流。

思政元素：为该患者制订治疗方案，拟行心包穿刺抽液、抗结核及营养支持治疗，患者却拒绝了相关治疗并要求出院。主治医生在进一步询问过程中，了解患者家庭为当地贫困户，因费用问题既往肺结核治疗过程中自行停药。主治医生遂耐心讲解患者疾病治疗的必要性，告知患者肺结核可以通过结核转诊单在当地防疫站申请免费药物治疗。同时主治医生通过积极联系医保机构了解了相应报销政策，由于患者为建档立卡贫困户，目前重庆为贫困户建立健康扶贫政府兜底救助等 7 道医疗保障线，即通过在医疗机构实施“先诊疗后付费”政策，实现贫困户医疗保障“一站式”结算。患者在该医生的劝说下，最终接受进一步治疗。截至出院当天，患者住院治疗共花费 16 477.42 元，最后实际自付 1647.74 元，看病负担大大减轻。

问题 6：该患者经过治疗能否完全治愈？

急性心包炎的预后：急性心包炎的病程及预后取决于病因。病毒性心包炎、非特异性心包炎、心肌梗死后或心脏切开术后综合征通常具有自限性。化脓性心包炎和结核性心包炎部分遗留心肌损害可能发展为缩窄性心包炎。

以整个病程中的症状、查体及诊治环节为主线，向学生们讲解急性心包炎的特点，并利用该患者的下一次住院引出下一章节缩窄性心包炎这一主题。

## 三、总结

### （一）专业知识或实践能力要点小结

本章节围绕典型病例，运用多媒体、相关病例、医学图片等辅助资料，以临床诊疗路径为导向，着重讲述心包炎临床表现、影像学特点及诊断思路的应用，以培养学生良好的临床思维能力。

### （二）思政育人要点小结

在专业知识教学中结合国家对贫困人群医疗保障制度“一站式”结算，培养学生临床工作中人文关怀素养及为患者服务的意识。

## 四、课堂或课后练习

课后作业思考题：除了国家基本医疗保险，还有哪些方式可以解决该患者治疗费用？（让学生了解更多有关困难群众的医疗保障制度，如商业保险、城市补充保险）

五、课后反馈

本课程在教学中得到学生的积极反馈。在教学过程中通过提问方式能积极引导学生思考问题，能够更好地帮助理解和掌握专业知识。同时思政观点的自然融入，进一步扩大了学生的知识面，体会到医者应该具有良好人文关怀和主动帮助的重要性。

## 【课程思政解析】

本章节围绕典型病例，采用案例式、提问式教学法，通过临床典型病例，以临床诊疗路径为导向，系统讲解急性心包炎临床表现、诊断、鉴别诊断和治疗，引导培养学生主动学习能力，培养临床思维能力。在急性心包炎治疗章节中，设定特殊情节，即患者拒绝治疗并要求出院，主治医生在进一步耐心询问过程中，了解到患者因经济原因拒绝治疗。主治医生遂耐心讲解疾病治疗的必要性，告知患者肺结核可以在当地防疫站申请免费药物治疗；同时积极联系医保机构，根据政府兜底救助的医疗保障政策，使得患者经济负担得到极大缓解。这一案例启发学生了解当前临床工作中常遇到的患者因经济原因放弃治疗，医生如何个体化帮助患者，了解国家对贫困人群医疗保障制度“一站式”结算，了解国家对肺结核免费治疗政策。从而培养学生对患者的同理心，提高职业道德修养，树立正确的社会主义职业价值观。

## 【推广应用效果】

本课程在教学实践中得到学生们及同行的积极反馈：病例引导贯穿整个学习过程，不仅提高了临床思维能力，同时也激发了学生主动学习更多的医疗保障相关政策，使学生在以后工作中能够积极地帮助解决患者的经济、心理困难。与同行交流后，普遍认为结合病例教学，学生的接受度较高。

（蔡　伟）

# 案例三 心脏性猝死

**【课程名称】** 循环系统疾病

**【授课内容】** 心脏性猝死

**【授课对象】** 临床医学（“5+3”一体化）专业学生

**【教学目标】**

一、专业知识目标

1. 掌握 心脏性猝死的定义、病理生理机制、预防和治疗措施；心脏性猝死的识别和抢救处理。

2. 熟悉 心脏性猝死的常见病因和高危人群识别。

3. 了解 心脏性猝死的预防。

二、思政育人目标

1. 让学生理解疾病的突然恶化是临床医疗工作中的客观存在，引导学生建立坚强的意志品质，树立高尚的医德，遇事沉着理智。通过医务人员坚持不懈的努力使患者最终取得了良好的临床结局，感召学生培养敬畏生命、精进业务的职业道德。

2. 教育学生敬佑生命，永不放弃。激励学生培养高尚的医德，追求精湛的医术。

**【教学设计】**

一、导入

**（一）病例导入**

**病例：**患者，女，22 岁。2 天前，患者受凉后出现胸闷、心悸、气促，伴全身乏力酸痛，未重视。3 小时前，突感心悸加重，伴头晕，一过性黑矇，急诊入院。入院查体：体温 37.1℃，脉率 92 次/分，心率 92 次/分，呼吸 21 次/分，血压 110/64mmHg。辅助检查：心肌损伤标志物全部升高。心电图：提示急性高侧壁心肌损伤。急诊冠状动脉造影检查：左右冠状动脉未见明显狭窄。入院诊断：急性重症心肌炎。病情突发变化：患者诉恶心，呕吐胃内容物 10ml 后，突发意识丧失，叹气样呼吸，双目凝视，血压无法测出，肢体湿冷，心电监护示室性心动过速。

**（二）思政设计**

给出该患者病史、体格检查等资料，提出问题：如何诊断和治疗？此内容以一个临床典型病例导入，通过问答互动的形式（根据目前的资料，患者需要做什么检查？根据这种检查，能否明确或者排除诊断？下一步应该如何检查或者治疗？），启发学生回忆相关章节理论知识（如胸痛患者的诊断与鉴别诊断、重症心肌炎的诊断思路），同时循序渐进展示患者的诊疗经过和病情进展，培养学生养成积极思考、独立思考的习惯，树立医学生的职业使命感。同时，通过患者病情的突然恶化，带给学生思考，培养学生敬畏生命、精进业务的职业道德，引出本节课程学习的主题概念——心脏性猝死。

二、展开

**（一）心脏性猝死的定义**

1. 猝死（sudden death）　表面健康的个体，在急性症状发作后的极短时间内，发生非创伤性、不可预测的突发死亡。如果发病到死亡有记录和见证，时间定义为 1 小时内。如果发病到死亡没有记录和见证，时间可推延至 24 小时。

2. 心脏性猝死（sudden cardiac death，SCD）　指因心脏问题发生的猝死，包括：①本身存在明确的先天性或获得性的可致死性的心脏疾病。②不论有无基础心脏疾病，尸检证实心脏或大血管异常是致死的主要原因。③尸检已排除心脏外的其他可能致死因素，可考虑是致死性心律失常导致的猝死。

3. 心脏性猝死的新概念　如猝死生还者、有心脏性猝死病史者、晕厥/心源性晕厥等。

**（二）心脏性猝死的病因**

1. 器质性心脏病

（1）冠状动脉性心脏病（心脏性猝死的最常见原因）。

（2）结构性心脏病：如扩张型心肌病、致心律失常性右心室心肌病、梗阻性肥厚型心肌病、严重瓣膜性心脏病、先天性心脏病等。通过图片和板书，引导学生复习心脏解剖学知识。

2. 非器质性心脏病　通过常规或特殊检查并未发现存在任何心脏结构或血管的器质性病变，常是因为心脏原发或潜在的异常电活动诱发恶性心律失常而导致心脏性猝死，常见的包括长 QT 间期综合征、布鲁加达（Brugada）综合征、儿茶酚胺敏感性多形性室性心动过速、早期复极综合征、特发性心室颤动等。

**（三）心脏性猝死的病理生理机制**

1. 致命性快速性心律失常　室性心动过速和心室颤动是引发心脏性猝死的最主要机制。引导学生复习室性快速性心律失常的典型心电图识别。

2. 缓慢性心律失常　包括窦性心动过缓、窦性停搏、窦房阻滞、房室传导阻滞及室内阻滞等。引导学生复习缓慢性心律失常的典型心电图识别。

3. 无脉性电活动　即电机械分离，指心脏有持续的电活动，但没有有效的机械收缩，心脏丧失泵血功能。

**（四）心脏性猝死的临床特点**

心脏性猝死临床可分四期。

**（五）心脏性猝死的预防和治疗措施**

1. 心脏性猝死具有突发和不可预测性，预防关键是识别高危人群。心脏性猝死的预防可分类如下。

（1）一级预防：针对从未发生过但将来有可能发生心脏性猝死的高危人群，预防和减少心脏性猝死的发生。

（2）二级预防：针对已经发生过心搏骤停的幸存者，防止心脏性猝死的再次发生。

2. 高危患者的识别。

3. 预防和治疗

（1）一般措施：普通人群中普及心脏性猝死的基本知识，对高危人群密切随访。

（2）原发病治疗。

（3）药物治疗：目前临床上最常用的是β受体阻滞剂和胺碘酮。

4. 心脏复律除颤器：最有效的预防和治疗。

（1）植入型心律转复除颤器（implantable cardioverter defibrillator，ICD）：植入 ICD 是防止心脏性猝死最有效的方法。

（2）体外除颤器：①医用除颤器；②自动体外除颤器（automated external defibrillator，AED）。

**（六）回顾开篇病例**

引出下一部分内容：心肺复苏术（下一次课的教学内容）。

**（七）思政设计**

让学生理解到疾病的突然恶化是临床医疗工作中的客观存在，引导学生建立坚强意志品质，树立高尚的医德，遇事需沉着理智、思维缜密。同时，通过患者病情的突然恶化和医生的积极处理，引出本节课程学习的另外一个主题概念：心肺复苏术。本部分知识点承接自然流畅，紧扣病例，贴近临床诊断思维过程，有利于培养医学生诊断思维，使学生知其然，更知其所以然，促进医学生向临床医生的转化。

**（八）再次回顾开篇病例**

1. 揭示患者良好预后：在持续胸外心脏按压下，急诊行 ECMO 手术。植入 ECMO 辅助支持 10 天后撤离，患者经恢复及康复阶段共 3 个多月后出院。

2. 总结本次课程重点。

**（九）思政设计**

感召和培养学生敬畏生命、精进业务的职业道德，在培养其知识扎实的学术、本领过硬的技术等精湛医术的同时，教育学生从早树立大医精诚的医学职业理想、爱岗敬业和恪尽职守的职业态度。同时，告知学生该患者的良好预后结局，教育学生：敬佑生命，永不放弃。面对重症患者，只要有一线生机，就要坚持"不抛弃、不放弃"。体现社会主义核心价值观，激励学生培养高尚医德，追求医术精湛。

## 三、总结

**（一）专业知识或实践能力要点小结**

通过贯穿始终的案例教学，引入知识点介绍，在教学过程中不断复习整合前面已学习的知识，让学生掌握心脏性猝死是心脏问题引起的短时间内（1 小时）非创伤性、不可预测的突发死亡。其主要病因包括器质性心脏病（冠心病是最常见的原因）和非器质性心脏病。其病理生理机制包括致命性快速性心律失常（室性心动过速和心室颤动是引发心脏性猝死的最主要机制）、缓慢性心律失常和电机械分离。心脏性猝死临床分四期，预防关键是识别高危人群。目前临床上最常用的治疗药物是β受体阻滞剂和胺碘酮。植入 ICD 是防止心脏性猝死最有效的方法。

**（二）思政育人要点小结**

通过贯穿始终的案例教学，让学生理解到疾病的突然恶化是临床医疗工作中的客观存在，引导学生建立坚强意志品质，树立高尚的医德，遇事需沉着理智。通过医务人员坚持不懈的努力患者最终取得了良好的临床结局，感召和培养学生敬畏生命、精进业务的职业道德。最终教育学生：敬佑生命，永不放弃。

### 四、课堂或课后练习

课后设置思考题，以单项选择题形式，强调课程中需要掌握的重点。例如：

以下哪项表述不正确？

A. 心脏性猝死是指因心脏问题发生的非创伤性、不可预测的突发死亡

B. 心脏性猝死最常见的疾病基础是先天性心脏病

C. 发生心脏性猝死的最主要病理生理机制为恶性室性心律失常

D. 由于心脏性猝死的发生具有突发和不可预测性，因此应重视高危人群的筛选

E. ICD 的应用是预防心脏性猝死最有效的方法

### 五、课后反馈

本堂课通过提出问题，复习重点，引导学生思考，让学生体验到医学的科学性，以及医务人员敬佑生命、永不放弃的人文精神。案例教学能够引起学生的兴趣，而授课过程中不断地提问能让学生保持注意力集中，对知识吸收更快，同时通过贯穿始终的案例教学及患者良好的临床结局，融入思政教育，让学生更加容易接受。

## 【课程思政解析】

1. 以一个临床典型病例导入，通过问答互动的形式，启发学生回忆相关章节理论知识，同时循序渐进展示患者的诊疗经过和病情进展，培养学生养成积极思考、独立思考的习惯，树立医学生的职业使命感。同时，通过患者病情的突然恶化，带给学生思考，引出本节课程学习的主题概念：心脏性猝死。

2. 通过对心脏性猝死概念、病因、病理生理机制、临床特点、预防和治疗措施等理论知识的讲解，以讲授和问答互动为主要教学形式，其中穿插：回顾心脏解剖学知识和识别恶性心律失常的心电图等内容，将解剖学、诊断学、心律失常章节相关知识与本章内容整合，让学生们领悟到若想具有精湛的临床医学技能，首先要具备扎实的基础理论知识。

3. 再次回到开篇病例，进一步向学生展示该患者的病情变化及临床医生冷静理智的处理方式，帮助学生理解疾病的突然恶化是临床医疗工作中的客观存在，引导学生建立坚强意志品质，遇事沉着理智。感召和培养学生敬畏生命、精进业务的职业道德，教育学生从早树立大医精诚的医学职业理想、爱岗敬业的职业态度。

4. 告知学生该患者的良好预后结局，教育学生：敬佑生命，永不放弃。体现社会主义核心价值观，激励学生培养高尚医德，追求医术精湛。

## 【推广应用效果】

希望学生通过本堂课程的学习，既学习巩固了医学知识，同时接受思政教育的熏陶，培养“敬佑生命，永不放弃”的精神。

（李　响）

# 案例四　下肢深静脉血栓

**【课程名称】** 周围血管与淋巴系统疾病

**【授课内容】** 下肢深静脉血栓

**【授课对象】** 临床医学（“5+3”一体化）、临床医学专业学生

**【教学目标】**

一、专业知识目标

1. 掌握　下肢深静脉血栓形成的临床表现、诊断、鉴别诊断和治疗。
2. 熟悉　下肢深静脉血栓形成的病因、危险因素和深静脉血栓风险评估方式。
3. 了解　下肢深静脉血栓形成及继发动脉栓塞的病理生理过程。

二、实践（临床）能力目标

1. 掌握　抗凝与溶栓治疗的禁忌证。
2. 熟悉　下肢肿胀的鉴别诊断，下肢深静脉血栓韦尔斯（Wells）评分。
3. 了解　深静脉血栓风险评估工具。

三、思政育人目标

1. 树立严谨、务实、细致、客观的医学精神，培养学生“以人为本”的医学人文理念。
2. 激励学生科研报国、创新报国。

**【教学设计】**

一、导入

**案例：** 2005 年底，49 岁的熊某因长期伏案工作，检查诊断为轻度腰椎滑脱，在某医院骨科接受手术治疗。术后第 2 天，患者自觉下肢胀痛，医生给予止痛治疗。患者恢复较预期慢，术后第 7 天第一次下床活动，在床旁活动仅约 1 分钟后，出现心悸、呼吸急促，随即失去意识，经抢救无效死亡。后尸检报告诊断为术后并发症肺栓塞。

该事件经媒体报道后在全国引发巨大争议，围绕是否存在医疗责任，患者家属与该医院对簿公堂。患者到底发生了什么？为什么会在术后下床活动仅 1 分钟后发生巨大的病情变化？在该患者的诊疗过程中是否存在疏失呢？

二、展开

**（一）下肢深静脉血栓的危害及其与肺栓塞的关系**

下肢深静脉血栓脱落后，血栓会随着静脉血流回流到右心房，又随之进入肺动脉，造成肺动脉栓塞。当血栓比较大栓塞肺动脉的主干时，会造成肺动脉高压，同时肺的通气和血流不匹配造成呼吸困难，可能导致患者猝死。

下肢深静脉血栓与肺动脉栓塞合称为静脉血栓栓塞症（VTE），是继缺血性心脏病、脑卒中后第三种常见的心血管系统疾病的死亡原因，是院内可预防患者死亡原因第一位。

**（二）下肢深静脉血栓的病例生理、病因/危险因素分析**

1. 病理生理基础　菲尔绍（Virchow）提出静脉血栓形成的三大因素，即静脉血流滞缓、静脉内膜损伤和血液高凝状态。

2. 病因/危险因素分析

（1）血液淤滞：如长时间的制动、因病卧床、久坐、静脉曲张等。

（2）内膜损伤：药物损伤、机械性损伤（静脉局部挫伤、撕裂伤或骨折碎片创伤）、感染。

（3）血液高凝状态

1）先天性高凝：血栓抑制剂的缺乏、纤维蛋白原的异常、纤维蛋白溶解异常等。

2）后天性高凝：创伤、休克、手术、肿瘤、长期使用雌激素、妊娠等。

（4）思政思考与知识点引入：如何评估患者存在的危险因素？我们应该怎么做才能避免类似熊某这样的悲剧发生？

知识点引入：危险因素的综合分析和评分。

1）以术后患者为例分析危险因素。

2）介绍临床中常用的 VTE 风险评估评分系统。

**（三）下肢深静脉血栓的临床表现与辅助检查**

1. 症状　最常见的主要临床表现是一侧肢体的突然肿胀。轻者局部仅感沉重，站立时症状加重。严重时可出现股青肿和股白肿。

2. 体征

（1）患肢肿胀：强调卷带尺精确地测量，双侧对比。

（2）皮色、皮温、皮肤张力变化，疼痛与压痛。

（3）霍曼斯（Homans）征：将足向背侧急剧弯曲时，可引起小腿肌肉深部疼痛。

（4）浅静脉显露与曲张。

3. 辅助检查

（1）影像学检查：多普勒超声检查、CT 肺动脉造影（CTPA）与血管造影。

（2）实验室检查：D-二聚体检查。

4. 思政思考

（1）案例中的患者哪些临床表现可能提示了深静脉血栓形成？在临床中我们应当如何进行观察？

（2）某些医院要求所有术后患者必须进行超声检查排除血栓后才允许下床，这种做法是否正确？

**（四）下肢深静脉血栓的诊断与鉴别诊断**

1. 诊断　Wells 评分与急性下肢静脉血栓形成的诊断流程。

2. 鉴别诊断

（1）蜂窝织炎，特别强调坏死性筋膜炎。

（2）血肿。

（3）淋巴回流障碍与淋巴性水肿。

**（五）下肢深静脉血栓的治疗**

1. 肺栓塞预防——腔静脉滤器的植入

（1）腔静脉滤器预防肺栓塞的原理。

（2）腔静脉滤器植入指征。

（3）思政话题引入

1）国产滤器开发历史及现状进展。

2）某些医院要求骨科大手术患者必须预防性植入滤器，这种做法是否合适？

2. 一般治疗　腿部抬高和初期卧床休息可缓解伴有急性腿部肿胀的深静脉血栓患者的疼痛，但建议严格卧床休息 1 ～ 2 周以防止肺栓塞的传统方法遭到了质疑，肺部 CT 检查显示卧床并没有降低肺栓塞的发生率。此外，与卧床相比，早期下床活动可使患者的疼痛和肿胀改善得更快。

3. 抗凝与溶栓

（1）抗凝与溶栓治疗的禁忌证和出血风险评估。

（2）抗凝药介绍：肝素、低分子肝素、华法林和新型口服抗凝药。

（3）溶栓药物的介绍：尿激酶、人重组纤溶酶原激活剂。

（4）抗凝治疗的疗程。

4. 机械性血栓清除方式

5. 思政话题引入　患者因为费用问题拒绝其他治疗方式，要求仅用最便宜的抗凝药，你该怎么做？

**（六）预后与预防**

1. 深静脉血栓后综合征的临床表现。

2. 评估患者 VTE 风险与出血风险，决定预防方式。

（1）物理预防：早期下床、循环式气压、医用弹力长袜等。

（2）药物预防：低分子肝素和新型口服抗凝药。

3. VTE 防控体系建设：思政话题引入，方舱医院倡议者王辰院士与国家级的 VTE 防控管理体系建设。

## 三、总结

**（一）专业知识或实践能力要点小结**

VTE 是一种临床高发、常见、潜在危害严重，而又完全可以通过合理的防控降低发生率及死亡率的疾病。课程设计上以案例为导引，逐步牵出病理生理病程、病因及危险因素分析、诊断与鉴别诊断、治疗、预防等内容，重点介绍 VTE 的风险评估方式方法、预防措施、评估流程、诊断流程、治疗流程等临床实践操作性强的环节，培养学生学以致用的能力。

**（二）思政育人要点小结**

本课程以临床案例为导引，并有针对性地将临床中一些实际情况作为讨论点引入，将“不做超声不允许患者下床活动”“不安置滤网不予以手术”这种一刀切的错误做法进行剖析，帮助学生树立正确的价值观，培养严谨、务实、细致、客观的医学精神。课程中同时引入国产腔静脉滤器研发这一案例，帮学生树立科研报国的信念，实践“把论文写在祖国的大地上”。

## 四、课堂或课后练习

课后设置思考题目：①为什么下腔静脉滤器提倡尽量回收？留置体内会有什么风险？②院内 VTE 管理如何与人工智能结合？要求学生提交 100 字左右的报告。

五、课后反馈

学生们普遍认为课程大胆选择触及医患纠纷的敏感话题作为案例，极大地激发了参与的热情；案例贯穿课程始终，与各个知识点深度融合，加强了对知识点的理解，深刻解析了事件发生的来龙去脉，无形之中传递出正面的价值导向，既震撼又深受启发，将严谨、务实、细致、客观的医学精神从抽象的概念，具化为了可实践的具体行为，收获非常大。

## 【课程思政解析】

课程思政，最忌讳的就是思政内容的强行置入，课堂知识点与思政元素分离，背离了润物无声的思政本意。

该课程设计中，有挑战性地以一起医疗纠纷引入，避免先入为主的“站队”“引战”，而是将案例与课堂知识点进行反复多次的交织讲解。从患者为什么会发生猝死，结合患者病史及处理当中的实际，自然融入了 VTE 的病理生理过程、下肢深静脉的危险因素及风险评估、临床症状与辅助检查、治疗处理等多个知识点，又在每个知识点讲解后，反过来引导学生思考，我们应该怎么做？怎么做才会更好？同时又将临床中实际发生的一些“纠枉过正”的行为拿出来进行客观分析，一方面帮助学生掌握并且深入理解教学的知识点，同时自然地引申出严谨、务实、细致、客观等医学精神的教育，培养学生“以人为本”的医学人文理念。医疗纠纷的引入，也是帮助学生如何用客观、理性的眼光看待医疗纠纷，回归医者的初心。而具体不断回答的“该怎么做？”“怎么做会更好？”，把抽象的医学精神落实在了实践之中。

课程设计中，还引入“国产滤器开发历史及现状进展”“方舱医院倡议者王辰院士与国家级的 VTE 防控管理体系建设”两个思政话题，激发学生科研报国、创新报国的理念，“把论文写在祖国的大地上”。

## 【推广应用效果】

本课程经过多年沉淀，多位老师参与课程设计，不断完善，最终形成。一经教学实践，获得广泛好评。其成功经验已向其他专业课程推广。

（傅麒宁）

# 第八章　泌尿生殖系统疾病案例

## 案例一　异位妊娠

**【课程名称】** 生殖系统疾病

**【授课内容】** 异位妊娠

**【授课对象】** 临床医学专业学生

**【教学目标】**

**一、专业知识目标**

1. 掌握　输卵管妊娠的治疗方法。
2. 熟悉　输卵管妊娠的临床表现及诊断。
3. 了解　异位妊娠的定义和分类。

**二、实践（临床）能力目标**

了解经阴道后穹隆穿刺术及手术治疗。

**三、思政育人目标**

1. 培养学生敬畏生命，救死扶伤，大爱无疆的职业精神。
2. 培养学生勇于挑战，敢于探索的精神。
3. 培养学生认真谨慎，对患者认真负责的敬业精神。

**【教学设计】**

**一、导入**

培养学生勇于挑战，敢于探索的精神——通过分享病例，引起学生的兴趣，主动思考异位妊娠的诊断及病因，带着问题进入接下来的学习，主动融入课堂，共同探索新知识。

**病例：**患者，女，25 岁，有生育要求，既往月经规则，现停经 45 天，左下腹痛伴阴道少许流血 5 天。妇科检查阴道少量血液，宫颈光滑、关闭，宫体饱满，两侧附件无异常，尿人绒毛膜促性腺激素（HCG）检查阳性。

1. 可能的诊断有哪些？依据是什么？
2. 下一步应做什么辅助检查来明确诊断？
3. 该疾病的病因有哪些？

**二、展开**

培养学生认真谨慎，对患者认真负责的敬业精神——通过病例的导入，以连续问答的方式带领学生进入异位妊娠的学习，并在学习过程中自然融入思政教育，帮助学生深刻体会“医者精神”，从而达到寓教于思。

1. 同学们都考虑该患者诊断为异位妊娠，请同学们回答什么是异位妊娠。由此引出异位妊娠定义及分类（借助动画及解剖图谱完成）。

定义：受精卵在子宫体腔以外着床称异位妊娠，习称宫外孕，发病率约 2%。

分类：输卵管妊娠、卵巢妊娠、腹腔妊娠、阔韧带妊娠、宫颈妊娠。其中以输卵管妊娠为最常见，占异位妊娠的 95% 左右。而输卵管妊娠中又以输卵管壶腹部妊娠最多见，约占 78%，其次为峡部妊娠、伞部妊娠，间质部妊娠较少见。

2. 同学们是通过患者的哪些临床表现考虑她是异位妊娠而不是其他疾病呢？由此引入异位妊娠的诊断。

临床表现如下。

（1）症状：停经、腹痛（主要症状）、阴道流血（与末次月经相鉴别）、晕厥与休克、腹部包块。

（2）体征

1）一般情况：贫血，休克，吸收热。

2）腹部检查：腹膜刺激征，出血多有移动性浊音。

3）盆腔检查：阴道有血、后穹隆饱满、宫颈举痛、子宫稍大变软、附件区包块（边界多不清）。

［医学实践］学生相互间行腹部查体。在医学模型上示范妇科查体；培养学生的医学人文精神。

输卵管妊娠发生破裂或流产时，多数临床表现典型，诊断多无困难。输卵管妊娠未发生破裂或流产时，临床表现不明显，往往需采用辅助检查确诊。

（3）辅助检查

1）HCG 测定：连续动态测定 HCG。

2）孕酮测定：＞ 25ng/ml，异位妊娠概率小于 1.5%。

3）超声诊断：对异位妊娠诊断帮助很大（血 HCG ＞ 2000IU/L、超声未见宫内孕囊）。

4）阴道后穹隆穿刺：简单可靠。

5）腹腔镜检查：诊断金标准，而且可同时治疗。

6）诊断性刮宫。

通过以上学习，请同学们回答下一步需做什么辅助检查明确诊断，同时思考与哪些疾病鉴别。

鉴别诊断：自然流产、黄体破裂、急性输卵管炎、急性阑尾炎及卵巢囊肿蒂扭转。

［司徒亮教授查房故事］现在辅助检查方法越来越多，均可协助我们诊断。但还是要不能忽视病史及查体的重要性。有一次，司徒亮教授查房时发现一名考虑葡萄胎的患者，司徒亮教授通过详细询问病史，得知患者有停经、流血和腹痛史，又仔细对患者做了查体及辅助检查，认真分析后，认为这不是葡萄胎，而是陈旧性异位妊娠。后来剖腹探查证实了司徒亮教授的判断，避免了误诊，保护了患者的权益。通过司徒亮教授的故事引出医生需认真严谨、对患者负责的敬业精神。

3. 异位妊娠常起病急，病情变化快，严重者可危及患者生命。现在常说防治，先防后治，所以现实生活中如何预防？从病因方面解答。

病因：输卵管炎症（最常见）、输卵管妊娠史或手术史、输卵管发育不良及功能障碍、辅助生殖技术、避孕失败及其他（输卵管子宫内膜异位症、肿瘤压迫等）。

4. 患者完善了妇科彩超、血常规、血 HCG 等相关检查，结果如下：妇科彩超提示左附件区见 3 厘米×2 厘米混合回声，其内似见卵黄囊，宫内膜厚 8 毫米，盆腔未见积液。

血 HCG 为 1500IU/L。血常规：血红蛋白 123g/L，白细胞计数 $5.0\times10^9$/L，中性粒细胞百分比 70%。请问下一步如何处理？

（1）药物治疗

1）指征：①无药物治疗的禁忌证；②腹腔内无出血或出血少，估计出血量≤ 200ml；③包块直径＜ 4 厘米；④血 HCG ＜ 2000IU/L。

2）药物及用法：甲氨蝶呤（MTX）等。

（2）手术治疗

1）手术指征。

2）手术方法（开腹手术或腹腔镜手术）：①根治手术（患侧输卵管切除术），大量腹腔内出血时的紧急处理；②保守手术（妊娠物挤出术，输卵管切开取胚术，输卵管节段切除-断端吻合术）。

5. 输卵管的特点不利于胚胎发育，若胚胎着床于输卵管，可能发生什么？

输卵管妊娠的转归：输卵管妊娠流产、输卵管妊娠破裂、陈旧性异位妊娠及继发性腹腔妊娠。

输卵管妊娠时子宫会发生什么变化呢？

子宫可停止月经来潮，子宫增大变软，子宫内膜形态学改变多样性。

## 三、总结

### （一）专业知识或实践能力要点小结

异位妊娠 95% 为输卵管妊娠，典型临床表现为停经后腹痛与阴道流血。血 HCG ＞ 2000IU/L、超声未见宫内妊娠囊，诊断基本成立。腹腔镜检查是诊断的金标准。治疗包括药物和手术，方法选择主要根据患者生命体征和胚囊种植部位及破裂与否等。

### （二）思政育人要点小结

分享真实异位妊娠抢救临床病例，让学生明白作为医生肩负着救死扶伤的重任，需有敬佑生命、大爱无疆的医者精神，勇于探索的科学精神。与学生分享司徒亮教授抢救临床危重症患者案例，让学生明白想做一名好医生除了要有敬畏生命的医者精神外，还需要有过硬的专业知识及临床技能。

## 四、课堂或课后练习

利用信息化教学方法，使用网络教学平台进行随堂测验，强化对重点内容的掌握与记忆。

## 五、课后反馈

在课堂中，以临床病例为主要线索，学生们都积极参与这次临床诊疗之旅，探索未知，主动思考问题并解决问题。在此过程中自然融入人文精神、科学探索精神及医者精神，学生都认识到了作为医生的责任感和使命感。

## 【课程思政解析】

在本堂课的讲授中，主要采用导入式、启发式、整合式教学，以疾病为中心，以诊疗为导向，一步一步通过问答的方式进行讲述，让学生沉浸在临床诊疗的情景中，主动参与，主动思考；在此过程中，引入德高望重医学前辈的小故事，让学生引以为戒，及时纠错，在思想上产生共鸣，做到润物细无声，奠定“大医”之路。

【推广应用效果】

本课程入选重庆市优质课程，本课程所在教研室获重庆医科大学优秀教学团队，连续多年获评院系理论教学一等奖。本课程的成功经验已向校内其他专业及其他兄弟院校等单位推广，影响较大。

（杨坤蓉　华媛媛）

# 案例二　绝经综合征

**【课程名称】** 泌尿生殖系统疾病

**【授课内容】** 绝经综合征

**【授课对象】** 临床医学专业学生

**【教学目标】**

**一、专业知识目标**

1. 掌握　绝经的概念和诊断标准。
2. 熟悉　绝经的内分泌变化和治疗原则。
3. 了解　绝经的激素治疗制剂及剂量选择。

**二、实践（临床）能力目标**

1. 掌握　绝经综合征的诊断。
2. 了解　绝经的诊疗流程。

**三、思政育人目标**

1. 培养学生严谨求实、不断进取的探索精神。
2. 培养学生“以患者为中心”“以健康为中心”的医者精神。
3. 培养学生坚定的政治信念，树立“实施健康中国战略”的理念。

**【教学设计】**

**一、导入**

课前一周，在网络教学平台上预留两个临床病例：①刘阿姨今年48岁，近半年出现经量减少，较之前减少了近一半，月经周期延长至3～4个月，脾气也变得喜怒无常，她不知道自己这是怎么了。②王奶奶今年80岁了，前两天因为打喷嚏发生了腰椎压缩性骨折。预留问题：这两个患者的考虑诊断是什么？需要进行哪些查体，完善哪些辅助检查帮助明确诊断？引导学生自主预习及思考。

课上首先播放我院更年期宣传视频，让学生对绝经综合征有初步印象。回顾预留的两个病例，总结病史特点，提出考虑诊断，从而引出本节课内容。

通过具体的临床病例，引导学生带着探索精神提前学习，并引出思政观点：不断地探索精神，对患者要有同理心，以及“以患者为中心”的医者精神。

**二、展开**

**（一）定义**

绝经综合征（menopausal syndrome）指妇女绝经前后出现性激素波动或减少所致的一系列躯体及精神心理症状。

绝经（menopause）分为自然绝经和人工绝经。自然绝经指卵巢内卵泡生理性耗竭所致的绝经；人工绝经指两侧卵巢经手术切除或射线照射等所致的绝经。

**（二）绝经的诊断及鉴别诊断**

根据病史、临床表现及实验室检查诊断及鉴别诊断。

1. 临床表现

（1）近期症状

1）月经紊乱：由于稀发排卵或无排卵，表现为月经周期不规则、经期持续时间长及经量增多或减少。

2）血管舒缩症状：主要表现为潮热，为血管舒缩功能不稳定所致，是雌激素降低的特征性症状。其特点是反复出现短暂的面部、颈部及胸部皮肤阵阵发红，伴有烘热，继之出汗，一般持续 1 ～ 3 分钟。

3）自主神经功能失调症状：常出现心悸、眩晕、头痛、失眠、耳鸣等。

4）精神神经症状：注意力不易集中，情绪波动大，如激动易怒、焦虑不安或情绪低落、抑郁、不能自我控制等情绪症状。记忆力减退也较常见。

（2）远期症状

1）绝经期泌尿生殖系综合征（genitourinary syndrome of menopause，GSM）：＞ 50% 的绝经期女性会出现该综合征，主要表现为阴道干燥、性交困难及反复阴道感染，排尿困难、尿痛、尿急等反复发生的尿路感染。

2）骨质疏松：50 岁以上妇女半数会发生绝经后骨质疏松，一般发生在绝经后 5 ～ 10 年内，最常发生在椎体。

3）阿尔茨海默病（AD）：绝经后期女性比老年男性患 AD 的风险高。

4）心血管病变：绝经后妇女糖脂代谢异常增加，动脉硬化、冠心病的发病风险较绝经前明显增加。

2. 实验室检查

（1）血清促卵泡素（FSH）、雌二醇（$E_2$）：卵巢功能下降时 FSH ＞ 10U/L；卵巢功能衰竭时闭经、FSH ＞ 40U/L、$E_2$ ＜ 10 ～ 20pg/ml。

（2）抗米勒管激素（AMH）：卵巢储备下降时 AMH 下降至 1.1ng/ml；即将绝经时 AMH ＜ 0.2ng/ml；绝经后 AMH 无法测出。

**（三）绝经的治疗**

治疗目标：缓解近期症状，早发现、有效预防骨质疏松等老年性疾病。

1. 一般治疗　心理疏导和健康生活方式指导：锻炼、饮食、日晒、摄入足量蛋白质、补钙。

2. 激素补充治疗（hormone replacement therapy，HRT）　不同年龄女性启动 HRT 获益不同，推荐在卵巢功能衰退后尽早启动。

（1）适应证：绝经相关症状，包括 GSM、低骨量及骨质疏松症。

（2）禁忌证：已知或怀疑妊娠；原因不明的阴道出血；已知或可疑患乳腺癌；已知或可疑患性激素依赖性恶性肿瘤；最近 6 个月内患活动性静脉或动脉血栓栓塞性疾病；严重肝肾功能不全；卟啉病、耳硬化症；现患脑膜瘤（禁用孕激素）。

（3）慎用情况：子宫肌瘤、子宫内膜异位症、子宫内膜增生症、血栓形成倾向、胆囊疾病、系统性红斑狼疮、乳腺良性疾病及乳腺癌家族史、癫痫、偏头痛及哮喘。

（4）总体诊疗流程：首先评估拟采用绝经激素治疗（MHT）患者的适应证、禁忌证和慎用情况。有适应证、无禁忌证、慎用情况控制良好者可予以 MHT；存在禁忌证，或慎用情况尚未控制但急需治疗绝经相关症状者，给予非激素治疗。原则上不推荐女性60岁以后或绝经10年以上启用MHT。MHT应用中应定期随访，并评估风险和利弊，个体化调整MHT方案。

（5）复诊和随访：MHT的定期随诊非常重要。复诊的主要目的在于了解治疗效果，解释可能发生的乳房胀痛和非预期出血等不良反应，关注MHT获益和风险，个体化调整方案，鼓励适宜对象坚持治疗。只要收益大于风险，鼓励坚持规范用药，定期随访。

**（四）思政案例**

分享自己跟随熊正爱教授成立更年期门诊，成功申报国家第一批更年期特色专科门诊，在重庆市内外指导其他医院开展更年期门诊的经历（图2-8-1）。鼓励学生培养自身的探索精神、以患者为中心的医者精神。同时介绍近年来国家深入贯彻医改方向，以女性全生命周期需求为导向，树立和坚持“大妇幼、大健康”的发展理念，推动“以治病为中心”向“以健康为中心”转变所采取的一系列重大举措。

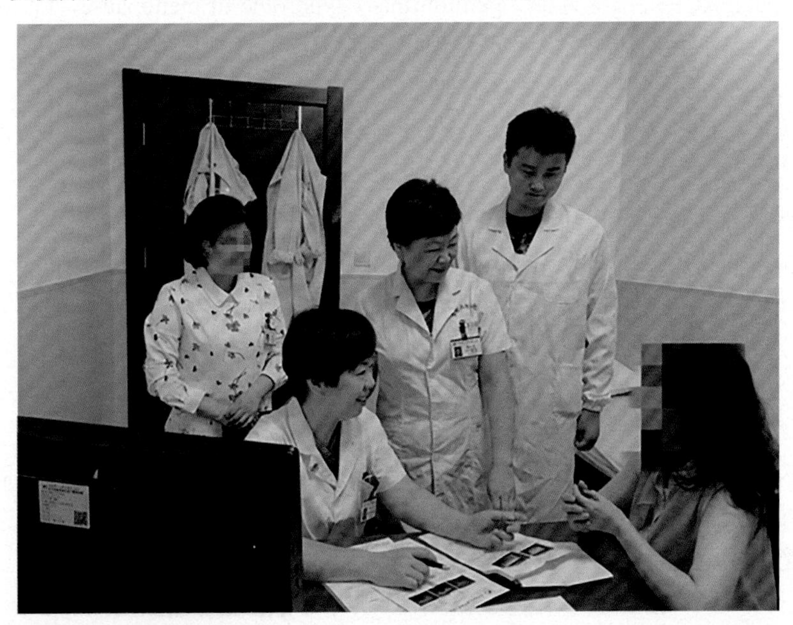

图2-8-1　熊正爱教授（右三）与乳腺外科明佳教授（左二）共同诊治更年期女性

## 三、总结

**（一）专业知识或实践能力要点小结**

绝经是伴随卵巢功能衰退的一系列躯体及精神心理症状。绝经综合征包括月经紊乱、血管舒缩症状、自主神经功能失调症状等近期及远期症状。绝经的治疗目标是缓解近期症状，早发现、有效预防骨质疏松等老年性疾病。治疗需结合患者的具体情况，给予个体化治疗方案，并定期复诊和随访。

**（二）思政育人要点小结**

医疗行为要“以治病为中心”向“以健康为中心”进行转变，医生要学会倾听患者的感受、诉求，具备同理心；根据患者的具体情况，进行个体化诊疗，这需要医生具备严谨求实、不断进取的探索精神，以及“以患者为中心”的医者精神。

**四、课堂或课后练习**

通过分析更年期相关疾病临床病例，加深同学们对绝经的理解。

课后作业：患者，女，51岁，孕2产1，因“月经紊乱1年多，停经4个多月”就诊。患者诉月经不规律1年多，5～7/30～60天，经量较前减少约2/3，无痛经。现停经4个多月，尿HCG（–），伴潮热，每日发作数次，伴出汗；工作注意力不集中，易怒、焦虑；偶有心悸、眩晕。自发病以来饮食差，入睡困难，易醒。既往体健，无外伤手术史，无传染病、高血压、心脏病、糖尿病等。

妇科检查：外阴已婚已产式。阴道畅，黏膜点状充血。宫颈光滑，萎缩。宫体：前位，萎缩，活动度可，无压痛。附件：未扪及明显肿块及压痛。

辅助检查：超声示子宫前位，大小为4.6厘米×3.1厘米×1.9厘米，内膜厚3毫米，右侧卵巢2.0厘米×2.0厘米×1.5厘米，左侧卵巢2.2厘米×1.6厘米×1.6厘米。性激素检查：FSH 42.63U/L，促黄体素（LH）27.68U/L，催乳素（PRL）9.63g/ml，睾酮（T）0.35nmol/L，$E_2$ 8.63ng/ml，孕酮（P）0.5ng/ml。

思考：

（1）患者的诊断及诊断依据是什么？

（2）如何进行治疗？

**五、课后反馈**

学生反馈课堂生动有趣，理论与临床结合紧密、易于理解，同时深知医学生需要德艺双修，才能在未来更好地胜任临床工作。

## 【课程思政解析】

课前提供绝经病例，让学生思考病例并考虑诊断，引导学生产生同理心，并带着探索精神提前学习。课堂上首先播放更年期宣传视频，引起学生进一步学习的兴趣。分享绝经后女性骨折病例，加强学生对绝经远期综合征的深入认识，以及对绝经治疗的重视。分享重庆医科大学附属第二医院更年期门诊从成立、发展到成功申报国家级特色专科门诊经历，让同学们充分体会到以患者为中心、严谨求实、不断探索的医者精神，鼓励其在以后的学习工作中从各个方面培养自己的医德医风，提高职业素养，从而达到知识教人，思政育人的目的。介绍国家近年来树立和发展“大妇幼、大健康”采取的一系列重大举措，让学生充分认识国家医改精神方向，培养医学生坚定的政治信念。

## 【推广应用效果】

课堂讲授1学时，采用临床病历及视频播放式教学引入，以理论讲授为纲，结合临床实际病例进行讲解。以讲授法辅助多媒体教学，辅以讨论、情景模拟、图示等教学方法，帮助学生理解和掌握疾病，培养医学生的临床思维能力。同时，探索精神、同理心、医者精神、医德医风等思政元素贯穿于理论知识及临床病例，学生反馈良好，能达到“教人”和“育人”的目的。

（杨坤蓉　张文倩）

# 案例三 子宫肌瘤

**【课程名称】** 妇产科学

**【授课内容】** 子宫肌瘤

**【授课对象】** 临床医学专业学生

**【教学目标】**

**一、专业知识目标**

1. 掌握 子宫肌瘤的临床表现、诊断和治疗。
2. 熟悉 子宫肌瘤的分类、病理与肌瘤变性。
3. 了解 了解子宫肌瘤的发病相关因素。

**二、实践（临床）能力目标**

1. 掌握 子宫肌瘤的临床诊疗思维特点。
2. 熟悉 子宫肌瘤各种治疗方法的优、缺点，以及子宫肌瘤临床治疗的个体化。
3. 了解 罕见类型子宫肌瘤的多学科诊治需求。

**三、思政育人目标**

1. 以患为师，爱患如己 培养学生为医学献身的精神和治病救人的医德医风。
2. “重庆造”原创大型医疗设备 培养学生努力创新、求实奋进的拼搏精神。

**【教学设计】**

**一、导入**

**病例 1：**患者，女，42 岁。患者的月经周期正常，月经量多，有血块。妇科检查：宫体如孕 10 周，前壁稍突出，有鸡蛋大的质硬隆突区，双附件（–）。诊断是什么？如何处理？

**病例 2：**患者，女，35 岁，已婚。患者月经过多 10 个月，头痛、头晕、心悸 3 个月。妇科检查：外阴、阴道、宫颈无异常；子宫增大如孕 3 个月大小，呈均匀性，质中，活动可，轻压痛；双附件未及包块，无压痛。超声检查显示子宫大小 8 厘米×8 厘米×7 厘米，宫腔内可见 5 厘米×5 厘米×4.8 厘米大小的低回声包块，边界清楚；实验室检查：血红蛋白为 52g/L；输血对症治疗后行宫腔镜检查，示黏膜下子宫肌瘤，目前诊断及治疗方案是什么？

结合已学习的妇科学章节，我们不难得出诊断考虑：子宫平滑肌瘤。

但是，同一疾病，为什么会有不同治疗方案？

引入概念：子宫肌瘤主要由子宫平滑肌组织增生而成。子宫肌瘤是女性生殖器最常见的良性肿瘤。育龄妇女，以 30 ～ 50 岁多见，20 岁以下少见，绝经后自然萎缩。临床表现呈现多样化，治疗方法需要个性化。

**二、展开**

1. 为什么会得子宫肌瘤呢（病因学）？

（1）与性激素相关：子宫肌瘤好发于生育年龄。在妊娠、外源性高雌激素作用下，子宫肌瘤生长较快；抑制或降低雌激素水平的治疗可使子宫肌瘤缩小；绝经后子宫肌瘤停止生长、萎缩或消退。

（2）与遗传学因素相关：细胞遗传学研究显示25%～50%子宫肌瘤存在细胞遗传学的异常，包括从点突变到染色体丢失和增多的多种染色体畸变。

（3）与细胞因子相关：胰岛素样生长因子（IGF）Ⅰ和Ⅱ、表皮生长因子（EGF）、血小板衍生生长因子（PDGF）A和B、血管生成因子（VEGF）等。

总之，子宫肌瘤的发生、生长为多步骤过程，确切病因尚不明了，可能是雌、孕激素和局部生长因子间的复杂的相互作用的结果。

思政元素：科学精神，子宫肌瘤病因不详，是我们深入研究的切入点。

2. 得了子宫肌瘤会怎样（临床表现）？

（1）症状（symptoms）

1）月经改变（change of menstruation）。

2）下腹包块及压迫症。

3）腹坠痛或剧痛（少见）。

4）其他：阴道分泌物增多（more leucorrhea）、不孕（infertility）、继发贫血（secondary anemia）等。

（2）体征（sign）：腹部包块、子宫形态异常或宫颈口赘生物。

（3）由于肌瘤与子宫的位置不同，造成的临床症状或者体征有所不同，故需要区别子宫肌瘤的不同类型，常用的分类方法如下。

1）根据部位分类

A. 宫体肌瘤占90%左右。

B. 宫颈肌瘤占10%左右，手术困难。

2）根据肌瘤与肌壁关系分类

A. 肌壁间肌瘤（intramural myoma）占60%～70%。

B. 浆膜下肌瘤（subserous myoma）占20%～30%。

C. 黏膜下肌瘤（submucous myoma）占10%～15%。

3）子宫肌瘤常为多个，以上各类肌瘤可单独发生亦可同时发生。2个或2个部位以上肌瘤发生在同一子宫者，称为多发性子宫肌瘤。

思政元素：罕见子宫肌瘤类型，如子宫静脉平滑肌瘤病，临床罕见。以患为师，从特殊病例学习。爱患如己，要善待患者。

3. 子宫肌瘤长什么样呢（病理学）？

（1）大体标本：肉眼所见特点为实质性球形结节，表面光滑，呈白色，质硬，切面呈漩涡状结构。外面有假包膜。

（2）镜下特征（histological features）：由皱纹状排列的平滑肌纤维交叉组成，漩涡状，细胞大小均匀一致，细胞呈卵圆形或杆状，核染色较深，无核分裂。

（3）特殊情况：肌瘤变性（degeneration），肌瘤失去原有典型结构，有以下几种形式。

1）玻璃样变性（hyaline degeneration）。

2）囊性变性（cystic degeneration）。

3）红色变性（red degeneration）。

4）钙化（calcification）。

5）恶性：肉瘤变（sarcomatous change）。

4. 如何诊断子宫肌瘤呢（诊断学）？

（1）病史。

（2）体征。

（3）辅助检查。

（4）鉴别诊断：妊娠子宫、卵巢肿瘤、子宫腺肌病等。

5. 怎么治疗子宫肌瘤呢？

根据年龄、症状、生育要求、肌瘤大小、有无变性，综合考虑。

（1）随访观察：小肌瘤、无症状，3 ～ 6 个月随访一次。

（2）药物治疗

1）特点：停药易复发；可用作术前准备。

2）常用药物：雌激素对抗剂、中药、孕激素受体拮抗剂、促性腺激素释放激素激动剂（GnRHa）等。

（3）手术治疗：包括开腹手术、腹腔镜手术及阴道手术。

1）手术指征。

2）手术方式

A. 子宫切除术：包括全切及次全切除术。

B. 子宫肌瘤切除术，经阴道或经腹。

C. 腹腔镜手术：微创，恢复快，目前对腹腔内粉碎有争议。

D. 其他手术治疗：高强度聚焦超声治疗（high intensity focused ultrasound therapy，HIFU，俗称海扶刀）等。

思政元素：切还是不切？不切怎么办？要切什么时候切？切了能否再切？

辩证思维：全面考虑，综合判断。

**拓展与思考**

HIFU

（1）原理：利用超声波束具有方向性、可穿透性、聚焦性的特点，将体外发射高强度超声波聚焦于体内肿瘤部位，通过高热效应、空化效应、机械效应等使靶区肿瘤组织发生凝固性坏死，从而达到病灶"切除"目的。

（2）适应证：同手术治疗的适应证。

（3）HIFU 技术的现实意义：创新、完全自主知识产权、出口。

（4）创新思路分析与发散思维：复盘 HIFU 技术开发思路，针对子宫肌瘤进行相关发散思考。

## 三、总结

子宫肌瘤是女性生殖器最常见的良性肿瘤，对女性健康带来巨大影响，可导致妇科"（腹）痛、（包）块、（流）血、（白）带（异常）"四大症状中一个或多个症状，临床表现多样化，患者需求各不相同，因此治疗方法需要个体化。

作为医者，我们在临床诊疗中，一方面需密切关注患者的具体需求，"爱患如己"，权衡利弊，选择最适合患者的治疗方案；另一方面，需要积极奋进、勇于探索子宫肌瘤发生发展中尚未明确的问题，努力推进医学事业的进步。

**四、课堂或课后练习**

患者，女，40 岁，平素月经规律，未规律体检；现因备孕，到我院门诊行孕前检查，妇科彩超见“子宫前壁肌层见低回声包块，直径约 6 厘米，边界清楚，提示：子宫肌瘤？”如果你是该患者的主诊医生，准备选择何种治疗方式？并写出依据。

**五、课后反馈**

本课程以典型病例导入，从同一疾病不同处理方式为切入点，激发起学生的好奇与学习热情；在课程讲解过程中，联系个体化处理细节，平滑引入思政元素。课程讲授流畅，重点突出，思路清晰，兼顾中英文讲授，精神面貌饱满，有激情；能与学生积极互动，课堂氛围活跃。

学生反馈：课堂轻松活跃，重点突出，不仅学习了专业知识，还燃起了对医学人文的热情；此外，回顾 HIFU 设备的研发过程激发起大家浓厚的科学探索兴趣。

## 【课程思政解析】

1. 子宫肌瘤是女性生殖器最常见的良性肿瘤，临床症状多种多样，对女性生育力、生活质量影响较大，但是发病机制不详，临床治疗策略多变，可通过典型案例，引导学生“爱患如己、以患为师”，树立良好的医德医风；同时，积极进行科学探索，求实奋进，争取找到相关疾病新的机制或者治疗方法。

2.HIFU 是重庆医科大学重大科研转化成果，重庆医科大学王智彪教授等坚持走源头创新之路，在全球率先突破了聚焦超声消融手术（FUAS）治疗肿瘤的关键核心技术；于 1999 年研制出我国首台具有完全自主知识产权的大型医疗器械海扶刀聚焦超声肿瘤治疗系统。通过讲解 HIFU 在子宫肌瘤中的应用，树立学生的民族自豪感，进一步鼓励努力创新。

3. 复盘 HIFU 发展历程，梳理逻辑链条“发现一个问题—找到一个方法—解决一个问题—解决一类问题”，引导学生积极进行科学探索。

## 【推广应用效果】

本课程是临床医学“妇产科学”课程必修内容，是妇科学重要内容，子宫肌瘤为临床上的常见病、多发病，其临床表现多种多样；通过对“子宫肌瘤”的讲解，将妇科临床思维过程（症状—体征—辅助检查—治疗）进行了生动地讲解；同时，授课过程结合课程思政元素，激发起学生的民族自豪感、科学拼搏精神，课后受到学生的热议与喜爱，为妇产科教研室内优秀教学案例。

（王智亮）

# 案例四　慢性肾衰竭

**【课程名称】** 泌尿系统疾病

**【授课内容】** 慢性肾衰竭

**【授课对象】** 临床医学专业学生

**【教学目标】**

一、专业知识目标

1. 掌握　慢性肾衰竭、尿毒症的概念，慢性肾衰竭患者的机体功能代谢变化。

2. 熟悉　慢性肾衰竭的常见病因和发展过程。

3. 了解　慢性肾衰竭的发病机制。

二、思政育人目标

提高学生职业道德及使命感，培养学生作为未来医学栋梁的使命感与责任感，激发其“敬畏生命、救死扶伤”的医学人文情怀。

**【教学设计】**

一、导入

通过临床病例的展示导入慢性肾衰竭课程。

**病例：**患者，男，因“纳差3个月，咳嗽1个月，心累气促2天”入院。查体：血压高，脉搏快，贫血面容，双肺底湿啰音，双下肢水肿。实验室检查：血红蛋白低，血钙低，二氧化碳结合力低，血磷高，血尿素氮、血肌酐升高，血浆白蛋白低，尿蛋白高。

课堂上提出问题并让学生思考：该患者考虑什么诊断？

通过多媒体方式展示该患者的事迹：患者作为乡村小学教师，虽身患尿毒症，但仍心系祖国教育事业，同时积极投身慈善事业帮助困难人群，最终获得了中华慈善奖。患者在与病魔斗争的过程中，仍不忘教书育人、参与慈善，体现了他“爱岗敬业、甘于奉献”的精神。医务人员在救治患者的过程中体现了“敬佑生命、大爱无疆、救死扶伤”的精神。本病例的讲解中将专业知识与思政元素结合，从而达到了价值观的塑造与专业知识传授、能力培养相融合的目的。

二、展开

1. 慢性肾衰竭的定义及流行病学　慢性肾衰竭指各种原因引起的肾单位进行性破坏，肾功能不可逆地丧失，导致的代谢产物和毒素在体内的潴留，水电解质酸碱平衡紊乱及全身多系统受累的临床综合征，简称慢性肾衰。

强调定义中的关键词：进行性、不可逆（区别于急性肾衰竭）、水电解质酸碱平衡紊乱、全身多系统（强调该病为累及全身多器官系统的临床综合征）。

慢性肾衰竭、尿毒症人群在我国数量巨大，个人生活负担及社会医疗负担繁重，要“把人民健康放在优先发展战略地位”，培养学生作为未来医学栋梁的使命感与责任感。随着祖国越来越强大，对医疗的投入逐年提升，减轻了该患病人群的医疗负担。该部分的讲解融入“爱国”等社会主义核心价值观，激发学生的民族自豪感。

2. 慢性肾衰竭的临床表现　该部分内容较丰富且零散，涉及多个系统的知识点，故采用病例教学法，结合图片、视频、问题导入等形式，从病理生理变化及发病机制角度进行讲解以提高学生对该部分知识点的理解及记忆。

该部分需重点阐明：①慢性肾衰竭的临床表现多样，可累及全身多个器官系统。其表现形式与病因和肾功能下降程度有关。②消化系统不适是最早出现的临床表现，学生面对这些表现非特异症状的患者需有发散性思维，需考虑到肾衰竭的可能。③心血管系统及神经系统受累是最严重的临床表现，是慢性肾衰竭患者死亡的首要原因。

3. 慢性肾衰竭的诊断　强调慢性肾衰竭的诊断分四个层次：临床诊断、分期诊断、病因诊断、并发症诊断。强调慢性肾衰竭与急性肾衰竭的鉴别诊断要点。强调病因诊断可帮助寻找是否存在可逆病因从而延缓甚至逆转疾病进展。强调分期诊断、并发症诊断可以帮助判断预后和制订近期及远期的治疗方案。

在该部分知识点的讲解中融入“敬畏生命、救死扶伤”的医学人文情怀及“敬业”等社会主义核心价值观。强调在疾病诊断过程中应充分发挥专业能力及敬业精神，明确是否存在可逆病因以延缓甚至逆转疾病进展，从而达到提高患者生存质量、改善预后的目的。

## 三、总结

### （一）专业知识或实践能力要点小结

结合病例回顾本堂课的要点：慢性肾衰竭的定义，结合病理生理的知识掌握慢性肾衰竭的机体功能代谢变化，根据临床表现总结出慢性肾衰竭的诊断要点。同时还需在授课中强调临床思维对于疾病诊断及治疗的重要性。

### （二）思政育人要点小结

在课程思政视域下，以慢性肾衰竭真实病例为载体，将医学人文情怀及社会主义核心价值观融入慢性肾衰竭的专业课教学中，以期培养兼具“扎实专业知识、临床思维能力”及“爱国、爱岗、敬业、救死扶伤”的医学接班人。

## 四、课堂或课后练习

随堂进行重点知识点的回顾并进行现场测验，以强化学生们对于重点内容的记忆和理解。

## 五、课后反馈

学生反馈意见表示这种教学模式能提高学习兴趣及学习动力。除此以外，通过课堂测验、期末考试结果及课后思政反馈判断这种教学模式既让学生对于知识点的掌握更加牢固和灵活，又提高了学生的使命感、责任感及医学人文情怀，从而达到了预期的教学目标。

## 【课程思政解析】

当代医学生是国家医疗领域未来的栋梁，但新时代的高等教育面临着多重困境，传统文化价值观与现代思想的背离影响当代大学生主流价值观及生活方式，如何提高人才培养质量，实现价值塑造和能力培养是当前各高校亟须解决的重点与难点。故全面推进课程思政建设，即寓价值观于知识传授与能力培养过程中，帮助当代大学生塑造正确的世界观、人生观、价值观，培养具有责任担当、职业道德、进取思想、踏实务实的医学接班人，影响着国家未来发展及民族复兴，具有重要的战略意义。

为了解决专业课教学中存在着德育与专业课传授脱节这一问题，在长期的教学实践中，我们积极探索着如何在课程思政视域下将德育融入专业课程教学的各个环节。在本教学思政案例中，教师首先以真实临床病例导入课程，采用多媒体的形式展示临床特点及患者背后的人文故事，将思政元素融入专业知识的讲授中，启发学生思考，并引出慢性肾衰竭概念。教学过程中通过图片、多媒体、病例教学等，结合启发式、问题导入、类比等教学方法讲授慢性肾衰竭的临床表现。课程中、课程结束后通过考试测评、调查问卷、思政反思等教学效果评价得出课程思政与案例教学结合能从专业知识测试成绩、学习能动性、知识理解力、知识记忆力、立德树人等方面提高教学效果，体现了这种教学模式既可以达到德育的目的又能激发学习兴趣、提高学生专业课学习效果。

**【推广应用效果】**

通过课堂测验、问卷调查等效果评价方式证实了课程思政与专业课相结合的教学模式能从课堂成绩、学习能动性、知识理解力、知识记忆力等方面提高教学效果。通过课后的思政反思学生们表示，在今后的成长道路上，在学习精湛医术的同时，要将人民群众的生命安全和身体健康放在首位，做到尊重患者、爱护患者、帮助患者。学生的思政反思汇报表明应用这种课程思政和专业课教学结合的方式能实现“立德树人，润物无声”的教学目标。除此以外，本课程的教学效果还撰写成文发表于专业杂志从而将专业课和思政课相结合的教学模式进行推广。

（袁　欣）

# 案例五　慢性肾脏病

**【课程名称】** 泌尿生殖系统疾病

**【授课内容】** 慢性肾脏病

**【授课对象】** 临床医学（“5+3”一体化）专业学生

**【教学目标】**

**一、专业知识目标**

1. 掌握　慢性肾脏病的临床分期、临床表现、诊断及治疗原则。

2. 熟悉　慢性肾脏病的病因及发病机制。

3. 了解　慢性肾脏病的实验室检查。

**二、思政育人目标**

1. 树立学生的关爱意识、责任意识，培养严谨、求实的学风。

2. 培养敬佑生命、甘于奉献的医者精神。

3. 弘扬爱国主义精神，增强民族自豪感。

**【教学设计】**

**一、导入**

以病例方式导入课程。患者为青年男性，以头痛、恶心、呕吐为主要表现，伴高血压、水肿、贫血、代谢性酸中毒，引导学生总结患者临床特点，并提出问题：患者得的是什么病？

**二、展开**

1. 首先介绍慢性肾脏病（CKD）的定义及分期，在我国，CKD 的发病呈逐年上升趋势，已成为严重危害人民健康的公共卫生问题，因其并发症多，治疗费用大，越来越受到关注。

定义：各种原因引起肾脏结构或功能异常≥ 3 个月即可诊断为 CKD。

分期：根据肾小球滤过率（GFR）下降的程度，CKD 可分为 5 期：

| CKD 分期 | GFR［ml/（min · 1.73m$^2$）］ |
|---|---|
| 1 期 | ≥ 90 |
| 2 期 | 60 ～ 89 |
| 3 期 | 30 ～ 59 |
| 4 期 | 15 ～ 29 |
| 5 期 | ＜ 15 |

2. 结合图片及病例介绍 CKD 的临床表现，加深学生对 CKD 临床表现的理解，培养学生对患者的关爱意识，学会珍惜生命，善待生命。

（1）胃肠道症状：是本病最早和最常见的症状，如食欲缺乏、恶心、呕吐、口腔有尿味、消化道出血、病毒性肝炎等。

（2）心血管系统

1）高血压和左心室肥大

发生机制：水钠潴留——即容量依赖型，占多数；肾素分泌增多——肾素依赖型。

2）心力衰竭

原因：水钠潴留，高血压，尿毒症性心肌病。

临床表现：与一般心力衰竭相同。

3）心包炎：分为尿毒症性或透析相关性心包炎。

临床表现：同一般心包炎。

4）动脉粥样硬化

原因：高脂血症，高血压，甲状旁腺激素（PTH）增高。

（3）血液系统

1）贫血。发生机制：红细胞生成素（EPO）生成减少，铁的摄入减少，失血，毒素使红细胞生存时间缩短，叶酸缺乏，毒素对骨髓的抑制。

2）出血倾向。

3）白细胞异常：易感染。

（4）呼吸系统

1）尿毒症性肺病：与毛细血管通透性增高、间质水肿和心力衰竭有关。

2）尿毒症性胸膜炎。

（5）神经、肌肉系统症状

1）尿毒症脑病：行为异常、抑郁、记忆减退、精神异常、惊厥、昏迷等。

2）周围神经病变：肢体麻木、肌肉无力、肢端袜套样感觉丧失。

（6）皮肤症状：皮肤瘙痒、尿毒症面容。

（7）肾性骨营养不良症。慢性肾脏病引起的骨骼病变，常表现为：①高转化性骨病，如纤维囊性骨炎、骨质疏松症、骨硬化症。②低转化骨病，如骨软化症（小儿为肾性佝偻病）。

（8）内分泌失调：甲状腺功能低下；胰岛素、胰高血糖素及甲状旁腺激素作用延长；性功能障碍。

（9）易于并发感染。

（10）代谢性酸中毒。

（11）水、电解质平衡失调

1）钠、水平衡失调：水钠潴留、脱水。

2）高钾。钾的负荷增加：摄入增加，溶血、出血、输库存血等，酸中毒；排钾受限：使用血管紧张素转化酶抑制剂（ACEI）、保钾利尿剂等。

3）钙和磷的平衡失调。

3. 介绍 CKD 的实验室检查、诊断及鉴别诊断，结合之前引入的病例，掌握 CKD 的诊断思路，学会从各种临床表现、化验及影像检查等表面现象的分析中去发现问题，思考力问题，得出结论。

（1）实验室检查：血常规，尿常规，血生化检查，肾功能检查（评估 GFR），B 超检查，肾活检。

（2）诊断要点

1）明确 CKD 的存在。

2）除外急性肾脏病变。

3）寻找肾功能恶化的诱因。

4）分析 CKD 进展程度。

5）明确有无合并症。

6）基础疾病的诊断。

4. 介绍 CKD 的病因和发病机制，强调 CKD 病因诊断的重要性，掌握发病机制，指导治疗方案。鼓励学生勇于创新及钻研，勇攀医学高峰。

（1）病因

1）原发性肾脏疾病。

2）继发性肾脏疾病。

（2）发病机制

1）CKD 进展的机制：①肾小球血流动力学改变；②蛋白尿加重肾脏损伤；③肾素-血管紧张素系统（RAS）的激活和影响；④高血压和脂质代谢紊乱；⑤其他因素影响，如肾小管间质损伤、食物中蛋白质负荷的影响。

2）尿毒症的发病机制。

5. 讲解 CKD 的治疗。介绍我国实施全民医保以后 CKD 患者治疗费用高的问题得到极大改善，充分体现了社会主义制度的优越性。讲述疫情期间重医人排除万难实施肾移植手术的故事，弘扬敬佑生命、甘于奉献的医者精神。

（1）治疗原发疾病。

（2）纠正加重肾损害的因素。

（3）CKD 的一体化治疗

1）营养治疗。

2）控制全身性和（或）肾小球内高压力。

3）控制蛋白尿：24 小时尿蛋白量＜ 0.3g。

4）肾性贫血治疗：2018 年 12 月 18 日，罗沙司他在中国首发上市，意味着我国首次成为全球首批首创作用机制药物的国家，标志着中国药品审评审批能力具备国际水平。

5）肾性骨病治疗。

6）纠正水电解质和酸碱平衡紊乱。

7）促进尿毒症毒物的肠道排泄：尿毒清、氧化淀粉、大黄制剂。

8）肾脏替代治疗。替代治疗适应证：① CKD 尿毒症期，即 GFR ＜ 15ml/min 或血肌酐（Scr）＞ 707μmol/L 或血尿素氮（BUN）＞ 28mmol/L。②出现严重并发症，如严重消化道症状、高钾血症、代谢性酸中毒、心力衰竭、心包炎、脑病等。

替代治疗方式包括血液透析、血液滤过、腹膜透析和肾移植。

## 三、总结

### （一）专业知识和实践能力要点总结

再次结合病例，对 CKD 的病因、发病机制、临床表现，实验室检查，诊断、鉴别诊断及治疗进行回顾。

**（二）思政育人要点小结**

完成上述知识点及思政内容学习后，回顾课程内容，引导学生做社会主义核心价值观的坚定信仰者、积极传播者和模范实践者，从而培养具有“国家情怀，创新思维”的高素质医学复合人才。

### 四、课堂或课后练习

1. 简述 CKD 的分期。
2. 高钾血症的处理方法有哪些？
3. 肾脏替代治疗的方式有哪些？

### 五、课后反馈

为提升课堂教学的成效，提出思考题：思考 CKD 几种肾脏替代治疗方式的优缺点。学生可继续学习最新指南文献，进一步思考、体会本节课所设置课程思政内容，从而达成课程思政教育目标。

通过网络教学平台、师生课后面对面交流调查学生满意度及收集学生评价，了解学生对课堂内容的掌握和对思政教学内容的感悟。同时，教研室开展集体备课，对本节课程进行思政元素、思政内容进行讨论和改进。

## 【课程思政解析】

本课程以 CKD 的学习为线索，通过挖掘、提炼课程中蕴含的人文、社会和科学等思政元素和内容，引导和培养医学生建立正确的价值观和人生观，树立为人民服务的思想，形成良好的责任心及职业道德观念，提高医学生的人文素养，构建的大学生的精神家园。

## 【推广应用效果】

本教学案例在 2020 ～ 2021 学年第一学期于重庆医科大学第一临床学院本科生授课中应用效果好，学生对本章节知识技能内容掌握情况较好，期末考试对应题目失分率＜ 15%；学生满意度＞ 95%，整体评价较高。

（王　辉）

# 案例六 肾 结 核

**【课程名称】** 泌尿系统疾病

**【授课内容】** 肾结核

**【授课对象】** 临床医学专业学生

**【教学目标】**

一、专业知识目标

1. 掌握 肾结核的临床表现、诊断及鉴别诊断、治疗原则。

2. 熟悉 肾结核的病理过程。

二、实践（临床）能力目标

对具有典型肾结核临床表现和CT影像的患者作出临床诊断。

三、思政育人目标

1. 培养学生树立高尚的医德、热爱医学的大爱精神。

2. 培养学生敬重生命、解除病痛的职业道德修养。

3. 培养学生认识疾病、勇于探索的创新求真精神。

**【教学设计】**

一、导入

通过吴阶平院士的照片，采用设问方式“同学们知不知道这位老者是谁？他在医学上的一个重大贡献与我们今天的讲课有关，知道是什么吗？”介绍现代泌尿外科奠基人吴阶平院士与肾结核的渊源并引出本节课内容——肾结核，接着通过吴阶平院士在中华人民共和国成立时谢绝国外导师安排的优越工作，毅然决然选择回国投身祖国医学事业的事迹映射医者大爱精神。

二、展开

按照教学大纲要求进行，导入后先展示教学安排和要求，让学生明确本节课的知识结构和重点内容，然后按照课程逻辑展开讲授和学习。

**（一）介绍肾结核的定义及流行病学特点**

1. 病理性肾结核（pathological renal tuberculosis） 结核杆菌经血行途径达肾皮质肾小球毛细血管丛形成结核病灶（结核结节），如患者免疫力强则自行纤维化而自愈，不出现临床症状。

2. 临床肾结核（clinical renal tuberculosis） 结核杆菌经血行途径达肾皮质肾小球毛细血管丛形成结核病灶，如患者免疫力弱和（或）结核菌量大，则结核病灶不愈合，并经肾小管达肾髓质形成新的结核病灶并逐渐扩大，累及肾乳头、肾盏、肾盂，出现临床症状和影像学改变。

通过《黄帝内经》“正气内存，邪不可干”中医理念，类比机体与结核杆菌之间的对抗，映射中国传统文化。

**（二）肾结核引起的泌尿系症状和体征**

1. 膀胱刺激症状（尿频、尿急和尿痛）（77.6%）。

2. 血尿（50% ～ 60%）。

3. 脓尿。

4. 排尿困难。

5. 腰痛、腰部肿块。

让学生感受夜尿增多对睡眠的影响，膀胱刺激征对白天工作的影响，肾结核晚期导致肾衰竭需要透析治疗的痛苦，使学生对患者产生同情心，映射人文素养。

**（三）介绍肾结核的辅助检查**

1. 尿液检测　尿常规、尿培养、尿涂片、尿结核菌培养、尿聚合酶链反应检测结核菌 DNA（TB-DNA-PCR）。

2. 结核菌素试验

3. CT 检查　肾结核的重要诊断方法，典型的结核图像即可确立肾结核的诊断。

**（四）诊断及鉴别诊断**

1. 诊断思路　症状+体征+影像学检查+病理确诊。

2. 强调　进行性尿路刺激症状加重但普通抗生素治疗无效的病史，影像学是发现肾结核的常用而有价值的方法，病原微生物和病理学检查是肾结核的确诊方法。

介绍诺贝尔生理学或医学奖获得者德国科学家科赫发现结核杆菌的艰难历程，映射医学进步的科学探索精神。

**（五）病原菌、感染途径和发病机制**

1. 病原菌　结核分枝杆菌。

2. 感染途径　血行播散为主，少见淋巴系统、直接播散及接触感染。

3. 发病机制　结核病的发生取决于宿主对病原菌的免疫反应。

**（六）病理改变与临床特征**

1. 结核病的基本病理改变

（1）以渗出为主：主要表现为浆液性或浆液纤维素性炎症——吸收、消散。

（2）以增生为主：主要表现为结核结节——纤维化及钙化。

（3）以坏死为主：主要表现为干酪样坏死——浸润进展、溶解播散——空洞形成。

2. 肾结核病理改变

（1）肾脏病理改变：结核杆菌经血行途径达肾皮质肾小球毛细血管丛形成结核病灶，随后出现由朗汉斯巨细胞及周围的淋巴细胞和成纤维细胞组成的干酪性肉芽肿。

（2）肾自截（autonephrectomy）。

（3）继发输尿管结核。

（4）继发膀胱结核。

（5）继发尿道结核。

讲述吴阶平院士从一名肾结核患者诊疗过程中思考“双侧肾结核”，研究出“一侧肾结核，对侧肾积水”理论，映射热爱生命，爱护患者，对患者不离不弃的大爱精神；不畏医学权威、敢于挑战、勇于开拓的创新求真精神。

**（七）治疗**

治疗方式：抗结核治疗、手术治疗、免疫治疗。

1. 抗结核治疗

（1）原则：早期、适量、联合、规律、全程。

（2）治疗方案：强调以利福平为基础的 6 个月标准治疗方案（2H-R-Z-E/4H-R）（H：异烟肼；R：利福平；Z：吡嗪酰胺；E：乙胺丁醇），所有药物必须一起顿服。

2. 手术治疗

（1）原则：术前术后要用足量抗结核药物（术前 2 周、术后 3 ～ 6 个月）。

（2）手术方式：肾部分切除术、病灶清除术、肾切除术。

**（八）预后与预防**

略。

三、总结

**（一）专业知识或实践能力要点小结**

肾结核是肺外结核的常见好发部位，主要感染途径是血行播散。临床表现主要分为泌尿生殖系统症状、全身症状及泌尿生殖系统外其他脏器结核引起的症状。其中膀胱刺激征和血尿是常见症状。膀胱挛缩、对侧肾积水是晚期肾结核的主要表现。肾结核应采用综合性、个体化治疗。

**（二）思政要点小结**

通过吴阶平院士医学事迹，向学生展现高尚医德、热爱医学的大爱精神，展开介绍肾结核的概念，借《黄帝内经》“正气内存，邪不可干”中医理念，类比机体与结核杆菌之间的对抗，映射中国传统文化，讲述肾结核血行播散途径、临床表现、诊断及治疗。通过吴阶平院士对一名晚期“双肾结核”患者的查房故事，展现一名崇高职业道德医生对患者生命被疾病侵犯所受痛苦的共情之心，从“双肾结核”治疗之中，探索出“一侧肾结核，对侧肾积水”理论，展现不畏医学权威、勇于探索的创新求真精神。

四、课堂或课后练习

利用信息化教学方法，使用网络教学平台进行随堂测验，强化对重点内容的掌握与记忆。

五、课后反馈

本课程开课以来受到学生和督导专家的一致好评，通过网络教学平台评论区、教学联席会和课程网络群等多渠道收到学生的良好反馈。学生评价：将吴阶平院士的医学事迹融入肾结核疾病的讲授中，体现知识传授与价值引领相结合的目标，同学们不仅学到了专业知识，更重要的是培养了自身的道德素养、理想信念和治学态度，提高了同学们的学习兴趣。

## 【课程思政解析】

将吴阶平院士的医学事迹巧妙地融入肾结核疾病的讲授中，体现知识传授与价值引领相结合的目标，围绕“知识传授与价值引领相结合”的课程目标，润物细无声地发挥隐性思政作用，真正实现立德树人。思政课程不仅要培养医术高明的医生，更要培养全面发展的高素质医学人才，全面提高医学生的道德素养。将思想政治教育中丰富的内涵融入专业教学中，结合医学教育的特征，对学生进行理想信念、治学态度、创造精神及职业道德等方面的教育，培养适应健康中国新时代的复合型医学人才。

**【推广应用效果】**

该课程的成功经验已向临床医学系其他专业课程、校内其他专业及其他兄弟院校的临床医学系等推广，在国内临床医学教育界受到广泛关注，影响较大。

（匡幼林）

# 第九章　血液与免疫系统疾病案例

## 案例一　急性白血病

【课程名称】 血液与免疫系统疾病

【授课内容】 急性白血病

【授课对象】 临床医学专业学生

【教学目标】

一、专业知识目标

1. 掌握　急性白血病的实验室检查、诊断与治疗方法。

2. 熟悉　急性白血病的形态学、免疫学、细胞遗传学、分子生物学实验室检查方法。

3. 了解　急性白血病的预后。

二、实践（临床）能力目标

1. 掌握　急性白血病及其并发症的诊治能力和相应的医患沟通能力。

2. 熟悉　血液科病房接诊患者流程。

三、思政育人目标

1. 王振义院士率先应用维A酸（ATRA）治疗急性早幼粒细胞白血病，使其从治疗难度最大、死亡率最高的一种亚型变为疗效最好、花费最少的一种亚型，以此激励学生勇于创新，敢为人先。

2. 学习王振义院士一生淡泊名利、勤劳务实的精神，培养学生对患者无微不至的关怀，在业务上肯下功夫钻研等优秀品格。

【教学设计】

一、导入

通过临床病例导课“患者为中年女性，因发热伴头晕乏力就诊，血常规发现白细胞显著增高并伴有幼稚细胞”引导学生总结患者临床特点，并提出问题：患者患的是什么病？通过临床病例启发学生思考，引导学生带着探索精神进入课堂。

二、展开

按照教学大纲要求进行，导入后先展示教学安排和要求，让学生明确本节课的知识结构和重点内容，然后按照课程逻辑展开讲授和学习。

**（一）概述**

首先介绍白血病的定义，其发病率为（3～4)/10万。在我国，急性白血病比慢性白血病多见（约5.5∶1），严重危害人民健康，是临床医生需要重点关注的疾病。

**（二）临床表现**

结合图片及音频、视频介绍急性白血病的临床表现，以及典型体征，加深学生对其症状及体征的理解，培养学生对患者的同理心。

**（三）诊断**

接着介绍急性白血病的实验室检查、诊断标准及分型，结合之前引入病例对急性白血病诊断流程进行梳理，强调医生掌握扎实临床知识的重要性，鼓励在业务上肯下功夫钻研。

**（四）病因和发病机制**

通过图片讲解将其发病机制与临床症状联系起来，引导学生理解急性白血病的病理生理与血细胞的功能关联。鼓励学生善于思考，深入研究白血病的病因及发病机制，从而发现更加有效的治疗方法。

**（五）治疗**

最后讲解本章节核心内容——急性白血病的治疗，说明应根据患者病情选择恰当的支持治疗，及时处理并发症，保证患者生活质量。详细讲解抗白血病治疗仍以联合化疗为主。对急性白血病联合化疗应遵循早期、联合、充分、间歇和分阶段原则。治疗过程一般分为诱导缓解、巩固强化及维持治疗三个阶段。

选用王振义院士的案例，以此为榜样教育、激励学生学习王院士的优秀品德。详细说明如下。

1. 简要介绍急性髓系白血病 M3 型（AML-M3）治疗的发展历程　急性早幼粒细胞白血病（APL）是急性髓系白血病（AML）中较为特殊的亚型，即 AML-M3，约 98% 的 APL 患者染色体中存在特征性改变 t（15；17）（q22；q21），在分子水平上可见 PML-RARa 融合基因。因 APL 具有严重的出血倾向，并可快速进展至弥散性血管内凝血（DIC），曾一度被认为是急性白血病中预后最差的一种亚型。转机发生在 1986 年，在治疗中联合运用维 A 酸使得 APL 患者的治愈率大幅提高，随后不断优化治疗方案和策略，APL 患者的治愈率已经达到 90% 以上。APL 从治疗难度最大、死亡率最高的一种亚型变为疗效最好、花费最少的一种亚型，而这一项重要的突破归功于王振义院士。

2. 勇于创新，敢为人先　1986 年，上海儿童医院的病房里，一位 5 岁的女孩正躺在病床上与死神进行最后的较量，身患 APL 的她，病情凶险，虽经化疗，但疗效并不好。而当时年届 62 岁的王振义教授大胆地提出了一个治疗方案——维 A 酸诱导分化疗法，诱导癌细胞“改邪归正”，使之成为正常细胞。虽然当时王振义教授的团队对这种药物已经做了很多深入的研究，但从未在临床上应用过。“我有勇气，我尊重科学。在尊重科学的前提下，为了救人，值得冒这个险！”就这样，在王振义教授牵头下开展临床试验，完成了他对该患儿的救治。在使用维 A 酸一个星期后，小女孩的病情好转，身体各项指标渐渐趋于正常，王振义教授把小女孩从死神手中拉了回来。首批参加临床试验治疗的 24 例患者中，治愈率高达 80% 以上。国内外的知名刊物争相报道了这项成果，引起国际医学界的巨大轰动！

3. 一门四院士，桃李满天下　王振义教授不仅是一位医术精湛的医者，也是一位桃李芬芳的伯乐。“我只是想以我绵薄的力量，培养更多的医学事业的接班人”是这位从事教学 70 年老教授的心声。王振义教授行医执教七十年，培养数十位博士及硕士，在培养的众多学生中，最为人们所称道的是他的三位院士学生——陈竺、陈赛娟、陈国强。他们都是医学界顶级的研究英才，在各自的医学领域中为人类健康奉献、奋斗。正是王振义教授的虚怀若谷和无私奉献，创造了一门四院士的佳话，也成就了医学界三代杏林英华的清隽风华。

4. 活到老，学到老 王振义教授虽已是一名医学大家，有扎实的基础医学知识和丰富的医学临床实践经验，仍保有一颗对知识的好奇心和敬畏心，抓住一切机会学习新的理论和技术。2003年，王振义教授自创了“开卷考试”式的查房，每周四上午针对学生提出的疑难病例进行分析和答疑，而学生们则对他的回答进行打分。2021年97岁高龄的王振义教授，仍坚持这种“开卷考试”的做法。这不仅培养了学生的诊断思路，更是给患者带去福音。他每天抽空学习医学发展的最新动态，将相关知识教授给学生。他说：“我的这些学生现在都是医院的骨干，非常繁忙，我现在相对空闲了，可以成为他们的眼睛，用我的知识和经验进行筛选分析，这样可以节省他们的时间。我带给他们一些新知识，解决了医疗难题，解除患者痛苦，我很开心。”王振义教授的勤奋好学和钻研精神不断感染、鞭策着年轻一代的医生们在医学的道路上不懈进取，勇攀高峰。

5. 大医精诚，止于至善 将爱留给患者，是王振义教授的宗旨。王振义教授使用维A酸治疗APL取得成功后，他没有申请专利，而是将之公开，让更多的患者受益。他总是说，我最喜欢别人对我的称谓是王医生，做医生，要有精湛的医术，最关键的还要有爱心，一定要淡泊名利、勤劳务实。医生一生追求的应该是一种崇高的境界，为人类健康事业做贡献，捍卫生命是一种职责和义务。

2010年，王振义荣获国家最高科学技术奖。他从500万元奖金中拿出450万元给医院买了研究设备，余下的奖金赠予了参加维A酸研究的团队成员。王振义说：“科学研究、发明创造都需要钱，我不鼓励这个时代的科研人员放弃专利。但医生不能只想着发财，救死扶伤才是我们的首要任务。”

王振义教授用他的行动给至善做了最好的诠释。王振义教授至今还保留着数十年前毕业时的誓言：余于病者当细心诊治，不因贫富而歧视，并当尽瘁科学，随其进化而深造，以期造福于人群。他向我们诠释了什么是“不忘初心、牢记使命”！

## 三、总结

### （一）专业知识或实践能力要点小结

再次结合病例，系统梳理急性白血病的流行病学、临床表现、病因及发病机制、治疗及预后等知识点。

### （二）思政要点小结

升华大爱医德、医生职业的荣誉感及使命感、人文关怀等思政元素。学习医学大家“勇于创新，敢为人先”“活到老，学到老”“大医精诚，止于至善”等优秀品质。

## 四、课堂或课后练习

利用信息化教学方法，使用网络教学平台进行随堂测验，强化对重点内容的掌握与记忆。

## 五、课后反馈

为提升课堂教学的成效，加入动画视频、影视片段、纪录片等元素可以让思政教学变得更加立体，将相关素材上传至网络教学平台，制作成慕课支持学生离线观看，为学生提供随时随地学习的平台。网络教学不仅让思政课课堂内的师生互动延续到课堂之外，也增加了学生之间的互动。

通过网络教学平台、师生面对面交流调查学生满意度及收集学生评价，开放师生沟通渠道，了解学生对思政教学内容的感悟。同时，教研室开展集体备课，对本章节课程进行思政元素、思政对接点、思政融入情况的讨论，并持续改进。

## 【课程思政解析】

血液与免疫整合课程思政教学应注重启发与互动，在教学过程中，教师可以积极探索问题导入式、案例启发式等多种教学方式，激发学生的参与和思考，拓展学生思维空间，培养学生主动分析问题和解决问题的能力。

案例启发式思政课程的教学方式是结合临床案例或者历史科学发展事例的创新教学方法。课程思政不是直接讲解原理或道理，而是喻理于事，本课程以急性白血病为主题，以王振义院士的事迹为例，讲述优秀科学家经历的不断摸索和反复实验验证，这种严谨、执着、坚持不懈的探索精神，可以使学生见贤思齐，增加学生对科学研究的兴趣，增强民族自豪感。

首先简要介绍 APL 治疗的发展，引出王振义院士当年勇于创新，敢为人先，率先应用维 A 酸治疗 APL，从而使其从治疗难度最大、死亡率最高的一种亚型变为疗效最好、花费最少的一种亚型。随后进一步介绍王振义院士教书育人，真正做到桃李满天下，最为人们所称道的是他的三位院士学生——陈竺、陈赛娟、陈国强。教育学生学习王振义院士活到老，学到老的精神，2021 年 97 岁高龄的他还要坚持参加每周四的教学查房，登录国际最前沿的医学网站浏览最新动态，查阅最新文献，摘录相关知识转达给学生。最后还有他大医精诚，止于至善。2010 年，王振义荣获国家最高科学技术奖，他从 500 万元奖金中拿出 450 万元给医院买了研究设备，余下的奖金赠予了参加维 A 酸研究的团队成员。以此为例教育医学生一定要淡泊名利、勤劳务实。医生一生追求的应该是一种崇高的境界，为人类健康事业做贡献，捍卫生命是一种职责和义务。

## 【推广应用效果】

本教学案例在 2020 ～ 2021 学年第一、二学期重庆医科大学第一临床学院临床医学专业本科生授课中应用，效果好，学生对本章节知识技能内容掌握情况较好，满意度高，整体评价较高。

（李　兵　王　欣）

# 案例二　抗凝药——华法林

**【课程名称】** 血液及免疫系统疾病

**【授课内容】** 抗凝药——华法林

**【授课对象】** 临床医学专业学生

**【教学目标】**

**一、专业知识目标**

1. 掌握　华法林的作用机制、药理作用、临床应用和主要不良反应。

2. 熟悉　华法林过量中毒的临床特点及其解救药维生素 K。

3. 了解　华法林的来源及其发现过程。

**二、思政育人目标**

1. 引导学生利用马克思主义辩证法，正确地理解物质的二重性，体会药物治疗效应和不良反应的相互作用与相互转化、对立统一的特点。

2. 通过药物发现和科学家的故事，激励学生在临床和科研工作中善于发现、勇于探索、敢于挑战。

3. 正确地理解药物发现过程中的偶然性和必然性。

**【教学设计】**

**一、导入**

**病例：**患者，男，45 岁，已婚。1 周前，患者先出现牙龈及鼻腔出血，随后出现便血和尿血等出血症状，3 天前患者被送入医院救治。患者自述平素健康，无心脑血管及血液系统疾病，无外伤，无用药史。入院后进行相应临床和实验室检查。医生初步诊断为“凝血因子缺乏症，鼠药中毒待排？”随即检测患者血液中是否存在鼠药，最终诊断为鼠药溴敌隆中毒。

[设问] 临床医生为什么能够根据临床症状和实验室检查推测患者可能为鼠药中毒？

[课程导入和思政切入] 通过临床鼠药中毒的病例特点，导入出血和血栓形成之间的逻辑关系。进一步针对用药目的不同，切入抗凝和止血相互转化的辩证关系，马克思主义物质的二重性。

**二、展开**

1. 结合鼠药中毒临床表现引入华法林的发现　华法林从灭鼠药到救命药的发现故事：19 世纪 20 年代，加拿大和美国北部的农场中牛羊得了一种奇怪而相似的病，外伤或者小手术后牛羊出血不止而死去。随后，加拿大兽医弗兰克·斯科菲尔德（Frank Schofield）通过仔细观察和分析发现腐烂变质的牧草（草木樨）是罪魁祸首，并命名这个疾病为草木樨病（sweet clover disease）。尽管牧民小心翼翼避免其牛羊吃这些发霉的草木樨，但每年仍有大量的牛羊因误食发霉的草木樨出血而亡。1933 年，埃德·卡尔森（Ed Carlson）因为家中牛羊又出现出血死亡找到生化学家卡尔·林克（Karl Link）教授，希望能找到牛羊死亡的真正原因。经过多年的探索，林克教授在 1939 年发现草木樨中香豆素通过霉变氧化成双香豆素，而后者正是导致牛羊出血的活性物质。

1948年，美国北部出现鼠灾，正在利用老鼠研究双香豆素衍生物毒性实验的林克教授，发现这些导致出血毒性的衍生物可用于灭鼠。林克教授通过筛选发现其中一个导致鼠出血最严重的衍生物，并将其命名为华法林，用于灭鼠。华法林因其高效的灭鼠效果，随即风靡全球。1951年，一位失意的士兵服用大量的华法林自杀，医生通过注射维生素K成功救治。这一非正规临床试验结果，使临床医生和药学家发现，华法林在人体的出血性是可控的，而其抗凝特性十分明确。最终，华法林在1954年被批准用于血栓栓塞性疾病的预防和治疗，华法林终于从一个风靡全球的灭鼠药成为家喻户晓的抗凝药，从此临床抗凝治疗进入了华法林时代。

2. 结合鼠药中毒的解救，讲解华法林的作用机制及药理特点　通过上述故事提问：为什么临床医生在救治服灭鼠药自杀的士兵时用到维生素K？由此引出亨利克·达姆（Henrik Dam）和爱德华·多伊西（Edward Doisy）发现维生素K，用于临床治疗出血性疾病，并获得1943年诺贝尔生理学或医学奖。而华法林与维生素K结构类似，其可阻止维生素K的循环再利用，抑制维生素K依赖的凝血因子（Ⅱ、Ⅶ、Ⅸ、Ⅹ）前体的羧化修饰，达到抗凝作用。因此，华法林及其衍生物又称维生素K的拮抗剂（vitamin K antagonist，VKA）。华法林对已羧化的凝血因子无影响，要等已羧化的凝血因子清除后才能发挥作用，因此抗凝作用起效慢。另外，维生素K依赖的羧化修饰过程发生在肝脏中，因此，华法林在体外无抗凝作用。

3. 结合华法林发现的故事，讲解华法林的临床应用和不良反应　结合华法林的发现故事，通过出血和抗凝的辩证关系，引出华法林的临床应用和不良反应。针对抗凝作用，华法林用于血栓栓塞性疾病的治疗，包括静脉血栓栓塞治疗、心房颤动、心脏瓣膜病的预防和治疗；针对出血作用，华法林的主要不良反应是过量易致自发性出血，可出现关节、胃肠道出血，最严重者颅内出血。一旦出现，立即停药并缓慢注射大量维生素K或输新鲜血液，用药过程中，随时监测凝血酶原时间（PT）的国际标准化比值（INR）。

## 三、总结

通过抗凝药——华法林发现的故事，阐释临床药物发现过程中的科学规律和探索精神。从牛羊出血而亡的现象到发现草木樨，再到科学家的不断探索发现双香豆素的抗凝出血作用；从对不同双香豆素衍生物的化学改造及动物毒性试验，到发现了华法林强效的鼠毒性作用，并用于灭鼠；士兵意外自杀成功救治的临床经验，使医生意识到华法林的可控性，从而利用其抗凝的特点，用于血栓栓塞性疾病的预防和治疗；而鼠药中毒临床抢救应用成功的案例，使患者和临床医生克服了对作为灭鼠药的华法林安全性的恐惧和担忧，最终使临床抗凝治疗进入华法林时代。

## 四、课后反馈

通过讲述华法林从灭鼠药到抗凝药的药物发现故事，同学们可以更加清晰地理解“毒物”和“药物”之间的区别和联系；更加直观地明白，因用药目的不同，药物可能发挥治疗作用和不良反应；更加生动有趣地掌握华法林类药物的抗凝特点、临床应用、不良反应及其救治措施；更加深刻地了解药物研究过程中存在的偶然性和必然性。通过本节的学习，增强学生学习专业知识的兴趣及学习的主动性，更加灵活有效地运用相关理论知识分析解决临床实践。

## 【课程思政解析】

通过本次内容的讲授，一方面，将华法林的药理作用、临床应用、不良反应及其救治措施有机地融入抗凝药华法林发现过程的各个情节；另一方面，更为重要的是，在讲述华法林的发现故事中，通过有效地结合一些思政元素，使同学们能更加生动而深刻地认识和理解这些课程思政内容的真正内涵，潜移默化地将思政融入专业学习中，达到润物细无声的学习效果。通过讲述腐烂变质的牧草致牛羊出血死亡，引出华法林的发现及其灭鼠药的应用，随后，针对其强大的抗凝效应及人体相对安全可控的临床特点，华法林被广泛应用于血栓栓塞性疾病的预防和治疗。这种从毒物到药物的转化过程，符合马克思主义辩证法中“物质的二重性、对立统一、相互作用和相互转化”的哲学原理；通过士兵自杀的偶然事件及林克教授长期坚持研究的必然过程，揭示“科学探索过程中的偶然性和必然性”；通过兽医弗兰克·斯科菲尔德的敏锐和生化学家林克长期坚持不懈实验研究的故事，生动形象地阐释了科学发现过程中“善于发现、勇于探索、敢于挑战、不断进取的科学探索精神”。

## 【推广应用效果】

结合药物发现过程中的故事情节，如双香豆素类药物抗凝出血的外在表现与华法林抗凝的药理作用及临床应用；士兵过量服用华法林中毒出血及应用维生素 K 成功解救，潜移默化地将专业知识与育人目标互相融入，达到事半功倍的学习效果。通过本次课的学习发现，学生对原本枯燥零散的药物知识，产生了浓厚的兴趣，同时，学习方法也更具有系统性。在本次课学习过后，不少学生联系教师，积极申请学校大学生创新大赛，主动参与相关教师科研课题小组的研究。

通过华法林从灭鼠药到抗凝药的发现过程，更加通俗地理解马克思主义辩证法中物质的二重性；通过药物发现过程中科学家和临床医生的不断努力探索研究，让学生更加直观地理解科学探索精神的真正内涵。

通过本次课的教学和学习，一方面使教师对专业教学的认识和理解得到了极大的提高；另一方面也使学生在专业理论和思政素质教育得到了极大收获。

（万敬员）

# 案例三　原发性免疫缺陷病

**【课程名称】** 小儿内科学

**【授课内容】** 原发性免疫缺陷病

**【授课对象】** 儿科系五年制本科大四学生

## 【教学目标】

### 一、专业知识目标

1. 掌握　原发性免疫缺陷病（primary immunodeficiency disease，PID）共同的临床特征；PID 诊断的常规筛查方法；PID 的治疗原则。

2. 熟悉　PID 的定义、分类。

3. 了解　PID 的致病机制。

### 二、实践（临床）能力目标

1. 掌握　PID 的诊断能力和相应沟通能力。

2. 熟悉　PID 的治疗方案的制订。

### 三、思政育人目标

1. 职业荣誉感和责任感　通过案例和教师经历分享，引导和培养学生的医者精神和职业荣誉感，始终把患者的生命健康安全放在首位，建立为儿科医学事业奋斗的远大理想。

2. 专业追求和探索精神　通过对学科前沿进展的介绍，包括我院在 PID 研究中的成果，开阔学生的眼界，激发学生对未知领域的兴趣和学习热情，提升学生创新能力。

3. 科学精神和家国情怀　通过对儿童免疫学科发展历程的介绍，让学生了解中国儿童免疫学科由落后状态追赶并逐步接近国际先进水平，体会前辈的科学精神和家国情怀。

## 【教学设计】

上好一门课，学情分析非常重要。本堂课授课对象为儿科系五年制本科大四学生。学生完成基础课，但临床实践少，临床思维能力和创新能力亟待提升。学生普遍有好奇心和求知欲，但部分学生专注力和自学能力不够。尽管完成了思政课程的理论学习，但职业荣誉感和责任感仍有不足。针对学情，如何把专业知识传授和课程思政融合起来，设计如下。

### 一、导入

从“你愿意在泡泡球中最多待多久？”发问，引出在密闭的无菌罩生活 12 年的著名“泡泡男孩”，从而引出主题：PID。让学生体会患者的艰辛，知晓医学发展的日新月异，“泡泡男孩”所患疾病已有根治方法。

二、展开

**（一）教学目标**

教学目标将价值塑造、知识传授和能力培养三者融为一体。在人文素养方面，培养学生职业荣誉感和责任感，引导学生树立远大理想。在能力培养方面，注重临床思维能力、创新能力及自学能力的培养。在专业知识方面，明确告知学生知识目标及重难点。

**（二）前测**

本堂课的前测以提问的方式，采用网络教学平台以线上形式进行覆盖全员的前测，了解学生课前在线上平台的预习情况。前测题目“免疫三大基本功能是什么？”与课堂重点内容密切相关，难度适中。

**（三）参与式学习**

参与式学习是整堂课的主体部分。把专业课程的思政元素如盐入水式地体现在与学生积极愉快的互动教学中。

1. PID 的概念　强调定义中的关键词，引出“免疫出生错误”这一最新提法，让学生了解学科概念的进展。面对 400 多种 PID，引发学生思考，抓住 PID 的共同临床特征。

2. PID 的共同临床特征　从已知联想未知，用动画的形式从已知的免疫三大基本功能（免疫防御、免疫自稳和免疫监视）引导学生推导 PID 对应的三大临床表现，理解更加深刻。其中，反复感染是最常见和最重要的表现。

反复感染的特点介绍中，从起病时间、感染部位、感染病原体和感染次数 4 个方面，引导学生分别用 4 个字归纳其核心特征，即“一早三多”。用“三多”抛出热剧《士兵突击》“许三多”的形象，引入其经典名言“不抛弃不放弃”，学习这种精神。

自身免疫和肿瘤也是 PID 的重要表现。与学生一起分享真实病例的图片，让学生感受疾病的异质性，重视实践，辩证看待临床征象。

为了让学生更好理解 PID 的三大临床表现，课前在网络教学平台分小组布置关于 PID 临床特征的思维导图作业。课中选取小组代表上台分享，学生及时点评。最后全体投票选出最优的思维导图。翻转课堂的教学形式锻炼了学生自学能力和团队合作精神，提高了学习积极性。信息化评价工具的应用，大大提高了教学效率。

重庆医科大学附属儿童医院风湿免疫科赵晓东教授和蒋利萍教授执笔撰写了《原发性免疫缺陷病的早期识别线索（征求意见稿）》，他们对国际标准不迷信，不盲从，发出了属于中国儿科医生的声音，对学生起到了激励作用。

3. 5 种常见的 PID　归纳 5 种常见 PID 的临床特征是课堂教学重点内容。

（1）X 连锁无丙种球蛋白血症（X-linked agammaglobulinemia，XLA）：从布鲁顿（Bruton）教授发现 XLA 的过程中，让学生体会临床现象观察的重要性。用动画的形式师生互动，推导基因突变、免疫学改变和临床表现全过程，激发学生学习的兴趣。

采用真实的 PID 病例进行分析可以让学生更有参与感和成就感。与学生一起分析病例的诊断要点，及时检测学习效果。通过成功救治的病例，老师发出“我们在帮助患者，患者也成就了我们，让我们得以成长”的感慨，对学生有正向引导作用。

长期的静脉丙种球蛋白替代治疗是 XLA 的重要治疗方法，但药物价格昂贵，导致很多患者放弃治疗。国家将其纳入医保报销目录，体现了国家对PID的关注和对患者的关爱。

（2）威-奥综合征（WAS）、重症联合免疫缺陷（SCID）、慢性肉芽肿病（CGD）、高IgM综合征（HIGM）：分别从发病机制、临床表现及实验室检查、诊断和治疗等几个方面讲授疾病的诊断要点。运用启发式和案例教学的方法，让学生在轻松愉快的氛围中学习疾病专业知识，同时感悟医学前辈对学术的执着追求。

**（四）后测**

后测的目的是及时检测学习效果，紧扣目标，课内完成，难度适度升级。本堂课拟采用案例分析方法，学生对主要几种PID的诊断要点进行归纳，并增加与患者家长沟通病情的开放性提问。真实病例加上老师的正确引导对于学生岗位胜任力的培养非常重要。

三、总结

**（一）专业知识或实践能力要点小结**

采用思维导图的形式总结PID的核心特征，以口诀的形式和卡通形象总结PID的三大主要临床表现。鼓励学生课后通过读书报告、义诊、科普短文等多种形式巩固知识要点，加强实践能力培养。

**（二）思政要点小结**

提高PID患者的生存质量，不仅需要我们努力学习专业知识，更需要倾注爱心和人文关怀，需要积极探索科学前沿和未知领域，为患者带来更好的服务。尽管PID患者的生命有缺陷，生活有坎坷、泪水和不幸，但是每一个生命都有追求极致绽放的权利，共同努力，为折翼的天使（PID患者）带来放飞的希望。

四、课堂或课后练习

采用信息化方法进行随堂测试，强化知识的掌握，同时让教师根据学生的掌握情况，及时调整授课进程。课后继续在网络教学平台进行师生互动答疑，完成课后作业。

五、课后反馈

本课程在继承传统特色教学的基础上坚持以学为中心，以目标为导向，持续改进。课后学生、督导专家、领导均给予高度评价。课前辅导、课中引导、课后指导的教学模式充分体现以学生为中心的教育理念。教师分享经历和言传身教，通过对前辈的职业精神和家国情怀、国家政策极大惠及患者的介绍，让课程中的思政元素自然融入专业知识的学习，让学生真正体会医者仁心的内涵和重要性，建立职业使命感和荣誉感。

## 【课程思政解析】

本课程积极挖掘课程中的各种思政元素，有机融入专业知识传授，真正实现课程思政和专业教育的统一。立德树人的关键不在于言传，而在于身教。通过教师身教，潜移默化地向学生传递正向的价值信念。通过鲜活的PID案例及教师的经历分享，引导和培养学生“敬佑生命、救死扶伤、甘于奉献、大爱无疆”的医者精神和职业荣誉感。介绍免疫学科发展历程，体会医学前辈的科学精神和家国情怀。通过对PID新进展的介绍，开阔学生的眼界，激发学生对未知领域的兴趣和探索精神。通过第二课堂活动，包括读书报告、义诊、科研实践等，提升学生实践创新能力和培养严谨的科学精神。总之，思政教育显性和隐性相统一，与专业知识教育自然融合。

**【推广应用效果】**

本课程入选重庆市高校线上线下混合式一流课程和精品在线课程。本课程所在教研室连续多年荣获校优秀教学团队，获得“重庆市高校课程思政教学名师和团队”称号。

（张志勇）

# 第十章　内分泌系统疾病案例

## 案例一　甲状腺癌

**【课程名称】** 内分泌系统疾病

**【授课内容】** 甲状腺癌

**【授课对象】** 临床医学专业学生

**【教学目标】**

一、专业知识目标

1. 掌握　甲状腺术后常见并发症；甲状腺癌的治疗原则。
2. 熟悉　甲状腺癌的病理分型、临床表现。
3. 了解　甲状腺癌的流行病学特征。

二、实践（临床）能力目标

1. 掌握　甲状腺查体要点。
2. 熟悉　甲状腺癌的常用检查项目及意义。
3. 了解　甲状腺癌的手术方式。

三、思政育人目标

1. 培养学生的团队协作能力。
2. 培养学生与时俱进的学习观念，保持科学的态度。

**【教学设计】**

一、导入

设问：大家应该都知道诺贝尔生理学或医学奖吧，有谁知道有哪些外科医生获得过诺贝尔生理学或医学奖？第一位获得诺贝尔生理学或医学奖的外科医生是谁？他做出了什么贡献？

回答：第一位获得诺贝尔生理学或医学奖的外科医生是科赫尔（Kocher），他将甲状腺手术的死亡率由40%左右降到了1%以下。

二、展开

**（一）设问**

大家知道甲状腺手术中最常见的疾病是什么呢？对它了解多少呢？

回答：甲状腺手术中最常见的疾病是甲状腺癌，甲状腺癌是所有内分泌相关恶性肿瘤中最常见的，占所有内分泌相关癌症的95%以上，占全身恶性肿瘤的1.3%；恶性程度高的甲状腺癌罕见于40岁以下的人，但年龄大于40岁后，甲状腺癌发生转移和死亡数上升。美国一项基于SEER数据库的研究显示：1974～2013年美国甲状腺癌的发病率每年增加3%，在1994～2013年，其发病率每年增长3.6%；且1994～2013年甲状腺癌的死亡率每年增长1.1%。

**（二）甲状腺主要的解剖知识**

1. 甲状腺由左右两个侧叶和峡部构成，峡部有时有锥状叶连于舌骨。

2. 主要血管

（1）动脉：甲状腺上动脉（起自颈外动脉），甲状腺下动脉（起自锁骨下动脉甲状颈干），甲状腺最下动脉（出现率较小，约 10%，起自头臂干或主动脉弓）。

（2）静脉：甲状腺上静脉，甲状腺中静脉（汇入颈内静脉），甲状腺下静脉（汇入头臂干）。

3. 主要神经：喉上神经（内、外支），喉返神经。

4. 甲状腺由内、外两层被膜包裹，内层被膜很薄、紧贴腺体称为甲状腺固有被膜；外被膜为气管前筋膜的延续，包绕并固定甲状腺于气管和环状软骨上，又称为甲状腺外科被膜。在内、外被膜之间有疏松的结缔组织、甲状旁腺和喉返神经经过。

5. 颈部淋巴结分区：简述各分区之间的解剖标志。

**（三）临床表现**

甲状腺内发现肿块是最常见的表现。

1. 讨论　结合甲状腺的解剖特点，请大家讨论甲状腺癌患者可能出现哪些临床表现？为什么？

2. 总结归纳

（1）当肿瘤侵犯气管时，可产生呼吸困难或咯血。

（2）当肿瘤压迫或浸润食管，可引起吞咽障碍。

（3）当肿瘤侵犯喉返神经可出现声音嘶哑。

（4）交感神经受压引起霍纳（Horner）综合征及侵犯颈丛出现耳、枕、肩等处疼痛。

**（四）病理分型**

1. 乳头状癌　好发人群为 30 ～ 45 岁女性，恶性程度较低。常为多中心病灶，约 1/3 累及双侧甲状腺，且较早便出现颈淋巴结转移，但预后较好。

2. 滤泡状癌　发病高峰年龄为 50 岁左右，肿瘤生长较快属中度恶性，且有侵犯血管倾向，可经血运转移到肺、肝、骨及中枢神经系统。颈淋巴结转移仅占 10%，因此患者预后不如乳头状癌。

乳头状癌和滤泡状癌统称为分化型甲状腺癌，约占成人甲状腺癌的 90% 以上。

3. 髓样癌　来源于滤泡旁降钙素分泌细胞，恶性程度中等，可有颈淋巴结侵犯和血行转移，预后不如乳头状癌，但较未分化癌好。

4. 未分化癌　好发于 70 岁左右人群，发展迅速，高度恶性，且约 50% 早期便有颈淋巴结转移，或侵犯气管、喉返神经、食管，常经血运向肺、骨等远处转移。预后很差，平均存活 3 ～ 6 个月，一年存活率仅 5% ～ 15%。

**（五）检查及诊断**

1. 设问　有哪些方法可用于甲状腺癌的检查呢？

2. 解答

（1）体格检查：甲状腺癌查体的特点包括肿块质地较硬、不规则，位置固定，与周围组织粘连，扪及颈部肿大淋巴结。

（2）辅助检查

1）超声检查：首要也是必要的检查，协助判断甲状腺结节良恶性的风险（TI-RADS 分类）。

2）甲状腺功能检查：判断是否存在甲状腺功能异常。促甲状腺激素（TSH）增高，提示分化型甲状腺癌的风险增加。

3）细针抽吸活检（fine-needle aspiration biopsy，FNAB）。

4）核素显像：判断病灶的摄碘功能，协助诊断。

5）降钙素水平：降钙素升高，提示甲状腺髓样癌的风险增加。

**（六）分期**

参照美国癌症联合委员会（AJCC）第 8 版癌症分期系统。

**（七）治疗**

除未分化癌以外，手术是各型甲状腺癌的基本治疗方法，并辅助应用放射性核素、TSH 抑制及外放射等治疗。

1. 手术治疗　甲状腺癌的手术治疗包括甲状腺本身的切除，以及颈淋巴结清扫。

（1）分化型甲状腺癌甲状腺的切除范围目前虽有分歧，但已达成共识，其最小范围为腺叶切除。

1）对于诊断明确的甲状腺癌，有以下任何一条指征者建议行甲状腺全切或近全切。①颈部有放射史。②已有远处转移。③双侧癌结节。④甲状腺外侵犯。⑤肿块直径大于 4 厘米。⑥不良病理类型：高细胞型、柱状细胞型、弥漫硬化型、岛状细胞或分化程度低的变型。⑦双侧颈部多发淋巴结转移。

2）仅对满足以下所有条件者建议行腺叶切除：①无颈部放射史；②无远处转移；③无甲状腺外侵犯；④无其他不良病理类型；⑤肿块直径小于 1 厘米。

3）颈淋巴结清扫的范围目前仍有分歧，但最小范围清扫，即中央区（Ⅵ区）颈淋巴结清扫已基本达成共识。Ⅵ区清扫既清扫了甲状腺癌最易转移的区域，又有助于临床分期、指导治疗、预测颈侧区淋巴结转移的可能性和减少再次手术的并发症。

（2）讨论：甲状腺手术后可能出现哪些并发症？

（3）总结：甲状腺手术常见并发症及常见原因如下。

1）呼吸困难或窒息：术区出血压迫气管、双侧喉返神经损伤、术后喉头水肿、切除压迫气管的肿瘤后气管塌陷，患者术后出现呼吸困难或窒息表现时首先应当紧急气管插管。

2）声音嘶哑：为单侧喉返神经损伤所致。

3）声音低钝、饮水呛咳：分别为喉上神经外支、内支损伤所致。

4）口周及四肢麻木、抽搐：为手术误伤甲状旁腺或其血供所致低钙表现，当患者出现低钙表现时应当及时予以静脉补钙，严重者应当予以活性维生素 D 以帮助钙吸收。

5）甲状腺危象：患者主要表现为高热（＞ 39℃）、脉搏快（＞ 120 次/分），同时合并神经、循环及消化系统严重功能紊乱如烦躁、妄语、大汗、呕吐、水泻等，当出现甲状腺危象时应当及时按照甲状腺危象处理流程处理。

2. 放射性核素治疗　甲状腺组织和分化型甲状腺癌细胞具有摄 $^{131}$I 的功能，利用 $^{131}$I 发射出的 $\beta$ 射线的电离辐射生物效应可破坏残余甲状腺组织和癌细胞，从而达到治疗目的。

3. TSH 抑制治疗　甲状腺癌作近全或全切除者应终身服用甲状腺素片或左甲状腺素，

以预防甲状腺功能减退及抑制 TSH。

4. 放射外照射治疗　主要用于未分化型甲状腺癌。

三、总结

甲状腺癌作为内分泌系统最常见的恶性肿瘤，虽然甲状腺本身不大，但其周围的重要解剖结构众多，而甲状腺癌的治疗又是以手术治疗为主，故我们术前应当熟知其解剖，术中精细操作，术后勤于观察，方可保证患者围术期的安全。

四、课后反馈

课程设计重难点把握准确，内容主次分明，顺序安排合理，衔接自然紧凑；教学手法上引导学生充分讨论，合作交流；思政观点融入恰当，达到了预期的教学效果。

## 【课程思政解析】

课程首先以第一位因降低甲状腺手术死亡率而获得诺贝尔生理学或医学奖的外科医生作为引入，引导学生树立远大理想。其次介绍甲状腺癌近年的流行病学，教导学生应当以发展的眼光看待事物，保持科学的态度，与时俱进。在讲解甲状腺解剖时，类比甲状腺最下动脉出现率较小，甲状旁腺组织小，但作用巨大，若术中不仔细探查处理，可能带来严重的术后并发症，引导学生思考“千里之堤，溃于蚁穴”，临床工作务必严谨，避免给患者造成伤害。在讲解甲状腺癌临床表现前引导学生讨论，启发式教学，引导学生独立思考，激发学生学习兴趣，各抒己见，培养学生的合作精神，同时类比抗疫精神，全国各族人民通力合作，控制疫情。在梳理甲状腺癌常用检查时，教导学生打破固化思维，保持科学精神。谈到治疗时，借甲状腺癌手术切除范围及淋巴结清扫范围教导学生对于任何事物不盲从，应当保持理性的态度，讲事实，找依据，方能得出科学的结论。引导学生讨论甲状腺术后并发症，从一般手术并发症到甲状腺特殊的手术并发症，教会学生世间万物皆有规律可循，要善于寻找事物之间的联系。最后借甲状腺的治疗为多种方法再次向学生强调团队合作的重要性，学会借力，要站在前人的肩膀上前进。

## 【推广应用效果】

课堂氛围活跃，互动充分，讨论热烈，知识掌握及思政教育达到了预期效果。

（孔令泉）

# 案例二 甲状腺功能亢进症

**【课程名称】** 内分泌系统疾病

**【授课内容】** 甲状腺功能亢进症

**【授课对象】** 临床医学专业学生

**【教学目标】**

一、专业知识目标

1. 掌握 甲状腺功能亢进症（简称甲亢）的临床表现、诊断及治疗原则。
2. 熟悉 甲亢的病因、发病机制、病理与病理生理。
3. 了解 甲状腺毒症的病因分类。

二、思政育人目标

1. 培养学生同理心，培养学生换位思考能力。
2. 培养学生“以患者为中心”的临床素养，提高职业道德修养。

**【教学设计】**

一、导入

以“蝴蝶效应”的动画导课，引出一场发生在人体内的“蝴蝶效应”——甲亢。引导学生们带着探索精神进入课堂。

二、展开

1. 用“蝴蝶效应”类比甲亢的发病，在加深对定义及机制理解的同时，建立起学生对“蝴蝶效应”的认识，为思政案例的展开做铺垫。

（1）知识点：甲亢（hyperthyroidism）是指甲状腺腺体本身分泌甲状腺激素过多引起的以神经、循环、消化等系统兴奋性增高和代谢亢进为主要表现的临床综合征。

（2）互动：①提问：根据定义的内容，思考为什么说这是一场发生在身体内的“蝴蝶效应”？②回答：甲亢是由“甲状腺激素过多”这一微小变化，引起全身多个器官系统的一系列病理生理改变所导致的疾病。这一过程类似“蝴蝶效应”。

2. 用“跑 800 米”的感受类比甲亢患者的症状，使学生认识甲亢的症状的同时，去切身体会甲亢患者的痛苦。

（1）知识点：甲亢的高代谢综合征。

（2）互动：①提问：同学们还记得跑 800 米是什么样的感受吗？②回答：心跳加速、大汗淋漓、全身乏力……相信大家都觉得跑 800 米非常难受，其实是因为运动的时候人体处于一个高代谢的状态，但对于我们来说，跑 800 米的不适感是暂时的，而对于甲亢患者而言，他们体内的甲状腺激素一日得不到控制，他们的高代谢症状就一刻得不到缓解，就像是永不停歇地跑着 800 米。

3. 讲述临床案例，充分结合本堂课的授课知识点，使学生身临其境感受到医者的同理心在临床工作中的具体体现。

案例讲述：一位临床医生在下班后，在交班本上留下的不同寻常的交班内容：“患者为中年女性，甲亢诊断明确，情绪焦虑、易激，很喜欢向医生提问，请值班医生多一些耐心。"

4. 讲述抗疫故事，提出在党的统一领导下，每一个人的努力都通过"蝴蝶效应"演变成了巨大的能量，从而共同战胜疫情。

案例讲述：抗疫医生因为对武汉人民的苦难感同身受，在同理心的驱使下写下"一封给武汉的情书"这一战地日记，无意间引发了"蝴蝶效应"，给武汉的医务工作者、患者及武汉人民带来了心理安慰及精神鼓励。

三、总结

**（一）专业知识或实践能力要点小结**

以"蝴蝶效应"为线索，总结在课堂中探索的发生在机体内的蝴蝶效应，即甲状腺这一内分泌器官（蝴蝶），分泌了过多的甲状腺激素（扇动翅膀），引起多个器官系统的高代谢综合征（引起了一场龙卷风）。

**（二）思政育人要点小结**

引用古代医学家孙思邈的名言"见彼苦恼，若己有之"，提出同理心不仅是中华民族的美德，更是一名医生的必备元素。每一个医生的点滴作为都能够对患者引起巨大"蝴蝶效应"，鼓励学生在工作和生活中培养自己的同理心，从小事做起，提高职业素养。

四、课堂或课后练习

利用网络教学平台进行随堂测验。在网络教学平台发布课后拓展阅读材料及课后思考题。

五、课后反馈

本节课收到了学生的正向反馈："蝴蝶效应""跑 800 米"等生动比喻既点出了疾病特征又引出了思政内涵，专业知识与思政点巧妙结合，生动的抗疫故事使大家备受鼓舞。专家们认为本节课以学生为授课中心，以"蝴蝶效应"为线索贯穿全程，通过讲述法、讨论法、任务驱动法、自主学习法等教学方法，适当利用课堂互动，自然融入思政教育，引导学生在科学探索精神的指引下充分发挥主观能动性，在对患者同理心的指引下充分体会医学人文精神的内涵，促使学生重视医德的培养，对学生的医学人文教育起到了积极的推动作用。

## 【课程思政解析】

古代医学家孙思邈在《大医精诚》中提到，为医者当"见彼苦恼，若己有之"。这指的就是同理心，亦即设身处地对他人情绪和情感认知性地觉知、把握与理解。主要体现在情绪自控、换位思考、倾听能力及表达尊重等与情商相关的方面。同理心是我国医德传统文化，更是成为一名好医生的必备素养。因此在本教案中，通过多种教学方式，使同理心教育的融入贯穿始终。

本课堂上，用"蝴蝶效应"类比甲亢的发病，用"跑 800 米"类比甲亢的症状，使学生在学习专业知识的同时，对甲亢患者产生同理心。在讲述临床症状的同时，引导学生尝试去体会患者的感受，在加深对专业知识理解的同时，也学会站在患者的角度考虑问题。讲述临床案例时，除了复习专业知识，也讲述一个人文故事，使学生切实感受到医生的同理心。最后，通过抗疫故事升华同理心的蝴蝶效应，使学生认识到，每一个医生的言行都将对患者产生极大的影响，从而引导他们重视医德的培养。

通过临床案例、思政案例、抗疫故事的结合，使学生充分感受抗疫精神，激发学生的职业使命感，树立学生正确的社会主义职业价值观，达到润物无声的思政育人目的。

**【推广应用效果】**

本课程获得重庆市高校教师创新设计大赛一等奖，重庆医科大学第一届课程思政大赛一等奖、最佳教案设计奖、最佳教学展示奖。该课程的成功经验已在校内及校外分享，获得了良好反馈，取得了一定影响。

（王　越）

# 第十一章　运动系统疾病案例

## 案例一　四肢骨折创伤急救

**【课程名称】** 运动系统疾病

**【授课内容】** 四肢骨折创伤急救

**【授课对象】** 临床医学专业学生

**【教学目标】**

一、专业知识目标

1. 掌握　骨折的定义、临床表现及四肢骨折急救原则。

2. 熟悉　骨折的症状和专有体征。

3. 了解　不同类型骨折的临床治疗方案。

二、实践（临床）能力目标

1. 掌握　简单四肢骨折复位及固定。

2. 熟悉　四肢骨折创伤急救固定技巧。

3. 了解　临床不同骨折固定装置力学原理。

三、思政育人目标

培养学生对患者的同理心，对疾病的急迫感，提高职业道德修养，感受抗震救灾精神，激发职业使命感，树立正确的社会主义职业价值观。

**【教学设计】**

一、导入

观看“汶川地震”和“玉树地震”现场急救视频，提出“时间就是生命”的课程主线，引出“四肢骨折急救”的课程名称。

二、展开

1. 用“折断的树枝”类比骨折，加深对定义及专有体征的理解。

2. 以视频教学配合急救现场模拟强化四肢骨折急救操作技巧。

3. 分享一个“时间就是生命”的“汶川地震”现场急救故事。

三、总结

“时间就是生命”总结及提升专业及思政高度。

四、课堂或课后练习

1. 理论作业　网络教学平台上的执业医师资格考试真题。

2. 实践作业　请学生以小组为单位，利用示教课，制作“四肢骨折急救”的小视频，并上传至线上平台，要求在视频中充分体现本堂课的学习内容，强调在面对四肢骨折急救时医学人文关怀及良好专业素质的充分体现。

3. 拓展阅读　相关前沿知识拓展阅读。

### 五、课后反馈

本课程开课以来受到学生和督导专家的一致好评，网络教学平台评论区、教学联席会和课程网络群等多渠道收到了学生的良好反映。学生评价：用特殊病例引导贯穿整个线上线下的专业知识学习非常有吸引力，能够更好地帮助理解和掌握专业知识，训练临床逻辑思维。同时，思政观点的自然融入不仅加强了对专业知识的综合理解，更能够学会站在“患者及家属”“医生及旁观者”等不同的角度去思考，从而体会到医者应该具有良好人文和科学精神的重要性。通过这样的课程思政教育，学生们能够更加具体而深刻地体会到“医德医风、仁心仁术”的重要性。

## 【课程思政解析】

课程思政这种课程模式体现一种连续性系统性的课程观，它不拘泥于各科专业知识的学习，通过将思想政治教育的目标融汇于各科的教学当中，使各门课程都能参与到教书育人的过程当中，形成一个完整的课程育人体系。课程思政的稳步推进对于提升思想政治教育的实效具有举足轻重的作用。

丰富教学内容，让学科内容更具深度。立德树人是教育的根本目标，教育的根本立足点在于“育人”。当前，思政课程是每个学生的必修课，但是仅仅依靠思政课程的教育是远远不够的。将课程思政的理念融汇于各科专业知识的教学当中，将育人目标贯穿于课程教育的全过程，恰到好处地将学科知识与思想政治教育内容有机结合，不仅能够丰富学科教育的内容，也能让学科内容变得更加有深度，让学科教学最终回归到“育人”的本真目的。

创新教学方法，让课堂氛围更有温度。在课程教学的过程当中运用合适的方法将专业知识与思政内容联系起来，在专业知识的传授过程当中关注学生的情感反应，让学生在行为体验与情感体验当中产生共鸣，让知识的传授更有温度。

## 【推广应用效果】

以学生为授课中心，以“时间就是生命”为主线贯穿全程，通过讲述法、讨论法、任务驱动法、自主学习法等教学方法，利用随堂互动，自然融入思政教育，引导学生在科学探索精神的指引下充分发挥主观能动性，在对患者的同理心及对治疗疾病的急迫感指引下充分体会医学人文主义精神的内涵。该课程已向校内其他专业及其他兄弟院校等推广，受到初步关注。

（王　汀）

# 案例二　骨质疏松症

【课程名称】运动系统疾病

【授课内容】骨质疏松症

【授课对象】临床医学专业学生

【教学目标】

一、专业知识目标

1. 掌握　骨质疏松症的定义及临床表现。

2. 熟悉　骨质疏松症的诊断方法。

二、思政育人目标

1. 通过王奶奶的遭遇，引导学生产生同理心；提出问题，引起学生思考，让学生带着问题听课，培养学生的人文精神，科学探索精神。

2. 让学生思考骨质疏松对患者身体和心理造成的影响，使学生产生共情，培养学生关爱患者的意识和人文情怀。

3. 将医学生誓言的思政元素融入骨质疏松症的相关知识点，使学生易于理解、记忆，同时也升华了教学的意义。

【教学设计】

一、导入

**通过动画形式导入“待侦破的案件”（病例）**

1. 王奶奶，65岁，曾经是亭亭玉立的舞蹈演员。但最近几年王奶奶总是无缘无故腰痛，但她并没有重视，后来慢慢地变矮、驼背。祸不单行的是今天早晨王奶奶打了一个喷嚏后感到剧烈的腰痛，入院后诊断为腰椎骨折。

2. 介绍本节课的内容是邀请学生参与“侦破案件”，要抓住老年人身边的隐秘的“凶手”，“凶手”是谁呢？提出疑问。

3. 简单总结出“凶手”作案的手法，引出骨质疏松症的三个临床特点：无故腰痛，变矮、驼背，腰椎骨折。

通过典型案例引导学生产生同理心；提出问题，引起学生思考，让学生带着问题听课，进而培养学生的人文精神和科学探索精神。

二、展开

**（一）骨质疏松症的定义**

1. 分析骨质疏松症英文单词的两个词根，给学生初步的印象。

骨质疏松症（osteoporosis）

osteo　　porosis

骨　　空洞形成

2. 通过教具及图片对比“找不同”，与学生互动，引导学生挖掘骨质疏松症的两个内在表现：低骨量和骨显微结构破坏。而两个内在表现必然会造成骨脆性增加和易发骨折

（两个重要特征）。

3. 骨质疏松症的定义：因低骨量及骨显微结构破坏，导致骨脆性增加、易发生骨折的一种全身性骨病。

**（二）骨质疏松症的临床表现**

1. 疼痛　骨质疏松是一个循序渐进的过程，疾病初期患者通常没有典型的临床表现，但随着持续的骨量丢失及骨显微结构破坏，疼痛便悄悄到来。骨质疏松引起的疼痛表现多种多样，有腰痛甚至全身疼痛。

2. 变矮、驼背　骨质疏松使椎体极易发生压缩性骨折，而骨折的特点是前低后高的楔形改变，多个椎体楔形改变就会造成变矮、驼背。

3. 骨折　骨折是骨质疏松最严重的临床表现。骨质疏松性骨折发生的常见部位为胸、腰椎椎体，髋部和腕部。其中胸、腰椎骨折最常见，占一半以上。

4. 初步小结　骨质疏松的常见临床表现：疼痛、变矮、驼背、骨折。短短的这几个字却大致概括了很多患病老年人凄惨的后半生。疾病初期偶感腰痛不以为意，疾病进展变矮、驼背仍不为所动，直到后期骨折轮椅相伴才追悔莫及。

**（三）骨质疏松症的诊断**

1. 骨密度（bone mineral density，BMD）：骨密度测定是骨质疏松症诊断的金标准。通过讲解 $T$ 值的含义，教会同学如何读取骨密度报告。

$T$ 值：被检者骨密度与同性别健康青年人骨密度平均值进行比较，得出的标准差。

2. 呼应开篇的病例，大家来看看王奶奶是否有骨质疏松。王奶奶整体 BMD 的 $T$ 值为–3.0，$T$ 值小于–2.5，因此诊断为骨质疏松症。

**（四）病例总结**

呼应开篇，导入完整病例，回溯整个“破案”的历程及最终的“凶手”。

病史：王奶奶，女，65 岁，因“腰痛 5 年，打喷嚏致腰痛加重 2 小时”急诊入院，5 年前出现腰痛，夜间加重。逐渐身高变矮，弯腰驼背。2 小时前因打喷嚏致腰背部剧烈疼痛就诊，检查发现腰椎骨折。

辅助检查：BMD 示 $T$ 值为–3.0。

诊断：骨质疏松症。

通过系统、完整地回顾整个破案历程，让学生思考骨质疏松症对患者身体和心理造成的影响，使学生产生共情，进而提高医学生对老年人生理和心理变化的关注度及认同度，培养学生敬老爱老的博爱精神和职业素养。

三、总结

**（一）专业知识要点小结**

首先我们学习了本堂课的难点内容：定义。定义包含两个内在表现——低骨量和骨显微结构破坏；两个重要特征——骨脆性增加和易发骨折。接下来学习重点内容：临床表现，可以概括为疼痛、变矮、驼背和骨折。而骨质疏松的诊断则依据骨密度检查，$T$ 值小于–2.5 可诊断为骨质疏松症。

**（二）思政育人要点小结**

通过对本堂课内容的总结及回忆入学时每个医学生的宣誓“健康所系，性命相托”，进而引导学生理解学习骨质疏松症，拯救的是骨质，托起的是脊梁。引导学生关爱老年人健康的意识，让学生体会国家扎实推进基本公共卫生服务，切实保障人民群众享受国家惠民政策的坚强决心。

四、课堂或课后练习

思考题：骨质疏松症的常见临床表现有哪些？

五、课后反馈

1. 教师对骨质疏松症的讲解独到深入，结合多种教学方式，使学生对知识的掌握更深刻。教学内容重点突出，教学目的明确。教师注重师生互动，授课方式新颖别致，能激发学生浓厚的学习兴趣，课堂学习氛围轻松愉快，达到了理想的教学效果。

2. 授课过程中思政元素融入巧妙，用隐秘的“凶手”类比骨质疏松症，用骨质疏松症患者王奶奶一生的变化具象化骨质疏松症的临床表现，使学生在学习专业知识的同时，对骨质疏松症患者产生同理心，并通过临床病例和思政案例的有机结合，达到润物无声的思政育人目的。

3. 教学方式新颖且引人入胜，采用侦破式教学方式，运用“案例—设疑—取证—推理—结论”的方法，以学生为主体，让学生针对教师设计的悬念，根据病例提供的信息及所学的知识，凭借自己或集体的力量，对结局加以推断。学生有极强的参与感，能积极主动地学习骨质疏松症的相关知识。

## 【课程思政解析】

1. 通过学习骨质疏松症的定义、临床表现及诊断方法，培养学生从疾病现象中探索本质的能力，进而形成敏锐、严谨的临床思维。

2. 通过分析骨质疏松症病例及学习骨质疏松症的严重后果，使学生理解骨质疏松症患者的痛苦，引导学生知道医生应具有高度的责任感、过硬的专业素养和敏锐的观察能力，早发现早诊断对患者至关重要，让学生牢记“健康所系，性命相托”医学誓言与责任。

3. 通过本课程的讲解，培养学生严谨认真、精益求精的科学精神，并且让学生明白医学工作的严谨性，培养学生关心患者的意识。

4. 通过对本堂课内容的总结，引导学生关爱老年人健康的意识，让学生体会国家扎实推进基本公共卫生服务，切实保障人民群众享受国家惠民政策的坚强决心。

## 【推广应用效果】

1. 本课程内容紧密结合骨质疏松症的定义，密切围绕疼痛、变矮、驼背和骨折 4 个关键词将骨质疏松症复杂的临床表现进行梳理、归纳、总结。同时以医学整合课程的教学思路引导教学，按照真实临床诊疗思路，将骨质疏松症的定义、临床表现及诊断有机串联起来。最后通过医学生誓词“健康所系，性命相托”在归纳总结知识点的同时加深学生的理解记忆，升华教学意义。

2. 课程以最常见的老年骨质疏松性骨折的病例动画导入，结合骨质疏松症的定义阐释，逐层深入，让学生身临其境观察患者的临床表现，紧扣定义中两个内在表现和两个重要特征，渐进引导出临床表现，最终结合 BMD 检查明确诊断。整个思维过程贴合临床实践，培养了学生的临床思维及实践能力。

3. 课程分段设计，每一部分都有相应的互动拓展内容，让学生有体验地去学习本节课的重点内容，加深学习的效果，培养学生提纲挈领抓重点的能力，可帮助学生形成举一反三、触类旁通的正确分析问题和解决问题的思维方式与实践能力。

（吴　宁　苏　保）

# 第十二章 传染病案例

## 案例一 流行性感冒

**【课程名称】** 传染病学

**【授课内容】** 流行性感冒

**【授课对象】** 临床医学专业学生

**【教学目标】**

一、专业知识目标

1. 掌握 流行性感冒的临床表现和防治方法。

2. 熟悉 流行性感冒的流行病学。

3. 了解 流行性感冒的病原体。

二、实践（临床）能力目标

1. 掌握 流行性感冒的诊治和防控能力。

2. 熟悉 流行性感冒的防控重点。

三、思政育人目标

1. 树立严谨的科学精神。

2. 弘扬奉献精神。

3. 结合新冠肺炎疫情，弘扬抗疫精神和团队合作精神。

4. 比较我国与其他国家的新冠肺炎疫情防控成果，坚定制度自信。

**【教学设计】**

一、导入

通过介绍流行性感冒（简称流感）既往在世界历史上的多次大流行，及其对世界的影响，激发学生兴趣。同时结合与流行性感冒类似、目前正在全球流行的新冠肺炎疫情，引入抗疫精神。

二、展开

**（一）定义**

流感（influenza）是由流感病毒（influenza virus）引起的急性呼吸道传染病。临床特点为呼吸道症状轻，全身中毒症状重。

**（二）病原体**

通过展示图片讲解病毒结构，尤其与发病密切相关的 H 蛋白和 N 蛋白。

**（三）流行病学**

流感与目前正在全球流行的新冠肺炎在多个方面类似，通过介绍新冠肺炎疫情，进一步激发学生的兴趣和引起学生的重视，并提问如何进行预防，引发学生思考，再通过比较流行性感冒和新冠肺炎疫情的控制成效，融入团结精神。

**（四）发病机制与病理解剖**

通过流感病毒引起的机体炎症瀑布的视频，解释流感的发病机制，并通过解析炎症反应的有益面和损害面，提出辩证思维的重要性。

**（五）临床表现**

结合真实病例和当下医患关系的改变，宣扬人文精神。

1. 单纯型　起病急，高热、寒战、头痛、乏力、食欲减退、全身肌肉酸痛等全身中毒症状明显，上呼吸道卡他症状相对较轻或不明显，体温在起病后 1 ～ 2 天达高峰，3 ～ 4 天后逐渐下降，热退后全身症状好转，乏力可持续 1 ～ 2 周。此型最常见，预后良好。

2. 胃肠型　主要为呕吐、腹痛腹泻、食欲下降等，多见于儿童。

3. 肺炎型　少见，主要发生于婴幼儿、老年人、孕妇、慢性心肺疾病患者和免疫功能低下者。

4. 中毒型　有全身毒血症表现，有高热或明显的神经系统和心血管系统受损表现，晚期亦可出现中毒型心肌损害。

**（六）诊断与鉴别诊断**

流行性感冒流行时，短时间出现较多数量患者，结合症状、发病季节，可基本判定。确诊需要病原学或血清学检查。需与普通感冒、新冠肺炎等相鉴别。

**（七）治疗**

通过介绍抗病毒药物的开发过程，让学生了解科学研究的艰苦性，宣扬科学精神。①一般和对症治疗；②抗病毒治疗：神经氨酸酶抑制剂。

**（八）预防**

1. 管理传染源　隔离，病后 1 周或热退后 2 天解除。

2. 切断传播途径　消毒，通风。

3. 保护易感人群　佩戴口罩，接种疫苗，清洁手（口罩，疫苗，手卫生）。

结合本次新冠肺炎疫情介绍疫情防控，尤其是呼吸道传染病是多个部门、环节和全社会人民通力合成才能达成的，弘扬团队合作精神，对比防控政策，坚定我国制度自信。

## 三、总结

**（一）专业知识或实践能力要点小结**

比较流行性感冒同普通感冒在临床表现方面的差异，总结流行性感冒的诊疗措施。通过梳理流行性感冒的流行病学，尤其是传染病流行的三环节即传染源、传播途径、易感人群，借此总结防控措施。

**（二）思政要点小结**

通过比较流行性感冒和新冠肺炎疫情的相似点，结合讲者本人援鄂抗疫经历，梳理流行性感冒的流行病学、发病机制、临床表现、治疗和预防，比较不同国家和地区不同的抗疫成果，宣扬抗疫精神、人文关怀、团结精神和制度自信。

## 四、课堂或课后练习

结合我们正在经历的新冠肺炎疫情，思考如何对呼吸道传染病进行预防。

## 五、课后反馈

该思政课程立足于真实案例及学生亲身经历，思政效果更易实现。

【课程思政解析】

本思政课程的特点是利用流行性感冒和目前全球流行的新冠肺炎在流行病学、临床表现、治疗和预防上的高度相似性，通过与学生们亲身经历的全球流行疫情相结合，极大地调动了学生的学习积极性，让学生通过自身经历，了解流行性感冒的相关专业知识，更增强了课程思政的实际效果。同时，该思政课程立足于讲者本人于2020年参加援鄂抗疫救治工作的亲身经历，更能真实地反映疫情防治过程中的实际情况，并能更好地与理论知识相结合，极大地提升了可信度。另外，结合学生能亲身感受到的我国新冠肺炎疫情的实际防控成果，真实反映了我国同其他国家和地区的差异，极大提升了团结精神、抗疫精神、制度自信。

【推广应用效果】

确实达到了课程思政的效果。

（章述军）

## 案例二　流行性脑脊髓膜炎

**【课程名称】** 传染病学

**【授课内容】** 流行性脑脊髓膜炎

**【授课对象】** 临床医学专业、医学影像学专业学生

**【教学目标】**

一、专业知识目标

1. 掌握　各型流行性脑脊髓膜炎的临床表现及治疗措施。
2. 熟悉　流行性脑脊髓膜炎的发病机制、诊断与鉴别诊断。
3. 了解　流行性脑脊髓膜炎的病原学、流行病学及预防措施。

二、实践（临床）能力目标

1. 掌握　流行性脑脊髓膜炎的治疗原则及诊治措施。
2. 熟悉　流行性脑脊髓膜炎的诊断依据、临床表现、实验室检查及鉴别诊断。

三、思政育人元素

1. 培养学生恪尽职守、精益求精的医学职业精神，以及“以患者为中心”的职业道德修养。

2. 加强对学生的社会责任教育及爱国主义教育。

**【教学设计】**

一、导入

提供一例典型的流行性脑脊髓膜炎（简称流脑）的病例（包括患者图片，病例符合典型流脑的流行病学史、临床表现、实验室检查及转归）供学生思考，引导学生分析该病例的临床特征、辅助检查特点、治疗转归等情况，教师提出问题：这是一种什么疾病？这种病的特点是什么？带着问题展开本章节课程的讲解，同时引导学生通过课程讲解逐一对照导入病例进行思考分析，最终获得正确答案。

二、展开

流脑章节的讲解仍按照疾病概述、流行病学、临床表现、辅助检查、疾病诊断、疾病治疗、疾病预防的模块展开。根据疾病讲解的逐层深入，我们根据每一部分的疾病特点，展开联系，融入课程思政元素，思政方式多样化，包括教师讲解、投票、讨论、拓展阅读等形式，充分调动学生参与，提高思政效果。

各部分课程思政具体讲授如下。

1. 在讲述流脑传播途径时，通过提问：戴口罩能否预防流脑的传播？让学生扫描二维码参与投票讨论。流脑通过呼吸道传播，佩戴口罩能够有效预防流脑的传播。那么，新冠肺炎也是通过呼吸道传播的，正确佩戴口罩同样能够有效预防新冠肺炎的传播，在全国疫情多省散发的时候，医学生不但自己要正确佩戴口罩，更要将正确佩戴口罩的知识和理念向周围的每个人宣传。同时联系到新冠肺炎疫情初期，国内口罩、防护服等

防护物资紧缺，海外同胞通过各种途径对国内防疫物资的支援，充分体现一方有难八方支援。

2. 在讲述流脑的临床表现时，提及暴发型流脑进展迅速，变化快，要时刻关注患者体征才能及时发现病情变化，因此作为临床医生要有医者的责任心，并重视查体。同时向同学讲述临床实际案例：一位重型肝炎肝衰竭恢复期患者，突然出现发热、病情加重，检查提示感染指标升高，临床医生未详细查体而只是根据检查结果给予患者升级抗生素治疗，但病情持续加重，上级医生通过详细查体发现患者口腔有大量白斑附着，考虑患者为长期大量使用抗生素后导致的真菌感染，真菌感染指标明显升高，在给予抗真菌治疗后患者病情好转。这个临床案例告诉我们作为一线医生要密切关注患者的病情变化，要有责任心；另外要重视临床查体，这是临床医生的基本功。

3. 在讲述流脑的诊断时，教师提问：患者确诊流脑后除治疗外还应该做什么？教师引导学生找到正确答案：应该通过网络上报疾病预防控制机构。同时教师向学生讲述：我们国家的传染病防控分为甲、乙、丙三类传染病。甲类传染病有霍乱、鼠疫，医务人员一旦发现甲类传染病应当在2小时内上报。严重急性呼吸综合征、肺炭疽、脊髓灰质炎、人感染高致病性禽流感及新冠肺炎虽然属于乙类传染病但仍应按照甲类传染病上报和管理。2019年12月27日，张继先医生最早发现新冠肺炎疫情苗头，并和院方一起坚持上报，为湖北“疫情上报第一人”，为我国新冠肺炎疫情的防控争取了重要的时间。因此，在传染病确诊后应该及时完成疫情上报，同时更应该配合疾病预防控制机构完成流行病学调查，这是每一位医务人员的责任和义务。

4. 在讲述流脑的治疗时，可以询问学生流脑应当采取怎样的隔离措施？接着讨论隔离措施在传染病防控中的利弊。严格遵守疫情防控制度，不仅仅是对医务人员的要求，也是作为社会一员的每个人应当承担的社会责任，只有人人密切配合，传染病疫情才能快速控制。

5. 在讲述流脑的预防时，疫苗是预防和阻断传染病传播非常有效的措施，在我国A+C群流脑疫苗普及后，流脑的发病率已大大降低。拓展到在新冠肺炎疫情发生后，我国科研人员夜以继日地展开研究，目前我国已有多款新冠疫苗上市，科兴疫苗获WHO紧急使用认证。在疫苗研发过程中，涌现出像陈薇院士、赵振东研究员等感人事迹（可提供链接让学生自行阅读）。此次新冠疫苗的研发并投入使用，充分展示了我们国家在疫苗研发环节的能力，同时提供给多个国家使用也向世界展示了我国的大国风范，激发学生的爱国情怀。

## 三、总结

### （一）专业知识要点总结

根据流脑的发病机制，逐一对应其临床表现，根据临床表现进行分型分期。针对不同类型、不同时期采取对应的正确治疗措施，是患者最获得成功救治的关键。知识点的讲解强调逻辑性、条理性，力求让学生记忆深刻。最后让学生自己运用本课程所学内容对课程开始前的导入病例进行对照总结，得出恰当的诊断并评价其治疗措施。

### （二）思政育人要点总结

通过对流脑的讲解，根据疾病发生发展的特点，细腻而巧妙地融入各种思政元素，包括对职业精神、职业素养、职业道德的思政，也涵盖了对社会责任教育及爱国主义教育的思政。同时在思政方式的选择上也尽量多样化，加强互动，通过提问、投票、讨论等形式力求让学生尽量参与到思政过程中来，从而增强学生的自身体会和感受，引导学生进行思考，强化对思政元素的认知，提高课程思政的效果。

四、课堂或课后练习

利用信息化教学方法，使用网络教学平台进行随堂测试，学生可在手机端即时答题，测试内容主要为案例分析，主要考查学生对重点内容的掌握和临床运用。

五、课后反馈

学生对临床工作充满期待，但他们对真正的临床却又不甚了解，通过与学生分享临床实际案例，让学生对临床工作有更深入的了解。很多学生纷纷表示作为未来的医生，肩上的责任重大，当下应该扎实地学好理论知识，要将钟南山院士、张定宇医生等作为榜样不断努力。

很多学生疫情期间没有亲身经历隔离，因此对国家的防疫政策理解不深，但通过对比国内外的防疫成效，展示我国经济在疫情后的快速恢复并保持增长，加深了学生对新冠肺炎疫情防控措施的理解和支持，有的学生表示，我国的防疫措施看似严苛，但恰恰是严密的措施最大限度地保障了人们的生命安全，同时也是为经济复苏提供了有力的保障。社会由我们千千万万个个体组成，若每个人都能严格遵守疫情防控措施，承担起自己的一份社会责任，一定能够战胜疫情。有些学生甚至希望自己能积极投入抗疫的一线工作中。

## 【课程思政解析】

流脑属于传染病学当中的呼吸道传染疾病，其预防和传播与新冠肺炎有诸多相似之处，因此在本章节课程思政的设计中，我们在传统的课程内容讲解中非常自然地融合了关于新冠肺炎疫情的热点问题或事件，与学生展开投票、讨论等互动。例如，讲到流脑传播途径时，让大家讨论佩戴口罩能否阻断流脑传播，进而引出佩戴口罩在新冠肺炎预防中的重要性，以及疫情初期海外同胞对国内防疫物资的支援，将思政教育融入互动讨论中。又如在疾病诊断环节，向大家提问：在确诊流脑后首诊医师应该做什么？答案当然是上报疾病预防控制机构。进而联系到新冠肺炎疫情初期湖北武汉的张继先医生上报了全国的第一例新冠肺炎，为后续疫情的防控奠定了有力的基础，让大家充分知晓作为临床医生的职业素养。

另外，暴发型流脑患者的临床表现多样，临床进展迅速，若不及时救治死亡率高。因此在疾病的治疗环节，我们适时与大家分享一例临床危重症患者由于医生责任心而成功获得救治的案例，加强职业素养和职业精神教育。

我们从一种传染病的流行病学、临床表现、诊断、治疗及预防过程中巧妙而不生硬地导入与之相关的思政元素，力求思政内容与课程内容有机融合而不突兀，同时用多种形式展开互动，强调学生参与而不是一味由教师讲述，提升课程思政的影响和效果，实现课程价值目标，达到学生当下与长远价值观的改造与升华。

**【推广应用效果】**

本课程通过传染病的疾病特点，适当结合新冠肺炎疫情，加深学生的社会责任感、民族自豪感、爱国情怀，并通过临床案例强化对学生职业素养和职业精神的教育，其知识内容教学和课程思政教学得到学生的一致好评。

本课程“传染病学”入选国家级线下一流课程、重庆市精品在线开放课程、重庆市课程思政示范课程。本章节的课程思政教学明确了课程的价值目标，充分发挥育人效果。本章节的课程思政元素和模式得到校内其他专业及兄弟院校传染病专业的广泛认可。

（胡　鹏　邓　欢）

# 案例三 伤　　寒

**【课程名称】** 传染病学

**【授课内容】** 伤寒

**【授课对象】** 临床医学专业学生

**【教学目标】**

一、专业知识目标

1. 掌握　伤寒的流行病学特征、临床表现、实验室检查、诊断和治疗。

2. 熟悉　伤寒的病原学和预防。

3. 了解　伤寒的发病机制和鉴别诊断。

二、实践（临床）能力目标

能识别伤寒的特征性症状和体征；能解读实验室检查结果。

三、思政育人目标

1. 培养学生对患者的同理心，提高职业道德修养。

2. 发扬科学探索精神，激发职业使命感，树立正确的社会主义职业价值观。

**【教学设计】**

一、导入

介绍伤寒的首次暴发史，让学生了解历史，以血的教训警醒后人，传染病建立防疫意识的重要性。同时让学生明白覆巢之下无完卵的道理。强调大疫来临，匹夫有责，折射社会责任感。

1. 了解学生对伤寒的认识，提问：

（1）同学们是否听说过伤寒这个疾病？

（2）是否有同学亲眼见过伤寒患者？能否简单描述当时所见？

2. 放映“伤寒纪录片”小视频，追溯历史，介绍伤寒首次暴发的背景和伤寒发现史上的几个重要人物。

二、展开

**（一）伤寒的定义、病原学和流行病学**

通过教师的讲解，使学生了解伤寒基本定义和伤寒杆菌的特性，并从疾病流行的几个重要环节入手，引导学生理解传染病防控的几个要素，折射科学防疫。

1. 伤寒的定义　伤寒（typhoid fever）是由伤寒杆菌引起的一种急性肠道传染病。临床特征为持续发热、表情淡漠、相对缓脉、玫瑰疹、肝脾大和白细胞减少等。有时可出现肠出血、肠穿孔等严重并发症。

2. 病原学　伤寒杆菌：展示电镜图片。

（1）革兰氏阴性杆菌（Gram negative bacillus）；亲细胞性需氧菌；产内毒素（脂多糖）；胆汁培养基较好。

（2）介绍伤寒杆菌的三种抗原：通过细菌模式图片讲解三种抗原（O 抗原，H 抗原和 Vi 抗原）在菌体的分布位置和临床意义。

3. 流行病学

（1）传染源：患者和带菌者。

（2）传播途径：粪 - 口传播。

（3）人群易感性：未患过伤寒或未接种过伤寒疫苗的个体，伤寒发病后可获得较稳固的免疫力。

提问：是否有同学患过伤寒？是否接种过伤寒疫苗？接种疫苗后是否就一定不会得伤寒？

（4）流行特征

1）夏秋季多见。

2）儿童和青年多见。

3）经济欠发达地区多发。

**（二）发病机制和病理变化**

对难点层层解析，强调思考问题应具有逻辑性和严密性，折射严谨的科学态度。

1. 发病机制

（1）伤寒杆菌进入体内后，是否发病取决于三要素：细菌的数量、致病性和宿主的防御能力。

（2）简述发病过程。

2. 病理变化　强调两个具有病理诊断意义的概念。

（1）伤寒细胞（typhoid cell）。

（2）伤寒小结（typhoid nodule），又称伤寒肉芽肿（typhoid granuloma）。

**（三）临床表现、实验室检查、诊断和鉴别诊断**

通过提问回答、图片展示和互动学习的方式，建立学习主动性，并对患者产生同理心，体现以学生为主体的教学模式和医学人文关怀。

1. 临床表现

（1）典型伤寒的临床表现

1）初期：通过提问加深对初期非特异性表现的印象。

提问：大家患过感冒吗？感冒的症状是什么？一般病程是多久？

提出伤寒在发病初期与常见的感冒症状类似，容易混淆。引出伤寒特征性的病变期（极期）。

2）极期：本节的重中之重。

A. 持续发热：稽留热。

提问：稽留热体温曲线特点有哪些？

B. 心血管系统：相对缓脉。

提问：普通感染性发热患者心率和脉搏的特点有哪些？

C. 皮肤：玫瑰疹。

D. 神经系统中毒症状：伤寒脑病。

E. 消化系统症状。

3）缓解期：体温逐步下降，但仍有可能出现肠出血和肠穿孔。

4）恢复期：体温恢复正常，其他症状都消失。少部分人成为慢性携带者。

（2）其他类型：介绍四种少见伤寒类型，拓展临床思维。

1）轻型。

2）暴发型。

3）迁延型。

4）逍遥型。

（3）病程发展阶段中伤寒的特点：伤寒病程中两种特殊的表现。

1）再燃。

2）复发。

提问：在传染病总论中曾提到以上两个概念，请问定义是什么？哪些疾病可出现？

（4）并发症

1）伤寒严重并发症：肠出血和肠穿孔。

2）伤寒中毒性损伤：中毒性肝炎和中毒性心肌炎。

3）其他。

2. 实验室检查

（1）常规检查

1）血常规：提问引出伤寒患者血常规的特征性改变。

特征性改变：白细胞正常或降低、中性粒细胞降低、嗜酸性粒细胞缺如或减少。

提问：白细胞正常或降低的感染多考虑什么病原感染？

2）尿常规。

3）大便常规。

（2）细菌学检测：抗菌药物使用前进行细菌培养。

1）血培养。

2）骨髓培养：阳性率高于血培养。

3）大便培养。

4）尿培养。

（3）血清学检测：肥达试验（Widal test）的定义和结果的解读。

3. 诊断和鉴别诊断

（1）诊断

提问：如何诊断伤寒？引出传染病做诊断时需考虑的三个方面：①流行病学特征；②临床表现；③实验室检查。

（2）鉴别诊断：上呼吸道感染、痢疾、疟疾、败血症和血行播散型结核病。

提问：不少疾病在临床表现上和伤寒类似，如何鉴别？

**（四）治疗**

告知学生在疾病治疗过程中，不仅应熟知治疗药物，还应遵守医疗原则，采用正确合理的治疗方案，杜绝过度医疗。折射医生应具有扎实的医学基础知识、丰富的临床经验和高尚的医德。

1. 一般治疗

（1）消毒隔离：隔离方式和隔离时间。

（2）休息。

（3）护理。

（4）饮食。

2. 对症治疗

（1）降温措施。

提问：是否可以使用激素？哪种情况可以使用激素？

肾上腺皮质激素的选择：严重毒血症状时使用，注意禁忌证和副作用。

（2）便秘。

（3）腹胀。

（4）腹泻。

3. 病原治疗　治疗的根本。

（1）首选药物：第三代喹诺酮类药物。

（2）儿童和孕妇用药：第三代头孢菌素。

提问：伤寒杆菌属于革兰氏阴性菌还是革兰氏阳性菌？

**（五）预防**

让学生了解标准的传染病预防措施。思政折射点：为保证公共卫生安全，应严格贯彻传染病防治法。

1. 管理传染源。

2. 切断传播途径。

3. 保护易感人群。

## 三、总结

**（一）专业知识要点小结**

1. 概念　经典的伤寒是由伤寒沙门菌引起的急性肠道传染病。

2. 病原菌　伤寒沙门菌是革兰氏阴性菌。

3. 典型临床表现　包括稽留热、表情淡漠、相对脉缓、玫瑰疹、腹胀、腹痛及肝脾大。

4. 严重并发症　肠出血和肠穿孔。

5. 实验室检查　血常规提示白细胞正常，中性粒细胞降低，嗜酸性粒细胞减少或缺如。血培养及骨髓培养阳性率高。

6. 病原治疗　首选第三代喹诺酮类药物。儿童或孕妇可选择第三代头孢菌素。常规疗程 14 天。

7. 预防　患者需按肠道传染病隔离。密切接触者亦需隔离医学观察。做好水源、饮食和粪便管理。易感人群需接种伤寒疫苗、伤寒甲型乙型副伤寒联合疫苗。

**（二）思政育人要点小结**

人类的发展史就是与传染病斗争的过程。面对传染病的暴发流行，医学生应具有社会责任感。科学有效地防控疫情，要求我们具备扎实的临床知识、严谨的科学态度和科学探索精神。在传染病防控过程中，我们应具备同理心，设身处地为患者着想，体谅患者的难处。同时，同事之间应团结互助，为共渡难关搭建最坚实的精神堡垒。

**四、课堂或课后练习**

1. 伤寒的主要流行病学特点。
2. 名词解释：再燃、复发。
3. 叙述肥达试验的原理、临床意义及结果解读。
4. 伤寒的细菌学检查需重点进行哪些标本培养？

**五、课后反馈**

思政案例符合所讲疾病内容范围，融入较为自然。思政与专业知识相结合的方式，更有助于理解学习传染病学的重要性。传染病的暴发流行是人类的灾难，超强的防控意识，科学合理的防控措施将会把损伤降到最低。而忘我的奉献精神和扎实的传染病临床功底是遏制传染病扩散，保卫人民生命安全的基础。

## 【课程思政解析】

课程通过案例讲解，强调面对重大传染性疾病暴发时，扎实的传染病临床功底，严谨的科学态度，科技与防控措施的紧密结合是切实有效地守护人民生命健康的应对方式。教学过程中，以学生为授课中心，采用PPT为主线，辅以小视频的教学方式，通过讲述法、讨论法和提问回答等方法，增强课堂互动，自然融入思政教育。引导学生在科学探索精神和对患者同理心的指引下充分发挥主观能动性、充分体会医学人文精神的内涵，从而达到教学目的。教育的根本立足点在于育人。本课程将育人目标贯穿于课程教育的全过程，恰到好处地将学科知识与思想政治教育内容有机结合，让学科教学最终回归育人的本真目的，这是新时代背景下稳步推进思想政治教育改革以形成大思政育人体系的一个重要方向。

## 【推广应用效果】

传染病课程与思政案例相结合，不仅让学生掌握了课程的主要内容，而且引领学生带着探索精神学习，使学生充分融入课堂，调动课堂积极性；激发了学生自主学习的热情，使学生产生同理心，自然融入思政教育内容。课程思政有利于学生提高职业道德修养，发扬科学探索精神，树立正确的社会主义职业价值观。

（罗红春）

# 案例四　百　日　咳

**【课程名称】** 小儿传染病学

**【授课内容】** 百日咳

**【授课对象】** 儿科学专业学生

**【教学目标】**

一、专业知识目标

1. 掌握　百日咳的病原体及致病因子，典型百日咳的临床表现、经典血常规变化；首选治疗药物和预防方案。

2. 熟悉　百日咳的并发症。

二、实践（临床）能力目标

1. 能够根据百日咳发病，正确诊断百日咳并与其他咳嗽性疾病相鉴别。

2. 能够结合百日咳的发病机制和临床特征，与患者及家长进行有效的医患沟通。

三、思政育人目标

1. 培养学生的爱国情怀、倡导刻苦钻研的科研精神。

2. 培养学生认真细致、不放过蛛丝马迹的临床工作态度。

3. 帮助学生树立对患者的同理心、努力解除患者病痛的仁爱之心。

4. 帮助学生树立疾病防控的社会责任感。

**【教学设计】**

一、导入

**百日咳的发现历史**

1. 人类疾病斗争史　通过图片及故事讲解，讲述百日咳在人类历史发展中对人们生产生活所带来的危害，提升学生对百日咳疾病危害的认识，增加学习的兴趣。

2. 朱尔斯·博尔代（Jules Bordet）与百日咳杆菌　通过设问：“百日咳病原体的发现在人类与百日咳的斗争中起到什么作用？”引导学生认识到科学家 Jules Bordet 对百日咳防治所做的巨大贡献。利用图片、文献资料，回顾生平事迹，着重强调 Jules Bordet 独特的人格魅力。他尊师重道、心胸开阔、主张团队合作，与导师梅奇尼科夫（Metchnikoff）亦师亦友，在导师支持和帮助下实现个人成就。不仅如此，Jules Bordet 具有浓烈的爱国主义情怀，他热爱自己的国家比利时，在国家需要的时候毅然回国，报效国家和人民。百年之后，著名期刊 *Frontier Immunology* 总结 Jules Bordet 作为优秀科学家所具备的特质：扎实的知识储备、勇于探索未知领域、出色的工作能力及团队协作能力。

导入部分，通过对 Jules Bordet 介绍，对学生进行爱国主义教育、倡导钻研精神、胸怀宽广、团队协作的科学素养。

二、展开

**（一）百日咳的发病机制**

本部分为难点内容，百日咳发病机制复杂，涉及细菌毒力因子与宿主之间相互作用。

首先结合视频讲授正常气道痰液形成，咳嗽保护机制的意义。其次通过课堂板书，对百日咳毒力因子作用下气道变化进行推导分析。最后结合视频讲解让学生理解百日咳细菌通过其毒力因子，破坏气道上皮进而导致痰液排除受阻从而引起剧烈咳嗽这一基本病理生理过程。通过发病机制讲解为后面理解临床表现的过程做准备。

**（二）百日咳的临床表现**

为本章节重点内容。讲授过程中要使发病机制内容与临床表现相结合，引导学生推导临床表现背后的发病机制，同时融入认真细致、医者仁心的职业素养教育。

1. 卡他期　卡他期临床经过类似上呼吸道感染，这个过程是细菌进入上呼吸道后引起的一系列反应，临床表现酷似感冒。本期虽症状轻微但传染性极强，同时此时气道损害尚不严重，早期治疗效果好。引入百日咳杆菌发现的故事中的小插曲：德国医生卡尔（Karl）曾经先于 Jules Bordet 在百日咳患者的痰液中观察到百日咳杆菌，Karl 墨守成规，认为那不过是痰液中的污染菌，从而错失百日咳病原体的发现。结合 Karl 的故事，指出扎实的理论功底、批判性思考、精益求精的工作态度是做一名好医生的必备条件，鼓励学生从当下做起，认真学习，建立扎实的理论功底。

2. 痉咳期　痉咳期是疾病高峰期，这个时期咳嗽具有代表性，咳嗽具有时间长，昼轻夜重，痉挛样咳嗽表现。通过交互式讨论方式，引导学生结合百日咳病理改变，分析百日咳这些症状出现的原因。学生结合小婴儿咳嗽视频及亲身体验百日咳痉挛样咳嗽，体会患者的痛苦及家长焦虑的心情。

3. 恢复期　恢复期需要强调的是因其他病原感染导致复发的可能性，注重后期护理的重要性。

**（三）百日咳实验室检查**

从发病机制出发了解这些变化产生的原因。通过对研究报道的分析，让学生认识白细胞升高在百日咳诊断与疾病程度判断中的意义。理解百日咳杆菌 PCR 检测及百日咳痰培养的价值及适用范围，强调根据患者病情选择不同的实验室检查，做到合理诊疗和个性化诊疗，避免增加患者负担。

**（四）百日咳的诊断与鉴别诊断**

引导学生建立疾病的临床诊断思路，强调通过百日咳典型临床症状、体征建立初步临床诊断，并在此基础之上针对性地选择实验室检查，避免过度诊疗，增加患者负担。

**（五）百日咳的治疗与预防**

结合国内外指南建议讲解目前治疗理念和方法，鼓励学生批判性思考这些方法存在争议的原因。讲述百日咳疫苗在研发过程中一批批科学家前赴后继、不断耕耘，终于制备了副作用小、免疫效果良好的无细胞百日咳疫苗的故事，鼓励学生学习先辈刻苦钻研的科研精神和工作态度。通过比较我国政府所实行国家免疫规划策略（EPI）在防治疫苗可控性传染病中的积极作用，增强学生国家认同感、民族自豪感。同时，明确作为儿科医生要有引导公众正确认识疫苗作用的社会责任。

## 三、总结

**（一）专业知识或实践能力要点小结**

百日咳为儿科专业小儿传染病部分必须掌握疾病之一，百日咳临床表现具有特征性，通过本章节学习，学生在理解发病机制的基础之上，深刻认识百日咳的临床表现、特征性检测指标改变、诊断和治疗原则；尝试将理论知识用于实际操作中，能够正确诊断百日咳，提供合理的检查和治疗方案，梳理和患者及家属的沟通要点。同时在学习中加入对文献学习和分析，让学生了解相关疾病的研究进展，培养分析、解决问题的能力。

**（二）思政育人要点小结**

通过课程学习能够正确地识别和诊断百日咳是本堂课的知识和能力目标，在教授知识的同时，需要融合理论知识，帮助学生树立“以解除患者病痛为己任”的医者精神、“勇于探索真理”的钻研精神及防止疾病流行的社会责任。

### 四、课堂或课后练习

1. 课后知识点复习　网络教学平台上的习题。

2. 沟通技能训练　阅读《宝宝生病记》这篇文章，结合所学百日咳知识点，给幼儿的家长关于百日咳防治的具体建议（至少三点）。

### 五、课后反馈

学生普遍认为通过学习，牢固掌握了百日咳的临床表现、特征性血常规变化，明确了百日咳的诊断要点。对临床工作中医生应具备的严谨细致的工作态度，为患者着想的仁爱精神等职业素养表示认同，对我国国家免疫规划策略的实施予以高度认可并引以为傲，愿意主动积极承担力所能及的社会公益活动。

## 【课程思政解析】

结合教育部《高等学校课程思政建设指导纲要》精神，对医学专业学生提出：加强医者仁心教育，着力培养“敬佑生命、救死扶伤、甘于奉献、大爱无疆”的医者精神的课程思政目标，本章节结合课程内容，通过百日咳发现过程、疾病特点和疫苗相关事件挖掘思政元素，从“敬佑生命、救死扶伤、科学精神”几个方面对学生进行课程思政教育。引导学生通过思考、比较和亲身体会，将课程思政所传递的信息内化于心，外化于行，避免生搬硬套所导致的学生对思政内容的抗拒，达到“润物无声”的效果。

## 【推广应用效果】

本课程获重庆医科大学课程思政大赛三等奖。

（张祯祯）

# 案例五 败 血 症

**【课程名称】** 传染病学

**【授课内容】** 败血症

**【授课对象】** 临床医学专业、医学影像学专业学生

**【教学目标】**

一、专业知识目标

1. 掌握　败血症的临床表现及诊断原则。
2. 熟悉　败血症的诊断方法。
3. 了解　败血症常见病原体的种类及其特征。

二、实践（临床）能力目标

1. 掌握　血培养的正确方法。
2. 了解　发热性疾病的诊断思路。

三、思政育人目标

1. 领悟医生职业必须具备的奉献精神。
2. 树立医疗工作中医学循证的精神。
3. 培养临床实践及医学研究需要的探索精神。

**【教学设计】**

一、导入

以白求恩患败血症的事例开场，吸引学生注意力，激发学生兴趣，教师提出问题：这是一种什么疾病？为什么连医务人员也不能幸免？引导学生思考并总结该病例的病史特点、疾病转归等情况，带着问题展开本节课程的讲解，逐一对照导入病例进行思考分析，加深对疾病的理解。

二、展开

败血症的讲解仍按照疾病概述、流行病学、临床表现、辅助检查、疾病诊断、疾病治疗的模块展开。根据疾病每一部分的特点，融入课程思政元素，通过举例、讨论、图文等方式逐层深入，充分调动学生参与，提高思政效果。课程主要思政内容如下。

**（一）讲解败血症的疾病概述时，突出医生职业所需的奉献精神，对学生进行职业素养的培养**

1. 通过白求恩患败血症的事例提问：白求恩是一名经验丰富的医生，有深厚的医学知识和技能，为什么还患上了败血症？引发学生思考。随后将白求恩感染败血症的过程娓娓道来：在紧急状态下抢救伤员，造成皮肤破损，后因伤口感染导致败血症，两周后牺牲。让学生对败血症的危害印象深刻。

2. 再提问：细菌入血后，为什么造成了这么严重的后果，是不是白求恩医生本人体弱多病呢？回顾历史，白求恩医生正值壮年，却放弃在加拿大优渥的生活工作条件，义无反顾地投身中国抗日战场伤员救治的第一线。短短 1 年多时间，他做了 300 多次手术，

救治了大批伤员；而且他长期将组织上给他的牛奶等送给伤病员，自己却以小米饭、土豆蘸盐面为食，可能存在劳累、营养不良等情况，加上当时条件艰苦、医药匮乏。学生一方面对败血症患者的基础身体状况及治疗方法有了初步认识；另一方面对白求恩跨越国界的大爱无疆、临危不惧的治病救人事迹印象深刻。

3. 在此基础上，举例 2020 年初新冠肺炎疫情暴发，湖北武汉封城时全国各地医务人员积极援鄂，即使当时对新冠肺炎这个传染病了解尚少，仍不畏艰险，将个人安危置之度外，他们是最美逆行者。再联系医务人员援藏、援疆、援外，到边远、贫困等条件艰苦地区进行医疗推广及救援，进一步升华医务工作者的职业奉献精神。

**（二）讲解败血症的诊断依据时，强调医学的循证特点**

1. 以提问开始本部分的讲解　什么时候要想到患者可能是败血症？教师总结：凡有不明原因的急性高热、寒战、白细胞总数有中性粒细胞显著增高而无局限于单一系统的症状与体征时，应考虑败血症的可能。新近有皮肤局部炎症，或有尿路、胆管、呼吸道等处感染，治疗后仍不能控制体温者应高度怀疑败血症的可能。强调疾病诊断“一元论”，培养学生临床思维的全局观。

2. 再次提问　既然败血症是细菌入血并生长繁殖，确诊依据是什么？学生基本上都能正确回答：在血中找到病原体。进一步拓展，除了在血液中，可能在骨髓、组织或分泌物中找到病原体，有利于临床诊断。继续提问，那如何能正确地进行血培养呢？应尽可能在抗生素使用之前及寒战、高热时采集标本，反复多次送检，每次采血 5 ～ 10ml。有条件宜同时做厌氧菌、真菌培养。对已使用抗生素治疗的患者，采血时间应避免血中抗生素浓度高峰时间，或在培养基中加入适当的破坏抗生素的药物如青霉素酶、硫酸镁等或做血块培养，以免影响血培养的阳性率。

3. 总结　通过这个环节的讲解，总结出对感染性疾病，强调病原学证据，直接或间接找到病原体是明确病因的重要方法，让学生对医学循证特点有了概念。败血症病原体复杂、原发病灶广泛、隐匿，不能仅凭医生临床经验，否则会浪费医疗资源、导致漏诊或误诊。

**（三）在讲解败血症的诊断方法时，引入医学进步需要的探索精神**

1. 首先提问：败血症既然属于重症感染，那哪些检测指标可以提示感染？引导学生思考并回答：血常规、C 反应蛋白、降钙素原，以及细菌培养、细菌涂片及其他检查，如鲎试验等。目前新的检测方法：二代测序（宏基因组检测），用于 RNA 及 DNA 病原体的检查，适合复杂、少见病原体感染的确定。

2. 通过介绍目前国内外病原体检测方法的最新进展，提醒学生：由于医疗行为提前干预，临床典型病例少，败血症的病原体和感染原发病灶的确定及耐药菌的治疗面临困难，催生了新诊断技术及新药物的发明和使用。引发学生思考如何解决医学难题，需要有不断探索和创新的精神。

## 三、总结

**（一）专业知识或实践能力要点小结**

1. 临床表现多样性　所有感染性疾病都是各种病原体与机体相互作用和斗争的过程，败血症主要是各种细菌入血并生长繁殖，产生毒素及各种代谢产物，引起机体全身中毒症状的过程，其临床表现既有共性，又有个性，需要结合微生物、免疫、病理生理学知识来理解和记忆。

2. 诊断原则找病原体　败血症和其他疾病一样，需结合流行病学史、症状体征及各种辅助检查进行诊断，而找到病原体是诊断的依据，如何正确地进行血培养是关键。

**（二）思政育人要点小结**

1. 重温白求恩大爱无疆、临危不惧的奉献精神，领悟医者所需的职业道德。

2. 在诊断依据中强调医学循证特点，树立客观、科学的职业精神。

3. 通过对败血症的诊断方法进展的讲解，树立临床实践及医学研究需要的探索精神。

**四、课堂或课后练习**

思考题：革兰氏阳性球菌与革兰氏阴性杆菌败血症鉴别要点有哪些？如何做血培养？

**五、课后反馈**

同学们深感责任重大，一是职业本身要求，需要客观、科学的工作态度；二是社会责任使命，在关键时刻需要医务人员挺身而出。

通过与同学们分享多个临床实际案例，激发同学们对临床工作的兴趣和向往，对本课程章节的知识点有了深刻理解，建立了感染性疾病诊断的思路，对抗感染治疗的原则、药物也有了一定了解。

## 【课程思政解析】

通过举例及联系自身，帮助学生领悟医学需要的奉献精神。以白求恩患败血症的事例开场，分析其感染原因（劳累、营养差、缺医少药），进一步总结出白求恩精神“国际主义精神、毫不利己专门利人”。结合医务人员培养周期长、援藏、援疆、支援医疗联合体工作，以及国内外新冠肺炎疫情严重时，广大医务人员是最美逆行者，强调医务人员迎难而上的大无畏和奉献精神。

强调医学的循证原则，将科学、规范的医学原则扎根于学生心底。阐述败血症的诊断时，说明确诊依靠病原体的培养。败血症病原体复杂，原发病灶广泛、隐匿，不能仅凭医生临床经验，否则会浪费医疗资源（可能有更高性价比或者更敏感药物选择）、漏诊（没有发现原发病灶）和误诊（疗程判断失误），强调临床证据对病情判断的重要性，树立学生客观、追求科学的循证医学思想，也培养其注重医学研究的思维。

阐述诊疗技术的发展，引导学生在解决医学问题时要有探索和创新精神。讲解败血症的诊断和治疗时，新诊断技术及新药物的发明和使用，引申出医学是需要不断探索和进取的科学，引导学生建立进取、探索、创新的观念。

## 【推广应用效果】

通过举例、提问、讨论等课程讲解方式吸引学生课堂注意力，加强师生互动，加深学生对知识点的理解，并巧妙地对学生进行了职业道德和职业精神的渗透及培养。其教学内容和课程思政均得到学生的一致好评。

本章节所属的“传染病学”课程入选国家级线下一流课程、重庆市精品在线开放课程、重庆市课程思政示范课程。课程思政立足于现实，感染力强，很好地达到了人才培养的目标，得到校内其他专业及兄弟院校传染病专业的广泛肯定。

（胡　鹏　凌　宁）

# 案例六　艾　滋　病

**【课程名称】** 传染病学

**【授课内容】** 艾滋病

**【授课对象】** 临床医学专业学生

**【教学目标】**

一、专业知识目标

1. 熟悉　艾滋病的临床表现、诊断及鉴别诊断。

2. 掌握　艾滋病的定义、病原学及治疗。

3. 了解　艾滋病的流行病学、预后。

二、思政育人目标

1. 学生收获专业知识，培育和塑造学生的人生观和价值观。

2. 培养医者仁心、人文关怀理念，让学生懂得医务人员对艾滋病患者的人文关怀和药物治疗同样重要。

3. 树立职业荣誉感和使命感，激发职业潜能，鼓励学生勇攀医学高峰，改善艾滋病患者的生存质量。

**【教学设计】**

一、导入

观看感动中国人物桂希恩教授的视频，激发学生强烈的好奇心和兴趣，引出艾滋病的授课名称。

[辅助方法] 视频、提问。

[思政融入方式] 引导学生带着探索精神进入课堂。

[思政映射点] 探索精神。

二、展开

**（一）定义**

艾滋病即获得性免疫缺陷综合征（acquired immunodeficiency syndrome，AIDS），是由人类免疫缺陷病毒（human immunodeficiency virus，HIV）所致的一种慢性传染病。

[辅助方法] 提问，结合图片介绍艾滋病的发现及现状，激发学生兴趣。

[思政融入方式] HIV 感染后会产生人体免疫功能破坏的“多米诺效应”，累及全身免疫功能。首次建立“多米诺效应”的理念，为思政案例做铺垫。

[思政映射点] 探索精神+科学精神。

**（二）病原学**

1. HIV 结构模式图

[辅助方法] 通过电镜图片展示 HIV 的结构示意图、提问。

[思政融入方式] RNA 病毒的共同点，让学生领会共性和个性的差别。

[思政映射点] 科学精神。

2. HIV 的致病性

[辅助方法] 通过视频生动展示 HIV 如何侵犯免疫细胞，导致免疫功能缺陷。

[思政融入方式] 用哲学思维启发学生，领会物质基础决定上层建筑，体会“多米诺效应”的原因。

[思政映射点] 科学精神+哲学思维。

**（三）流行病学**

1. 流行状况　中国的艾滋病疫情处于总体低流行，特定人群和局部地区高流行的态势。

2. 传染源　HIV 存在于人的体液及分泌液，包括血液、精液、子宫阴道分泌液。

重视窗口期感染者（感染后 2 ～ 6 周，血清病毒阳性，抗 HIV 阴性）的传染性。

3. 传播途径　主要通过性接触传播、血液及血制品传播和母婴传播。

其他传播途径：职业性传播和家庭内传播。

4. 高危人群

[思政融入方式] 通过高校艾滋病发病情况，警示学生洁身自好，注意个人防护，重塑价值观。

[思政映射点] 人文精神+提高个人修养。

**（四）临床表现**

艾滋病属于乙类传染病，城镇要求发现后 6 小时内网络直报，农村要求上报时间不超过 12 小时。

[视频] 展示我国主要的甲乙丙类传染病及电子传染病上报系统，说明我国的疫情上报方便快捷。

[辅助方法] 视频。

[思政融入方式] 我国传染病立法完备，体现中国特色社会主义制度优越性。

[思政映射点] 科学精神。

1. 急性期

（1）发热、头痛、咽痛、恶心、呕吐、关节痛、皮疹、全身淋巴结肿大。

（2）部分同时伴有肝脾大，肝功能异常。

（3）可发生神经系统改变如畏光、冷漠、脑膜炎等。

[辅助方法] 提问。

[思政融入方式] 类比新型冠状病毒的发现过程，对于不明原因发热或聚集发病，及时追踪上报，同时使用高通量测序等先进诊断方法。

[思政映射点] 科学精神。

2. 无症状期　传染破坏力最强。

无自觉症状，仅血清抗 HIV 抗体阳性。具有强烈的破坏作用和传染性。

[提问] 传染病的什么期传染性最强？

[视频] 播放艾滋病的无症状期感染者生活状况的视频。

[思政融入方式] 传染病无症状期感染者的管理对于控制传播十分重要。

[思政映射点] 科学精神。

3. 艾滋病期　是 HIV 感染的最终阶段（加深理解“多米诺效应”）。

包括 HIV 感染相关症状，各种机会性感染和各种恶性肿瘤相关的临床表现。

［板书设计］机会性感染如肺孢子菌肺炎，恶性肿瘤如卡波西肉瘤等，重点提示：应用“多米诺效应”，可用头脑风暴式回顾及思考相关症状。

［视频］播放口腔念珠菌感染，肺孢子菌肺炎及卡波西肉瘤的视频，进一步阐明其对于艾滋病的诊断价值。

［思政融入方式］让学生体会艾滋病感染者的困境，强调作为医生有义务呼吁社会正确对待和关爱艾滋病感染者。

［思政映射点］科学精神；同理心和医学人文精神。

**（五）实验室检查**

1. 血常规　白细胞多下降至$4\times10^9$/L以下，分类中性粒细胞增加，淋巴细胞明显减少。少数患者血小板可减少。

2. 免疫学检查　以细胞免疫系统变化为主。淋巴细胞亚群中$CD4^+T$特征性减少，$CD4^+T < 200/\mu l$，$CD4/CD8 \leq 1.0$（正常人为1.25～2.1）。

3. 病原学检查　略。

**（六）诊断**

1. 疑诊艾滋病

（1）近期高危行为后出现：病毒血症表现——急性期？

（2）有流行病学史者出现：不明原因发热、腹泻、体重减轻、淋巴结肿大等或有不明原因的严重免疫功能低下伴各种机会性感染、各种机会性恶性肿瘤——艾滋病期？

2. 确诊艾滋病　经过确诊试验证实HIV抗体阳性或（早期）检测HIV RNA或P24抗原阳性。

3. 各期诊断标准

（1）急性期：近期有或无流行病学史（接触史），有急性期的临床表现，抗HIV（–）转为HIV（+）。

（2）无症状期：有或无流行病学史（接触史），抗HIV（+）。

（3）艾滋病期

1）有流行病学史，抗HIV（+），结合任一项机会性感染的临床表现即可诊断。

2）有流行病学史，抗HIV（+），$CD4^+T < 200/\mu l$，虽无临床表现，也可诊断。

［思政融入方式］典型艾滋病的诊断并不困难，重点是一些临床少见病原体的感染，引导学生在分析病情时要注意判断疾病的大方向，注重临床逻辑思维和辩证思维的培养。

［思政映射点］科学精神；辩证思维；临床逻辑思维。

**（七）治疗**

1. 艾滋病治疗目标　包括病毒性目标、免疫学目标和终极目标。

2. 抗病毒治疗时机（成人和青少年）

（1）急性期患者和艾滋病期患者均应给予抗病毒治疗。

（2）对于无症状期患者，当$CD4^+T < 350/\mu l$时，建议抗病毒治疗。当$CD4^+T$在350～500/μl，定期复查，可考虑治疗。

3. 抗病毒治疗

（1）抗病毒治疗药物。

（2）高效抗逆转录病毒治疗（HAART）方案：鸡尾酒疗法。

［思政融入方式］介绍抗病毒药物的研发过程，同时从鸡尾酒疗法的发现过程延伸到探索精神。

［思政映射点］科学精神；探索精神。

**（八）思政事例**

分享武汉抗疫“无法旁观”的故事。以党员为主要组成的首批进入隔离病房的八位医生。连续作战多日后，医疗队员主动请战，转战第二个医院。

［思政融入方式］通过抗疫故事，让学生体会同理性心、人文精神及伟大的抗疫精神。

［思政映射点］人文精神，医者仁心。

**三、总结**

鼓励学生运用“多米诺效应”，总结艾滋病相关机会感染及继发肿瘤，回顾艾滋病无症状期的重要性。消除艾滋病，需要每一个人都行动起来。强调对于艾滋病患者的同理心，拒绝歧视，冷漠比 HIV 更可怕。

**四、课堂或课后练习**

1. 线上完成课后测试题。

2. 专业网站拓展学习、相关文献阅读。

3. 课后研究：以小组合作形式完成“艾滋病的机会性感染及处理”（PPT 形式）。

**五、课后反馈**

组织同学们讨论艾滋病的临床特点、诊断及鉴别诊断，树立预防艾滋要从我做起，洁身自好，提倡健康文明的生活方式，向患者奉献我们的关怀和爱心，共同战胜艾滋病。

## 【课程思政解析】

抗疫精神。素材：医者仁心，守望生命。

2020 年春节，新冠肺炎肆虐神州大地，中国的白衣天使们以实际行动向全世界诠释了“守望生命，大爱无疆”的仁心仁术。

84 岁高龄的钟南山院士在关键时刻提出“人传人”的预警，为疫情控制赢得了先机，李兰娟院士果敢地向中央建议武汉封城。在封城警报拉响之时，6 万多武汉本地医务人员率先筑起“白色长城”，4 万余名逆行者白衣执甲，星夜驰援。重庆医科大学附属第一医院先后派出多批共计 200 多名医护人员驰援武汉、孝感等疫区。感染科李用国主任坐镇指挥哈尔滨的防控大战，其夫人兰英华南下武汉承担重症患者的救治，家中年幼的女儿只能依靠年迈的父母照顾。重庆医科大学附属第一医院约 160 人以整建制接管武汉市第一医院重症病区，王越用朴实的文笔，写下了给武汉的一封情书，信中深情地表示：武汉，我爱你，有所求；我要你在自此之后的漫长岁月里平安，欢喜！这一文章引起了广大援鄂医务工作者的共鸣，转发及阅读量达千万以上。感染科蔡佳是武汉人，他一直奋战在抗疫一线，连与父母见面都只是仓促地隔空相望，一切尽在不言中。我们感染科的全体医护人员默默地战斗在发热门诊，或者驻守在隔离病房，筑起了重庆市抗击病毒的防线。正是这一群普通而平凡的白衣天使在疫情面前，兑现救死扶伤的诺言，承担医者仁心的责任，守望了人民的生命安全。

**【推广应用效果】**

通过我们身边真实的抗疫故事的分享，同学们不仅学习了艾滋病的理论知识，更激发了他们自身的责任感，学习如何做一个“良医”，如何在疫情面前勇于担当，以仁爱之心对待患者，以实际行动护佑生命。

（杨　春　蔡　佳）

# 第十三章 其他案例

## 案例一 麻醉学——麻醉后恢复室

**【课程名称】** 麻醉学

**【授课内容】** 麻醉后恢复室

**【授课对象】** 临床医学专业学生

**【教学目标】**

**一、专业知识目标**

1. 掌握 麻醉后恢复室（post-anesthesia care unit，PACU）常见并发症及其防治。

2. 熟悉 PACU 工作常规及流程，交接患者要点，离室标准。

3. 了解 PACU 的概念，以及环境、人员、设备等配置。

**二、实践（临床）能力目标**

1. 掌握 在 PACU 监测患者及诊治常见并发症的能力和相应沟通能力。

2. 熟悉 PACU 接诊患者流程。

**三、思政育人目标**

1. 树立“以患者为中心”的新时代医疗卫生服务理念，培养学生的医学理想信念和职业道德素养。

2. 激发“敢担当，勇挑战”的职业使命感和时代担当，培养在专业上精益求精，保障患者安全的严谨科学精神。

3. 体会“医者仁心，大爱无疆”的奉献精神，培养在临床细节上灌注爱心，温情抚慰患者的人文素养。

**【教学设计】**

**一、导入**

线下理论课堂教学前一周，线上预留两个特殊临床病例的术前基本资料：111 岁的高龄患者唐某摔倒后导致股骨颈骨折需要手术，唐某最大的担心是“全麻手术后还能顺利醒过来吗？”180kg 肥胖患者徐某尝试各种减肥方法失败，由肥胖导致脏器功能障碍、生活难以自理，需要求助于外科手术，徐某希望“手术后再也不要活得这么累了”。预留问题：如果你是责任麻醉医生，在麻醉管理过程中最担心什么？我们怎样解除患者的顾虑？引导学生自主预习与思考，同时在线互动。

线下教学时，开场引导学生回顾两个病例，唐某最大的担忧和徐某的希望，总结病史特点，提问：全身麻醉手术后的患者在哪里醒来？怎样安全醒来？从而自然引出本节课内容——PACU。

通过生动形象地展示两个病例及其诉求，引导学生产生共情，从而引出思政观点：要牢固树立“以患者为中心”的理念，患者有担心、有需求，我们就要“急患者之所急，想患者之所想”，培养学生的职业道德修养和医者精神。

## 二、展开

课程按照教学大纲要求进行，导入后先展示教学安排和要求，让学生明确本节课的知识结构和重点内容，然后按照课程逻辑展开讲授和学习。

### （一）概念

PACU 是帮助麻醉后患者在完全清醒（复苏）并转入普通病房前，提供密切的监护和治疗的场所，辅以图片展示 PACU 的场景。

### （二）PACU 工作常规

1. PACU 工作流程　视频展示患者入 PACU 时手术间麻醉医生与 PACU 医生进行病情交接的情景。

2. 麻醉患者复苏　视频展示患者在 PACU 复苏后与医生交流的情景。

通过情景展示和学生模拟，让学生体验医医沟通和医患沟通，使学生感悟到医护人员在工作中的严谨细致和对患者的仁爱关怀，并将这种情感渗透到学习中，从而体会医学实践中的人文精神和仁爱之心。

3. PACU 内监测　辅以图片分类展示循环系统、呼吸系统、麻醉监测、体温监测和引流量监测。

4. PACU 危重患者预警　通过 PACU 内常用小标识牌的细节展示（特殊颜色和字母代表患者有特殊感染），提问式引导，使学生体会到医护人员在工作中将专业和对患者隐私保护的有机结合，从而扩展到医疗实践过程中处处需要尊重生命的生命教育和职业道德修养。

### （三）PACU 离室标准

1. 斯图尔德（Steward）苏醒评分　Steward 苏醒评分是本堂课重点内容之一，教学时紧密结合病例徐某，以学生自主分析为主导，讲者利用板书设计，关键词分析等归纳解析和引申，训练学生的临床逻辑思维。同时简要回顾该评分的历史由来，通过小故事学习前辈的科学精神，从而建立正确的价值观和科学钻研精神。

2. 气管拔管指征。

3. 与病房/ICU 交接重点。

4. 带气管导管离室指征。

### （四）PACU 常见并发症

1. 循环系统　采用图片及板书设计，紧密联系唐某病例，提问式启发学生理解性掌握，后用表格归纳总结知识要点。唐某要手术，比喻为要一辆古董级老爷车上高速，帮助学生理解麻醉和手术风险极大。同时让学生假设自己是患者家属，再假设是麻醉责任医生，思考不同角色有怎样不同的考量从而产生同理心和共情。然后引出思政观点：明知有很大风险，在当前医疗环境下，我们麻醉医生不但勇于担当，敢于挑战，“敢麻醉”“能麻好”，还保证了唐某“醒得来”“走得动”，这需要有职业使命和时代担当，更需要在专业上精益求精，保障患者安全的科学精神。

2. 呼吸系统　同循环系统一样采用图片并紧密联系徐某病例，提问式启发学生理解，再次强调医学实践中专业的严谨科学精神和仁爱的温暖人文精神紧密结合的重要性。

3. 神经系统。

4. 术后恶心呕吐（post-operative nausea and vomiting，PONV） 引用经典临床研究图表展示 PACU 最常见的并发症，引出 PONV 的严重临床后果，联系个人呕吐经历进行师生互动。

5. 其他并发症 术后低体温/寒战；少尿；多尿；电解质紊乱。

**（五）PACU 设置及历史延展**

1. PACU 的发展史及地理位置 介绍 PACU 历史发展及目前中国相关发展前沿，拓展麻醉 ICU 相关内容，还有重庆医科大学麻醉系在 PACU 发展中所做的努力，激发学生对新知识的兴趣，增强学生的自豪感和职业荣誉感，提高学习动力，培养努力钻研的科研精神。

2. 医疗人员配置。

3. 监测及治疗设备。

4. 准备药品。

## 三、总结

**（一）专业知识及实践能力要点小结**

视频和图片展示唐某和徐某的良好术后恢复情况，总结麻醉后恢复室的工作是非常重要的术后康复组成部分，医生在帮助患者从麻醉中恢复的过程中应该树立全局观和整体观，密切监测患者，提早预防、识别和处理术后并发症，保障患者安全。

**（二）思政育人要点小结**

麻醉医生所做的不仅仅是让患者既能舒适睡觉，无痛手术，更能让患者安全醒来，快速康复，这不只需要麻醉专业知识和技术，还要有安全舒适的医疗环境，更要有灌注爱心、倾注温度的细节照护和人文关怀，真正体现“医者仁心，大爱无疆”，抚慰患者心情，建立患者信心，促进快速康复。

## 四、课堂及课后练习

课尾利用信息化教学方法，灵活使用网络教学平台进行随堂测验，强化学生对重点内容的掌握与记忆。

课后组织学生学习和讨论《PACU 发生非计划二次气管插管困难气道一例》，帮助学生对该次课程的内容在知识上及思想上达到进一步的提升。

## 五、课后反馈

本课程通过网络教学平台评论区、教学联席会和课程网络群等多渠道收到学生的良好反馈和督导专家的好评。学生评价：用特殊的病例引导贯穿整个线上线下的专业知识学习非常有吸引力，能够更好地帮助学生理解和掌握专业知识，训练临床逻辑思维。同时，思政观点的自然融入不仅加强了学生对专业知识的综合理解，更能够使学生学会站在患者及家属、医生及旁观者等不同的角度去思考，从而体会到医者应该具有良好人文和科学精神的重要性。督导专家认为通过这样的课程思政教育，学生们能够更加具体而深刻地学习“医德医风、仁心仁术”。

## 【课程思政解析】

### 一、应用混合式教学方法，借助现代教育信息资源，实现知识和技能教学目标

在本课程中以两个特殊病例导入课程，引起学习兴趣。通过线上线下混合式教学设计，始终紧密结合这两个案例教学（CBL）。整个教学活动中有机结合自主学习法、课堂讨论法、PBL、情景教学等多种方法，以幻灯片课件为主线，合理配以视频、图片、板书等，辅以师生互动、在线随堂测验等多种教学方式，依托网络教学平台等多种信息化教学资源，全方位辅助教学，以期达到最优化的教学效果。

### 二、多层次、多角度、多节点有机融入思政元素，实现思政和职业素养教学目标

在结合案例的教学过程中，自然融入、层层递进，见缝插针、画龙点睛地进行思政教育，设问引导学生在思考的过程中树立“以患者为中心”的理念，培养职业道德修养和医者精神；激发“敢担当，勇挑战”的职业使命感和时代担当，培养在专业上精益求精，保障患者安全的严谨科学精神；以及体会“医者仁心，大爱无疆”的奉献精神，培养在临床细节上灌注爱心和抚慰患者的人文素养，实现专业课堂和人文思政课堂相结合，从而达到教学目的。

## 【推广应用效果】

本课程开课以来受到学生和督导专家的良好反馈和一致好评，入选重庆市精品在线开放课程、重庆市首批线上线下混合式一流课程、国家级线上线下混合式一流课程。本教研室连续多年获评院、系理论教学第一名，获得相关思政教学改革项目 2 项，其中市级 1 项，荣获相关校级教学成果奖 1 项。

同时，该课程的成功经验已向麻醉学系其他专业课程、校内其他专业及西南医科大学、川北医学院麻醉学系等兄弟单位推广，在国内麻醉学教育界受到广泛关注，影响较大。

（刘　丹）

# 案例二　中医学——刺法灸法学

**【课程名称】** 刺法灸法学

**【授课内容】** 绪论

**【授课对象】** 针灸推拿学专业学生

**【教学目标】**

**一、专业知识目标**

1. 掌握　唐代医家孙思邈的学术思想。
2. 熟悉　杨继洲的生平。
3. 了解　宋代医家王惟一的学术成果。

**二、思政育人目标**

1. 引导学生树立高尚的医德，培养学生爱岗敬业、乐于奉献的医学精神。
2. 激发学生积极投身医学事业的激情。
3. 引导学生树立正确的人生观和价值观。

**【教学设计】**

**一、导入**

从西方特鲁多医生的铭文“有时是治愈，常常是帮助，总是去安慰”（to cure sometimes，to relieve often，to comfort always）讲起，引入中国古代医德思想，再结合上海第一医学院不畏艰苦的西迁精神，以古代代表医家为例展开讲述。

**二、展开**

古代针灸医家的代表学术思想：

**（一）大医精诚——唐代医家孙思邈**

孙思邈，京兆华原（今陕西省铜川市耀州区）人，唐代医药学家。

孙思邈是中国医德思想的创始人，具有高尚的医德，一切以治病救人为先。他对前来求医的患者，不分“贵贱贫富，长幼妍蚩，怨亲善友，华夷愚智”，皆一视同仁。声言“人命至重，有贵千金”。他认为，医生须以解除患者痛苦为唯一职责，其他则“无欲无求”，对患者一视同仁。孙思邈在其名著《备急千金要方》中将“大医精诚”的医德规范放在了极其重要的位置来专门立题，重点讨论。而他本人得享高寿，也是以德养性、以德养身的代表人物之一。他这种高尚的医德，实为后世之楷模，被尊称为“药王”。

孙思邈提倡尊重生命，尽量不用动物入药。

孙思邈对针灸术也颇有研究，在临床实践中，他总结出了许多宝贵的经验，如“阿是穴”和“以痛为腧”的取穴法，发明手指比量取穴法，第一个提出“针灸会用，针药兼用”和预防“保健灸法”，并著有《明堂针灸图》，以针灸术作为药物的辅助疗法。他认为“良医之道，必先诊脉处方，次即针灸，内外相扶，病必当愈”。积极主张针药并用，对疾病实行综合治疗。

将孙思邈的“大医精诚”思想贯穿整个教学过程的始终。

教学中，从绪论开始，将医德的教育放在第一位。准备在后面的教学内容中，讲述手法时，强调“换位思考”，勤学苦练，细心揣摩手法，以减轻患者痛苦。

讲临床病例时，时时强调传统医学中对医德的描述“德不近佛不为医”“神仙手眼，菩萨心肠”，作为医生，绝对不能将经济效益作为最高目标。教学中举例讲解孙思邈出诊时，要求医家不能打量患者的家居布置，不能评价患者贫富，以免给患者造成压力，更不能区别对待。

孙思邈非常勤奋，注重创新，深刻体现了“精诚”二字。在这部分教学中，结合特鲁多医生的铭文提点学生，医学技术不可能治愈一切疾病，作为医生，在刻苦学习、提高医技的同时，要牢记并身体力行“你若托付，我不辜负”的医学人文思想，敬畏职业，敬畏生命。临床上来自于医生的安慰和鼓励，往往比治疗或者治愈更让患者感觉信任和温暖。

**（二）勤学不辍——明代医家杨继洲**

杨继洲，名济时，三衢（今浙江省衢州市六都杨村）人，是明代著名针灸医家。主要作品有《针灸大成》。

据《中国医籍考》卷二十二载，杨继洲家学渊源，其祖父杨益曾任太医院太医。杨继洲一生行医40多年，临床经验丰富，尤其对针灸精通，治病时常针药并重。

史载山西监察御史赵文炳患了痿痹顽疾，杨继洲三针而愈。赵文炳为了答谢杨继洲救命之恩，特意委托晋阳人靳贤协助杨氏，在《卫生针灸玄机秘要》的基础上，广采群书，辑录了《神应经》《古今医统》《针灸节要》等明代以前的重要针灸论著，并参以己意，细加补充，著成《针灸大成》。

《针灸大成》是我国针灸学的又一次重要总结，也是明代以来流传最广的针灸学著作，是一部蜚声针坛的历史名著。自明代万历年间刊行以来，平均不到十年就出现一种版本，该书翻刻次数之多，流传之广，影响之大，声誉之著，实属罕见，故可认为是目前最受欢迎、知名度最高的针灸专著。此书被刊行以后，至今已有五十种左右的版本，并有日、法、德等多种译本。

该书的主要贡献：总结了明代以前我国针灸的主要学术经验，特别是收载了众多的针灸歌赋；重新考定了穴位的名称和位置，并附以全身图和局部图；阐述了历代针灸的操作手法，加以整理归纳，如“杨氏补泻十二法”等；记载了各种病证的配穴处方和治疗验案。

该书内容丰富，有系统完整的针灸学理论，并有记载相当丰富的临床经验。杨氏对针灸学造诣精深，理论精辟，能广收百家之长，充实自己的学术研究。《针灸大成》对于针法、灸法理论是相提并论的。杨氏对于刺法理论的一个最大贡献是将针刺补泻分为大小两类，他认为“刺有大小”，一是手法较轻（平和）的“平补”“平泻”；二是手法较重的“大补”“大泻”。他将针刺补泻进行大、小分类，实质是对刺激量的定性分类，开启了针刺补泻分强弱的先河，对后世，特别是现代有关针刺手法刺激量的研究有较大的影响。

总之，杨继洲是明代一位针灸学之集大成者，他总结了明代及以前针灸学的重要成果。《针灸大成》是继《针灸甲乙经》以后，对针灸学的又一次重要总结。《针灸大成》的问世，标志着中国古代针灸学已经发展到了相当成熟的地步，后世学子大多将《针灸大成》作为最重要的专业参考书，这与该书的学术成就、所处的历史地位及其对针灸学发展所作出的巨大贡献是分不开的。

杨继洲刻苦钻研，孜孜不倦，在繁忙的临床工作间隙勤于思考总结，著书立说，给后世学子树立了极好的榜样。

**（三）开拓创新——宋代医家王惟一**

王惟一，又名王惟德，宋仁宗时当过尚药御，集宋以前针灸学之大成，为中国著名针灸学家之一。主要成就有三，一为考定《明堂针灸图》与撰写《铜人腧穴针灸图经》；二为铸造针灸铜人模型；三为刻《铜人腧穴针灸图经》于石。

《铜人腧穴针灸图经》全书共三卷，公元1026年成书。书中把354个穴位按十二经脉联系起来，注有穴位名称，绘制成图，为铜人注解。图样完整，内容丰富，经穴较多而系统，按图可查到所需用的穴位，是我国古代针灸典籍中一部很有价值的针灸学专著。

王惟一设计的铜人，是用精制的铜铸成和一般人大小相似的模型，里面装有铜铸成的脏腑，在铜人表面刻有354个穴位孔洞，内装满水银，外封黄蜡。平时作教具，考试作道具。考生按试题扎针，若下针准确，则水银流出。下针不准确则会在黄蜡上留下痕迹。

《铜人腧穴针灸图经》刻在石碑上，起到了极好的保存作用。

《铜人腧穴针灸图经》、石碑、铜人三者虽然形式各不相同，但内容一致。石碑起到了保存《铜人腧穴针灸图经》内容的作用。铜人对经穴教学的形象化与直观化，做出了不可磨灭的贡献，开创了针灸学的腧穴考试要进行实际操作的先河。

王惟一为经穴理论的发展与规范化及针灸教学作出巨大贡献，是宋代杰出的针灸学家和医学教育家，为中国医学的发展做出了不可磨灭的贡献。

王惟一长于针灸教学，实践出真知，善于思考，他设计制造的针灸铜人在针灸教学上至今都有巨大的价值。

### 三、总结

医学是一个艰苦的学习过程，医德和医术都需要兼修。医德与医术同等重要，树立正确的人生观和价值观。

### 四、课堂或课后练习

利用信息化教学方法，使用网络教学平台进行随堂测验，强化对重点内容的掌握与记忆。

### 五、课后反馈

观察学生的课堂反应，并结合课后讨论来观察教学效果。

## 【课程思政解析】

通过对古代医家的生平简介和职业生涯介绍，指出名医一定是将崇高的职业道德贯穿整个职业生涯的，崇高的医德是激发医生不断自我完善和坚持不懈地克服困难的原动力，从而增强学生的学习热情，帮助学生树立正确的学习目标，消除学习中的畏难情绪。一勤天下无难事。医学的学习时间长，内容多，辛苦而且枯燥。如无勤奋钻研的态度，孜孜不倦的精神，是很难坚持下去的。杨继洲的勤奋，也是对学生最好的启迪。同时，通过对古代医家吸取别家优点、不断充实自己的学习方法进行讲解，引导学生树立开放、兼收并蓄的专业思想，同时正确认识中西医这两个学术体系的思维方式、学习方式的区别，树立正确的学习观念，掌握正确的学习方法——兼收并蓄，取长补短，最后达到中西医融会贯通的学术境界。

最后，要强调精湛的医技是“术”的层面，而高尚的医德是“道”的层面。一个优秀的医生，高尚的医德是第一位的，要时时刻刻想着患者疾苦，有时是治愈，总是去安慰，不断提高自己的医疗水平，尽量为患者减轻痛苦，在追求事业发展进步的同时实现自我价值。

**【推广应用效果】**

根据网络评论互动及师生访谈，深入分析课程实施效果。

（罗华丽）

# 案例三　针灸学——拔罐疗法

**【课程名称】** 针灸学

**【授课内容】** 拔罐疗法

**【授课对象】** 中医学专业学生

**【教学目标】**

一、专业知识目标

1. 掌握　拔罐疗法的概念。
2. 熟悉　拔罐疗法的作用和适应范围。
3. 了解　拔罐疗法的一般知识及注意事项。

二、实践（临床）能力目标

1. 掌握　拔罐的操作方法和应用。
2. 熟悉　罐的吸附方法。
3. 了解　根据病情和部位选择不同的拔罐方法。

三、思政育人目标

1. 感受博大精深的中医传统文化，增强文化自信。
2. 培养悲天悯人、医者仁心的人文精神。
3. 树立志存高远、德医双修的职业道德。
4. 引导学生刻苦钻研，博采众长，传承开拓，守正创新。

**【教学设计】**

一、导入

提问：在 2016 年的里约奥运会上，有谁注意到世界泳坛名将菲尔普斯身上的拔罐印记？由此趣事导出拔罐疗法。

二、展开

**（一）概述**

1. 拔罐疗法概念

[辅助方法] 结合临床讲解概念。

拔罐疗法（cupping therapy）也称吸筒疗法，古称角法。是以罐为工具，利用加热、抽吸等方法排除罐内空气，造成负压，使罐吸附于腧穴或应拔部位的体表，使局部皮肤充血、瘀血，以调整机体功能，达到防治疾病目的的方法。

2. 拔罐疗法的起源和发展

[辅助方法] 结合历史和古文讲述。

早在马王堆汉墓出土的帛书《五十二病方》中，就有用兽角治病的记载。晋代医学家葛洪所著《肘后备急方》里，记载了“角法”。唐代的太医署将角法单列一科。明代开始应用药罐。清代《医宗金鉴》记载拔罐配合中医、针刺治疗的方法；赵学敏《本草纲目拾遗》用拔罐疗法治疗风寒头痛、眩晕、风痹、腹痛等。现代有多种罐具，治疗多科疾病。

［设问］马王堆中主要出土了哪些与中医学相关的文物？

介绍马王堆中出土了与中医学相关的彩色帛画导引图、中草药实物十余种、《足臂十一脉灸经》《阴阳十一脉灸经》《五十二病方》《养生方》等。其中《足臂十一脉灸经》《阴阳十一脉灸经》是最早的经络学著作。以此树立学生的文化自信。

3. 罐的种类

［辅助方法］结合图片展示。

玻璃罐、竹罐、抽气罐、多功能罐。

4. 罐的吸附方法

［辅助方法］结合视频讲解。

（1）火罐法（闪火法/投火法/贴棉法/滴酒法）。重点介绍闪火法。

（2）水罐法（水煮法/蒸气法）。

（3）抽气罐法。

**（二）拔罐的操作方法和应用**

［辅助方法］结合视频、图片、板书展示，结合临床病例讲解本节课重点。

1. 留罐法（坐罐法）

操作：把罐留置在体表皮肤上。时间：5 ～ 15 分钟。

排罐：沿经脉或肌束成行排列，吸拔多个罐。

2. 走罐法（推罐法）

操作：涂润滑剂，沿经络、肌肉往返推动罐口，至局部皮肤充血，甚至瘀血为度。

应用：面积较大肌肉丰厚处，多用于局部疼痛、麻木。背腰部膀胱经推罐有调节脏腑功能的作用。

［设问］为什么背腰部推罐可以调整脏腑功能？

由背腰部推罐可以治疗脏腑病证，引出张仲景开创性地采用中医理法方药治疗脏腑疾病的案例。

张仲景生活在极为动荡的东汉末年。他行医游历各地，目睹了各种疫病流行对百姓造成的伤害，遂立志高远，学医为人民解除痛苦。他遍访名家，博采众长，广收医方，开拓创新，经过数十年努力，终于写成《伤寒杂病论》，创造性地确立了伤寒病的“六经分类”辨证施治原则，奠定了中医理、法、方、药的理论基础，是中医临床的基本原则。后经晋朝太医令王叔和等整理校勘，将《伤寒杂病论》整理为《伤寒论》《金匮要略》两书。现《伤寒论》和《金匮要略》均为中医四大经典之一。

张仲景不仅给我们留下了宝贵的中医经典，也给我们留下了伟大的精神遗产。一是志存高远，他论述学医者必须要有明确目标，至今仍有非常强烈的现实意义；二是德医双修，淡泊名利，专注于医药方术；三是博采众长，开拓创新，不懈努力，终成大家。

3. 闪罐法

操作：罐拔上后，立即取下，反复吸拔，至局部皮肤潮红。

应用：神经麻痹、局部皮肤麻木、疼痛及功能减退等病证，如面瘫、痹证等。可用于不适合留罐的部位及儿童。

4. 刺络拔罐法（刺血拔罐法）

操作：用三棱针或皮肤针等刺破皮肤后，拔罐、留罐，以加强刺血效果。

应用：热证、痛证、瘀血证及某些皮肤病，如热痹、急慢性软组织损伤、神经性皮炎、丹毒等。

5. 留针拔罐法

操作：先以毫针针刺得气留针，再以毫针为中心拔罐。应注意针刺深度，胸背部慎用。

应用：既需留针，又需拔罐的病证，如痹证、肩痹、寒性疼痛等。

起罐法：视频展示。

**（三）拔罐的作用和适用范围**

[辅助方法] 结合案例、板书讲解本节课重点。

1. 作用

（1）治疗作用：祛风散寒，通经止痛，行气活血，消肿止痛，吸毒拔瘀，清热解毒（配合刺血）。

（2）保健作用：调节脏腑功能，防病保健。

2. 主要适用范围　痛、麻、肿、瘀、表、寒、热。

（1）经络不通所致疼痛、局部肿胀等。

风寒湿痹证、颈肩腰腿痛、关节痛、急慢性软组织损伤、肢体麻痹、中风瘫痪等。

（2）寒证。

（3）瘀热证（刺络拔罐法）。

举例：腰肌劳损、急慢性软组织损伤、颈椎病的拔罐。

[设问] 在肢体麻痹时，拔罐疗法应如何治疗？

由设问引出皇甫谧得“风痹症”后学医终成大家的故事。

魏晋时期的文学家、医学家皇甫谧，发奋读书。42 岁前后得“风痹症”，出现肢体麻痹后，遂悉心攻读医学，刻苦钻研，守正创新，将《素问》《灵枢》和《明堂孔穴针灸治要》三书中的针灸内容汇集，去其重复，择其精要，68 岁时刊发《针灸甲乙经》，是继《黄帝内经》之后对针灸学的又一次总结，在针灸学发展史上起到了承前启后的作用。

皇甫谧的成功经验：一是不畏艰苦；二是坚持不懈；三是守正创新。

3. 拔罐疗法的现代研究　拔罐疗法可促进血液循环，促进新陈代谢，提高免疫力；还有缓解机体疼痛、改善肌肉疲劳、调节神经系统的功能。

**（四）注意事项及效应观察**

1. 注意事项　部位的选择。孕妇腰骶腹部禁用。防止烧烫伤等。

[设问] 如何防止烧烫伤？

介绍如何防止烧烫伤，树立“以患者为中心”理念，培养对患者的同理心，培养“医者仁心”的人文精神。

2. 效应观察

（1）正常效应。

（2）病理反应：辨风、寒、湿、热、瘀、虚、风邪为患。

三、总结

1. 拔罐疗法专业知识和实践（临床）能力要点小结：拔罐疗法的种类、作用、适用范围、操作方法、注意事项。

2. 简短回顾张仲景、皇甫谧的事迹，进行思政育人要点小结：文化自信、传承开拓；职业操守、医者仁心；刻苦钻研、守正创新。

四、课堂或课后练习

1. 测试题　布置线上课后测试及作业。

2. 思考题　收集整理两个古代医家故事，它们对你有什么思政启示？

五、课后反馈

学生对本次课反馈：能掌握本次课教学的重点和难点，对教学内容和教学方法总体评价满意。教师能在课程知识的讲授中，有意识地融入课程思政，进行价值引领。课程内容系统，结合实际，能反映拔罐疗法的知识体现与发展。课程选用具有一定代表性的临床案例和思政案例，重视课程互动，有助于对知识和课程思政的掌握，还能激发课外学习的兴趣。课程作业能进一步巩固和延伸本次课程的知识目标、技能目标和思政育人目标。

## 【课程思政解析】

本课程由菲尔普斯身上的拔罐印记，以提问方式，巧妙切入课程主题，让学生以好奇、探索的科学精神进入拔罐疗法。随后，通过介绍拔罐疗法的起源与发展演变、操作方法和应用、作用和适应证、注意事项等专业知识，顺理成章地融入了介绍马王堆汉墓出土的中医药文物及伟大的古代医学家张仲景、皇甫谧的生动事迹，见人、见事，生动有趣。而在课程作业中，除复习专业知识外，还要求学生收集整理两个古代医家故事，并谈论对其的思政启示，作业有开放性，既发挥学生的主观能动性，又对本课程的思政教育进行了巩固和延伸。

本课程对学生的思政教育有四个方面：感受历史悠久、博大精深的中医传统文化，增强文化自信；培养悲天悯人、医者仁心的人文精神；培养志存高远、德医双修的职业道德；培养博采众长、继承发扬的创新精神。

## 【推广应用效果】

本课程将思政案例与课程内容紧密结合，博古通今，由外及中，融入了中华文化自信、医学人文精神、医学职业道德、中医继承与创新精神的教育，潜移默化中达到“三全育人”的效果，培养了德智体美劳全面发展的社会主义建设者和接班人。总之，这是一堂设计巧妙、专业突出、思政融合、生动有趣的课程思政精彩案例。

（邹　敏）

# 案例四　大学体育——初学二十四式简化太极拳

【课程名称】健康体质促进课程

【授课内容】二十四式简化太极拳

【授课对象】所有专业一年级学生

【教学目标】

一、专业知识目标

1. 掌握　抱拳礼的动作技术及内涵。

2. 熟悉　二十四式简化太极拳基本手型和步型技术（一）及攻防意义。

3. 了解　中国传统文化——太极拳起源、发展、影响力。

二、实践（临床）能力目标

1. 掌握　抱拳礼技术动作。

2. 熟悉　二十四式简化太极拳基本手型和步型技术（一）。

三、思政育人目标

1. 牢记抗疫精神，树立高尚医德、热爱生命的职业品德。

2. 树立“武德”精神，“自强不息，厚德载物”，加强社会主义精神文明建设。

3. 激发积极学习、继承与弘扬中华优秀传统文化的热情，厚植爱国主义情怀，坚定文化自信。

【教学设计】

一、导入

**（一）视频导入**

观看新冠肺炎疫情期间方舱医院医护人员带领患者练习太极拳的视频。

视频1介绍：2020年武汉方舱医院医护人员带领患者一起练习太极，生理和心理共同治疗，强身健体，舒缓心情，提高免疫力。

患者大呼：“练完心情都变好了。”

网友评论：“我们的白衣天使真的是用尽全部力量在拯救患者”“我去学太极了，发扬国粹”“期待全国普及”。

视频2介绍：2021莫斯科方舱医院，当地医生亚历山大·阿利耶夫（Alexander Aliev）带领新冠肺炎患者练习太极拳，他表示：“利用太极拳练习呼吸，再加上医疗辅助设备，可加快患者的康复速度，最大限度地减少康复过程中的并发症和康复后可能遗留下的并发症。”

这一观点也受到当地患者和医务人员的肯定。

网友评论：“祖宗留下来的东西，千年的智慧”“中国文化博大精深，国粹就得走向世界走向全球”。

**（二）问题引导**

［设问］观看视频后，你有什么感想？

［设问目的］回顾抗疫精神和医生职责，激发学生对中国传统文化的自豪感，调动学习热情，引出中国传统项目太极拳介绍。

［解答］①回顾抗疫精神和医生职责，热爱生命，爱护患者的大爱精神。②坚定文化自信，热爱、继承和弘扬中国传统文化。③提出对同学们的希望：认真学习、掌握过硬本领，在时代需要的时候勇担使命，为人民生命健康服务，成为具有高超医术、高尚医德的生命“守护神”。

二、展开

**（一）介绍本次课的授课提纲和重点内容**

1. 第一部分　中国传统文化——太极拳简介。

2. 第二部分　中国武术传统礼仪（抱拳礼）学习（重点内容）。

3. 第三部分　二十四式简化太极拳基本手型和步型技术（一）练习。

**（二）热身练习**

1. 热身慢跑。

2. 原地热身——徒手操。

3. 其他练习。

要求：充分热身，预防拉伤，科学运动。

**（三）中国传统文化——太极拳简介**

太极拳介绍资料上传至网络教学平台，要求学生课前1周内进行观看学习。

提问式回顾、介绍太极拳知识。

1. 我国优秀传统文化、非物质文化遗产

提问：太极拳哪一年列入联合国教科文组织人类非物质文化遗产代表作名录？

介绍：太极拳是武术中圆柔类拳种，以中国传统儒、道哲学中的太极拳、阴阳辩证理念为核心思想，集颐养性情、强身健体等多种功能为一体，结合易学的阴阳五行变化、中医经络学等形成的内外兼修、刚柔相济的中国传统拳术。

2006年5月，太极拳被中国政府公布为第一批国家级非物质文化遗产。

2020年12月，太极拳被列入联合国教科文组织人类非物质文化遗产代表作名录。

2. 起源、种类、门派

提问：太极拳发源于哪里？是否只是拳术？有哪些主要流派？

介绍：太极拳，清初始见传于中国焦作市温县陈家沟，是极富中国传统民族特色元素的文化形态。太极拳基本内容包括太极养生理论、太极拳拳术套路、太极拳器械套路、太极推手等。

主要流派有陈式、杨式、武式、孙式、吴式等。

3. 二十四式简化太极拳

提问：叙述二十四式简化太极拳动作名称。

介绍：二十四式简化太极拳是国家体委（现为国家体育总局）于1956年组织太极拳专家汲取杨氏太极拳之精华编串而成的，又称简化太极拳。

动作名称：起势、野马分鬃、白鹤亮翅、搂膝拗步、手挥琵琶、倒卷肱、左揽雀尾、右揽雀尾、单鞭、云手、单鞭、高探马、右蹬脚、双峰贯耳、转身左蹬脚、左下势独立、右下势独立、左右穿梭、海底针、闪通臂、转身搬拦捶、如封似闭、十字手、收势。

[提问目的] ①检查学生自学情况，复习网络教学平台上太极拳简介知识点，加深印象。②深入了解太极拳历史及文化底蕴，加强文化自信。

**（四）抱拳礼学习**

[动作展示] 教师行抱拳礼。

[展示目的] ①使学生初识抱拳礼动作形态，构建动作表象。②引起学生对抱拳礼的好奇心，激发学习兴趣。③引出“未曾习武先习德”，树立“武德”意识。

1. 抱拳礼的简介（未曾习武先习德） 抱拳礼意义：是中国武术的标志性动作，蕴含中国传统文化，具有国际影响力，是文化名片。

2. 示范（教师） 正面、侧面多角度示范。

3. 抱拳礼的讲解（教师） ①技术动作讲解（分解、完整）。②技术动作易错点讲解。③抱拳礼与拱手礼（作揖礼）区别讲解。

4. 抱拳礼的练习（学生） ①集体练习。②动作定型练习、纠错。③分组练习。④标兵（小组）展示。

5. 抱拳礼的内涵 ①恭候师友、前辈指教。②止戈为武、点到为止。③以武会友，团结友爱。

**（五）太极拳基本手型和步型的初步介绍及练习**

1. 动作简介 ①拳型。②掌型。③勾型。④弓步。⑤虚步。⑥仆步。

2. 教师讲解 ①技术动作讲解（分解、完整、组合）。②技术动作易错点讲解。

3. 组织学生练习 ①集体模仿练习。②动作定型练习、纠错。③分组练习。④标兵（小组）展示。

**（六）拉伸放松**

1. 拉伸练习。

2. 放松练习。

三、总结

**（一）专业知识或实践能力要点小结**

1. 太极拳是我国优秀传统文化之一，世界非物质文化遗产。

2. 习武先习德，抱拳礼是我国武术的标志性动作。

3. 二十四式简化太极拳基本手型和步型技术（一），拳掌勾弓虚仆。

**（二）思政育人要点小结**

思政育人要点见表 2-13-1。

**表 2-13-1 思政育人要点**

| 事件/动作技术 | 文化内涵 | 思政元素 |
|---|---|---|
| 医护人员领做太极拳抗疫事件 | 抗疫精神 | 树立正确社会主义职业价值观 |
| 抱拳礼 | 武德教育 | 社会主义精神文明建设 |
| 太极拳 | 优秀传统文化、非物质文化遗产 | 文化自信、爱国教育 |

四、课堂或课后练习

1. 课堂测试 小组展示技术动作，查漏补缺，相互学习。

2. 课后作业（传统文化传承）　教会你身边的一位同学/朋友抱拳礼技术动作并讲解其含义，拍一张行礼照片或视频，上传至网络教学平台“作业”板块。

3. 思考讨论　观看网络教学平台中太极拳资料，结合专业谈谈在思考新时代背景下我们应该如何继承与弘扬中国传统文化？在网络教学平台“讨论”板块写下你的观点。

4. 行为习惯培养　在以后的课堂教学中，课堂始末、中间学生互助练习等环节，施以抱拳礼，亲身践行以武会友、培养尊师爱友的行为习惯，达到身心合一。

五、课后反馈

本课程作为大学一年级体育课程特色项目，通过系统的教学授课，学生能学习、了解一项民族传统体育项目，通过课上课下练习，学生能完整演练一套拳法，丰富运动技能，达到增强体质健康、促进身心发展的目标。在疫情居家线上授课期间，太极拳线上教学为学生提供了安全有效的居家运动方案。学生评价：体育课可以帮助学生了解到更多的体育知识，锻炼身体，不但练身也能练心。同时，思政观点的自然融入加强了学生对中国传统文化的了解程度，坚定文化自信；也让学生深刻体会到医者的职业使命，牢记抗疫精神，树立正确的社会主义职业价值观。

## 【课程思政解析】

体育课堂与其他课堂不同，体育在于运用“身体之活动，以教育我人格”，是一个潜移默化，润物细无声的过程。根据本节课教学内容和课程教学环节设计四个思政育人板块：历史文化、武德教育、技能学习、练习传承。

教学内容中以有形的运动技术为载体，以无形的传统文化内涵为精神标识。以太极拳历史文化结合“医护人员带领患者练习太极拳抗击疫情”，致敬中国传统文化和抗疫精神，激发医学专业学生对太极拳的学习热情，并树立正确的社会主义职业价值观；在抱拳礼动作的学习时，引导学生通过短短十几秒的技术动作，去感悟“未曾习武先习德”的“武德”精神，坚定文化自信，厚植爱国主义情怀。

教学形式上脱离说教式育人，以教、学、练、传（承）为主，让学生在练中学，学中悟，悟中得，得中思，思中享（分享），享中惯（行为习惯）。通过“学习+传承”的教学模式，使学生外形于行，内化于心，变“要我学”到“我要学”，从教师“植根”到学生自我“渗透”“传承”，达到身心一统。

## 【推广应用效果】

本课程为重庆医科大学体育特色课程，是大学一年级学生必修必考体育项目，亦是疫情居家线上教学期间我校体育课程主要教授内容，且本课程荣获重庆市 2021 年思政课程与课程思政优秀案例及论文评选活动二等奖。

医学专业学生既是中国传统文化学习的需求者（岗位技能），也是优秀传统文化的传承者（指导患者），本课程通过中国传统体育的教育，不仅能促进医学学生体质、心理健康发展，也符合医学生救死扶伤、关爱生命健康的岗位技能需求，更符合对中华优秀传统文化学习、继承、发展的时代要求。

（闫平平）

# 案例五 大学英语——Fashion（时尚）

## ——由诺曼底登陆夹克到医者白袍的课程思政案例

**【课程名称】** 大学英语 4

**【授课内容】** Fashion（时尚）

**【授课对象】** 临床医学（“5+3”一体化）专业学生

**【教学目标】**

**一、专业知识目标**

1. 掌握　以 fashion（时尚）为主题的英语知识和人文延伸，语言综合应用能力和跨文化交际能力。

2. 熟悉　第二次世界大战（二战）的英语语言文化及人文知识。

3. 了解　医者白袍及其内涵的英语表达。

**二、思政育人目标**

1. 提升美学素养，树立正确的审美观。

2. 激发为中华民族伟大复兴而努力奋斗的爱国主义情感。

3. 增加医学人文积淀，自信荣校，传承职业责任与担当。

4. 引导学生在白袍的自豪与荣誉感中，领悟“健康所系，性命相托”的内涵，做有灵魂、有智慧、有温度的卓越医学创新人才，为全人类的健康和福祉不懈奋斗。

**【教学设计】**

**一、导入**

1. 要求学生预习课文关于诺曼底登陆夹克的故事，并线上分享“自己最喜欢的 T 恤及关于它的故事”。通过语言能力运用，赋予静态的已有知识动态的激发，为新知识增长做准备。

2. 线上发布接龙讨论。学生依次分享与时尚相关的词汇，附上图片和说明。兼顾学习的趣味性和知识的时效性，完成核心素质中由语言能力、思维品质到文化意识、学习能力的纵横交错。学生个体经验、知识、感受、兴趣爱好与创新力都得到关注。获取并创新语言知识的同时，增强文化理解及多元文化意识，提升学生的美学素养。

3. 线上观看诺曼底登陆即 D-Day 视频，完成听力作业，熟悉 D-Day 及其对世界反法西斯战争胜利的意义。线下以学生为中心翻转课堂，检查其对语言知识的掌握。设问“什么是 D-Day？为什么重要？”检查其对文化知识的把握。了解并领悟世界反法西斯战争胜利的重大意义。

4. 运用 PBL 教学法，分层解析课程目标。再设问“哪国反法西斯战争开始得最早，持续时间最长？”完成教学内容从世界反法西斯战争到中国人民抗日战争，地域从西到东，地点从法国诺曼底到中国的转变。牢记中国人民为维护民族独立和自由、捍卫国家主权和尊严建立的伟大功勋。

## 二、展开

### （一）抗战相关词汇短语的学习

与学生一起讨论并熟悉与抗战相关的词汇表达。抗战历史是中国文化的一部分，掌握与抗战相关的词汇概念，是学生能讲好中国故事尤其是抗战故事的基础。牢记中国人民为世界反法西斯战争胜利作出的伟大贡献，弘扬伟大抗战精神。

### （二）重庆大轰炸纪念日的学习

1. 掌握文化点 D-Day，1944 年 6 月 6 日。重庆市自 1998 年起，每年 6 月 5 日拉响防空警报，警示人们勿忘历史，珍惜和平。由远及近，由远在天边的诺曼底转至近在眼前的重庆市，让学生成为抗战“主人翁”，身临其境，激发家国情怀。

2. 学生通过观看《重庆大轰炸》纪录片视频片段，感受重庆人民“愈炸愈强”的顽强斗志。燃烧着的重庆成为中华民族坚不可摧的精神象征。增强民族自豪感、自信心和不屈不挠的斗志。

3. 利用 PBL 解析更高教学目标

（1）设问：什么是“愈炸愈强”？解析并熟悉以 -ible 结尾的形容词后缀。

（2）设问：如果把“愈炸愈强”翻译成英国前首相的二战经典语录是什么？丘吉尔的“我们决不投降”（We shall never surrender）。由东及西，由重庆方言的“愈炸愈强”链接英文的“我们决不投降”，形成了文化自信完美闭环，也完成了一个富有传奇色彩的中国故事。

### （三）现代医学在战时重庆兴起的背景和宽仁医院即重庆医科大学校史的学习

1. 战时的中国急需医疗资源。这里强调能力 capacity 与 capability 的区别，以及军事力量的表达。

2. 展示二战中在重庆孕育而生的医护学校图片，学生们在教室里学医学知识，在实验室里做实验，在医院里实习。战时这群穿白袍的人，是中华现代医学及世界科技的象征，是那个时代的时尚之最。引出短语 be the height of fashion（时尚之最）。

3. 设问：“这是哪家医院？”PBL 教学法发挥问题对学习的指导作用，答案是重庆医科大学附属第二医院前身——宽仁医院。确定学习者的主体地位，引起学生的家国情怀共鸣，激发学生对医生职业的价值认同，激活学生更为深层次的职业理想及荣校情怀。学生在潜移默化中走进校史，重温医学生誓词，领会誓言要义，坚定理想和信念。

### （四）白袍赋予的医者内核的思考及讨论

“健康所系，性命相托”是一身白袍的精神内涵。白袍如战袍，无论是 20 世纪为人类和平而战，还是此刻抗击疫情为人类健康而战。以关键词讨论启发学生思考，白袍所赋予医生的品质是什么？教师总结医者的十大品质。

每一品质引出一个医者故事，点出时尚主题短语。从国际视野出发，突出服装的真正意义，切入医学生的职业装白袍及白袍赋予医生的品质。培养医学生以“医德”为核心的医学人文精神。

## 三、总结

### （一）专业知识要点小结

1. 点评学生课前活动分享，引出课文中心思想。总结课文题目的由来和用法。

2. 总结学生作业，指出“服装让他们成为自己”。每一件 T 恤都展示了他们“到过某地，做过某事”。

**（二）思政育人要点小结**

1. 激活学生的学校归属感。在校园文化中感受医学人文，自然切入育人主题，孕育医德里的奉献精神。

2. 激发学生的职业归属感。从我做起，从第一件白袍开始，秉承医者仁心与温度，弘扬抗疫精神，以自己的实际行动践行医者的初心与使命。

四、课堂或课后练习

**（一）阅读写作作业**

布置学生阅读 2020 年威克利-伍连德奖获得者南昌大学大二学生韦芊文章《你也有隐秘的角落吗？》，了解威克利-伍连德奖，以“当我们谈论白袍时我们在谈论什么”为题，撰写作文。

在培养学生语言分析、应用、创造能力的同时，也让学生聆听到中国医科生自己的声音。白袍，对患者来说，是权威与信任的象征。但于医科生而言，成为一名优秀的医生之前，白袍的功能是掩饰青涩、遮蔽生疏、罩住不安。帮助每一个医学生正视内心隐秘的角落，与时俱进，超越自我，是医学院校教师应给予的人文关怀。

**（二）小组活动主题：为什么医生穿白袍?**

以小组为单位，通过资料查询、收集、整理、消化、总结，以 presentation 的形式展示。锻炼自主学习能力，挖掘医学史和医学共通的底层逻辑。培养学生严谨求实的探索精神和开拓创新的科学精神。

**（三）时尚词汇习得**

熟记时尚词汇。主题探究为目的，词语为载体，在理解和表达的语言实践活动中，融合语言知识学习和人文核心素养发展。

五、课后反馈

1. 线上线下混合式教学方式下的课程思政，开创了新媒介环境下思政教学的新视野。图片分享、优秀作品分享、互动讨论、微课视频、文稿反馈，把教学的模式转向多形式、多元化的互动式教学。学生的学习兴趣非常饱满。

2. 教师一对一的人文关怀，春风化雨，润物无声。鼓励学生，成就学生的梦想，是教师的不忘初心。

3. 阅读范文的选择贴合了专业特点，具有极强的现实意义。不少学生反馈这是沉浸式阅读。

4. 切合学生自身的学习语境，无形中激活了学生的学校归属感和职业荣誉感。

## 【课程思政解析】

1. 以综合素养家国情怀为支撑，结合地域特色，量身打造特色思政。

紧密联系中国国情、重庆历史，将关于二战的英语语言文化知识技能的教学与家国情怀的思政元素自然紧密结合。国际视野的人文素养培养下，自西向东衔接诺曼底登陆的人文知识与重庆大轰炸的家国历史，再自东向西衔接重庆人民的“愈炸愈强”和丘吉尔名言“We shall never surrender”，给予学生真正文化自信的底色。

2. 结合医学生专业人才培养及课程内容定位，立足本校历史传承，量体裁衣专业思政。

树立医学生专业课程与思政教育教学“同向同行、协同育人”的理念。通过学习关于医者白袍和医者的品质表述，以辉煌的校史激活医者仁心的核心素养。学习先辈顽强抗战精神，学习当代伟大抗疫精神，践行医者初心与使命。

3. 关注个体需求，聚焦培养学生以创造和责任为核心的高级心智能力，主动式精细化思政。

满足每个学生作为独立个体的个性化需求，并提供差异化、个性化、有针对性的支持。翻转课堂使学生沉浸式参与思政目标，构建职业理想。精细化定位的课程思政设计使学生成为思政的主人翁，形成师生情感交流与共鸣，共同推进学生成为更好的自己。

**【推广应用效果】**

关于时尚、医者白袍和医者品质的语言知识主题，切合学生现实，突出了教学的实用性和运用性，也赋予静态的语言知识动态的激发。学生的学习全程既是对新语言知识、文化意识的认知与习得，也是面对自己，综合运用知识分析和解决问题，产生情感和思维共鸣，并知行合一地有机整合。

学生的作业以“她在美中徜徉”为题，表达了“穿白大褂的人守护着世界的美好，走在自己职业道路上的样子，是学生心中最美的时尚姿态”的自信。学生的课程评价“课堂非常具有人文气息，感谢老师让我对医学开始有了向往和理想”，反映了师生之间的情感交流和共鸣，体现了正确的职业价值观和思政的育人效应已经伴随着医学的奉献精神、科学态度和科学思想孕育而生。

（王玲玲）

# 案例六 思政课——理想信念是精神之钙

**【课程名称】** 思想道德与法治

**【授课内容】** 理想信念是精神之钙

**【授课对象】** 护理学专业学生

**【教学目标】**

一、专业知识目标

1. 掌握 理想信念对青年大学生成长成才的重要意义。
2. 熟悉 理想信念的基本概念。
3. 了解 理想与现实、个人理想与社会理想的关系。

二、思政育人目标

1. 教育大学生将个人的医学职业理想与国家民族的前途命运结合，将思政小课堂同社会大课堂结合，引导学生立鸿鹄志做奋斗者。

2. 针对医学专业特色，以具有国情、校情特色的教学案例，引领医学生价值观的塑造。

3. 通过问题链的层层深入，引导学生在发现、分析、解决问题的过程中强化对理想信念的科学认识。

**【教学设计】**

一、导入

**（一）课前活动**

教师活动：促进学生养成课前预习的习惯；了解学生的动机、态度及效果。

1. 运用网络教学平台创建教学专题“理想信念是精神之钙”。

2. 发布课前预习材料，思考理想信念对当代医学生的意义。

学生活动：完成预习作业。

思政元素融入：引出“理想信念的作用”话题，运用网络教学平台中的预习反馈情况，导入新课。

**（二）导入新课**

1. 预习材料回顾——来自两个时代的信件。

第一封信：人生的路啊，怎么越走越窄……

“我今年23岁，应该说生活才刚刚开始，可人生的一切奥秘和吸引力对我已不复存在……有人说，时代在前进，可我触不到它有力的臂膀；也有人说，世上有一种宽广的、伟大的事业，可我不知道它在哪里。人生的路啊，怎么越走越窄，可我一个人已经很累了呀……”

第二封信：为什么大学越上越迷茫

“当我决定不考研时，我把‘这不是我想要的东西’作为对自己的解释。当我知道那个不是我想要的东西时，我又开始迷茫哪个又是我想要的呢？……在考证、拿奖学金、找工作等外在目标的诱惑、压力下，我不知道是否有足够的勇气坚持我想要的东西——

仅仅是对自由独立的自我的向往！

老师，我有点害怕。我不知道该不该坚持自己想要的东西，也不知道是否有勇气坚持下去，不知道坚持了以后会怎样，不知道不坚持又会怎样，不知道怎样坚持，不知道坚持意味着什么。我该怎么办？”

青年是每个时代最活跃的群体，回顾改革开放四十多年来大学生的思想轨迹，不难发现，人生、理想、信念，始终是莘莘学子在激情燃烧的青春岁月里上下求索、深沉思考的永恒话题。

材料中从20世纪80年代曾引发广泛社会讨论的“潘晓之问”，到如今的“杜克海之迷茫”，跨越三十年时空的疑问让我们发现，不同时代的青年都有一个共性的问题，那就是时代变化所带来的思想上的迷茫。从课前预习情况来看，今天的我们面对快节奏的生活、多样化的选择，也有着同样的迷茫，那又是什么导致了这种迷茫？

2. 借助网络教学平台的互动功能，展示预习情况，引导学生思考不同时代青年的不同选择背后，理想信念所产生的重要作用——理想信念是精神之钙。

思政元素融入：

（1）以“两封不同时代的来信”为问题导入，利用网络教学平台进行抢答，激发对教学内容的学习兴趣。

（2）采用建构主义的支架式学习，提供学习支持，帮助其掌握核心概念。

二、展开

1. 运用网络教学平台现场互动调查医学生的学习生活状态。

2. 根据调查结果分析缺失理想信念，导致部分医学生陷入“忙碌”“盲目”“迷茫”的生活状态，得出结论——理想信念是精神之钙。

思政元素融入：引导学生对大学生活状态的审视与反思。

**教学实施“理想信念是精神之钙”**

1. 理想信念昭示奋斗目标——让我们做一个智者，学会正确选择。

[问题] 同学们，你们有理想信念吗？以前是什么理想信念？现在又是什么理想信念？为什么不同了？

[问题探究] 通过引导学生对个体人生阶段中“理想信念”变化的思考，领悟理想信念的确定在于选择，只有与时代需求相符合的崇高的理想信念才能解决我们人生意义、奋斗价值、道路选择的问题。

理想信念为我们昭示目标，让我们学会选择。人生之路该如何选择？让我们先从身边的故事讲起。

[案例] 根据思政元素中“西迁精神篇”探寻重庆医科大学老校长钱惪教授一生的“六次选择”。

[案例探究] 通过案例分析理想信念昭示奋斗目标，体现了勇于承担时代与社会责任的“担担子”的精神，强调理想的时代性。

第一次选择——百废待兴，毅然回国；第二次选择——病虫肆虐，攻坚克难；第三次选择——抗美援朝，勇立功勋；第四次选择——拓荒西部，创建重医；第五次选择——扎根重庆，办好重医；第六次选择——春秋百年，魂牵重医。

思政元素融入：引导学生从理论及逻辑上认知理想信念昭示奋斗目标。

2. 理想信念提供前进动力——内生动力，让我们做一个勇者，无所畏惧。

［问题］学会了选择，有了人生的目标，我们的动力从何而来？

［问题探究］引导学生思考人的精神状态与理想信念密切相关，崇高坚定的理想信念让人有披荆斩棘的动力。

［案例］根据思政元素中“医者精神篇”探寻“中国好护士”赵庆华的“童年梦想”。

［案例探究］重庆医科大学附属第一医院护理部赵庆华主任儿时照顾家人的医学梦，到成年后升华为守护患者的职业梦，结合赵主任从普通护士成长为“中国好护士”的职业生涯，分析理想信念的巨大动力，引导学生在关注个人前途命运的同时，通过实干改变个人命运、服务社会，用勤于“钉钉子”的精神，以青春之小我，创青春之中国、不朽之医学。

初心——成为一名白衣天使；创新——“五心”护理模式在全院推广；团队——本科以上护士超过七成；坚守——给患者带去温暖。

思政元素融入：帮助学生深入理解概念，领会理想信念的内生动力贯穿医学之路。

观看视频（赵庆华《我的中国　我的梦》）展开课堂互动讨论。

3. 理想信念提高精神境界——自我升华，让我们做一个仁者，前行无忧。

［问题］有了目标、动力，但在追求理想信念的过程中，我们仍不可避免地要面对学医的苦与累、得与失等困难与诱惑，又该如何看待呢？

［问题探究］引导学生思考在追求理想的过程中，突破各种困难、抵御各种诱惑的过程就是人的精神世界，从狭隘走向高远，从空虚走向充实，从游移走向执着的过程，是人由自然走向自觉，提升精神境界的过程。

［案例］根据思政元素中“医者精神篇”探寻梦者梁益建的“驼背神话”。

［案例探究］通过对重庆医科大学校友、极重度脊柱畸形矫正专家梁益建专业成长之路的回顾，引导学生客观看待学医之路的得失荣辱。帮助学生认识到个体自我成长的动力有功利性和社会驱动力，真正产生持久动力的是理想信念所带来的社会驱动力，医学技术的发展正是源于对社会仁爱精神的驱动力。

明星梁益建——他走到哪儿，“驼背”患者追到哪儿；梦者梁益建——积累 10 多年，开启“驼背神话”；专家梁益建——高难手术片子，被疑为电脑合成；权威梁益建——屡破手术禁忌，获得世界同行认可；善人梁益建——只有爱心能促使你去做一个更好的医生。

思政元素融入：帮助学生升华对理想信念的认知，在追求理想信念的过程中实现对现实的超越、对自我的超越。

## 三、总结

### （一）专业知识要点小结

理想信念昭示奋斗目标——学会选择

理想信念提供前进动力——寻求动力

理想信念提高精神境界——升华自我

**（二）思政育人要点小结**

今天的我们人生意义何在？医者的初心与使命又将如何践行？

“健康中国”的新蓝图已徐徐展开，“人人健康，人人幸福”是时代的呼唤，更凸显医学生的使命与担当。我们应坚定马克思主义信仰，把个人对职业理想的追求与实现民族复兴中国梦的伟大理想紧密联系，让青春理想在追求民族复兴的共同理想中获得自我价值的实现，大医精诚，以梦为马，不负韶华。

四、课堂或课后练习

通过网络教学平台发布作业，帮助学生回顾知识点，以任务驱动导引下次课程教学重点。

1. 学业勤中得 完成在线题库测试。

2. 开卷寻足音 完成读书笔记，从《习近平的七年知青岁月》中找寻青春的答案。

3. 书香伴我行 完成文献资料阅读。

4. 笔墨书情怀 给未来即将毕业的你写一封信。

5. 韶音传雅言 朗诵《信·中国》中的经典书信，上传至网络教学平台。

五、课后反馈

**（一）教学过程突出重点**

教师遵循贴近生活、贴近学生、贴近实际的原则，以具有感染力、说服力的案例，阐释了理想信念是精神之钙的意义，教师教之有道，学生学之有悟。

**（二）教学设计突破难点**

问题式教学让学生感悟真理，力求课堂具有较强的生命力与感染力。

**（三）教学深度展现亮点**

注重以思想魅力吸引人，让学生洞察“说法”背后所蕴含的“想法”和“方法”，领会“道理”中所蕴含的“真理”和“情理”。

**（四）教学互动化解堵点**

选择性综合运用新媒体，在提升学习兴趣、增强学习效果的同时，将课堂构建为展现其真实思想、实现思想交锋与纠偏的场域，更有针对性地解决思想问题。

【课程思政解析】

**（一）教学设计构思巧妙**

结合医学专业人才培养特点，以三个校史案例为线，以“理想信念是精神之钙”的三个作用为纲，突出了教学重点，让教学内容真实可感，实现了教学的政治性和科学性、价值性和知识性相统一。

**（二）教学环节层层递进**

从问题提出到案例导入再到知识点破解，符合学生认知规律；把教材知识点与学生关注点融合为教学结合点形成问题链，辨析错误观点，回应了学生的现实需求，实现了教学的建设性和批判性、理论性和实践性相统一。

**（三）教学过程完整严密**

课前准备自主学习，课上实施深度学习，课后拓展强化学习，实现了教学的统一性和多样性、主导性和主体性相统一。

**（四）教学方法灵活适当**

综合运用现代信息技术，注重教学对象学习需求的个性化与差异化，激发学生听说读写能力彰显大思政特色，实现了课程思政教学的灌输性和启发性、显性教育和隐性教育相统一。

## 【推广应用效果】

理想信念的教学主题与思政元素的“医者精神、西迁精神”紧密衔接，关注学生的现实需求，突出了理论性和实践性。问题链的互动式教学是学生认知教学重难点的过程，也是思维碰撞、情感共鸣的过程。学生课前、课中、课后的作业和对课程的真实评价中，反映了全方位全过程育人效果的真实有效性。

（冯　磊　姜　瑶）

# 案例七　思政课——学习西迁校史

**【课程名称】** 形势与政策

**【授课内容】** 实践课　校史学习

**【授课对象】** 各年级各专业学生

**【教学目标】**

一、专业知识目标

**（一）掌握：西迁创校历史**

1. 在抗日战争中，国立上海医学院内迁重庆办学。
2. 中华人民共和国成立后，上海第一医学院西迁创建重庆医学院。

**（二）熟悉：西迁人物故事**

1. 钱悳。
2. 郁解非、戚警吾夫妇。

二、思政育人目标

**（一）深入理解西迁精神“爱党、报国、为民”的深刻内涵**

1. 爱国主义是西迁精神的核心。
2. 听党指挥跟党走是西迁精神的精髓。
3. 与党和国家、与民族和人民同呼吸共命运是西迁精神的灵魂。

**（二）了解西迁精神铸造知识分子的精神追求**

1. 胸怀大局体现了中国知识分子的家国情怀。
2. 无私奉献彰显了中国知识分子的精神风骨。
3. 弘扬传统昭示了中国知识分子的文化气质。
4. 艰苦创业凸显了中国知识分子的远大抱负。

**（三）了解西迁精神彰显革命精神的气质品格**

1. 坚定正确的政治方向。
2. 实事求是的科学精神。
3. 全心全意为人民服务的使命担当。
4. 自力更生、艰苦奋斗的优良品格。

**【教学设计】**

一、导入

［设问］这里有两张照片，一张是国立上海医学院在重庆歌乐山的校舍大门（1941—1946年），另一张是重庆医科大学缙云校区复制的校门，同学们知道这个校门记载了怎样一段历史吗（图2-13-1）？

［解答］1937年，抗日战争全面爆发，国立上海医学院迁至昆明白龙潭，后又于1940年辗转迁至重庆歌乐山。国立上海医学院重庆歌乐山龙洞湾的校舍于1941年2月建成，学校大门很简陋，用一块木板钉在两根木柱上，木板上写着“国立上海医学院”。

图 2-13-1　国立上海医学院在重庆歌乐山的校舍大门（左）和重庆医科大学缙云校区复制的校门（右）

## 二、展开

### （一）西迁历史

学习国立上海医学院（后更名为上海第一医学院）两次西迁的内容，了解上海第一医学院为重庆医学院的创建所付出的巨大努力，以及近代中国医学及中华民族走过的艰苦奋斗道路。

1. 西迁前传　抗战中国立上海医学院内迁重庆办学。

［设问］同学们知道国立上海医学院在抗战期间在重庆歌乐山苦中作乐继续学业的这一段历史吗?

［解答］1942 年 7 月 31 日，国立上海医学院正式停办，同年夏天，学校在重庆复课。学校克服重重困难，在歌乐山校址建造图书馆、化学实验室、解剖及物理实验室、家庭宿舍、饭厅各一幢，并新建生理实验室及女生宿舍、总务办公室各一幢。随着人员增加，又陆续建造院舍、教室和实验室。1943 年 7 月，为解决药学专修科学生实习问题，另建造了一间试验制药厂。宿舍全是简陋的平房，就地取材，以粗竹竿为屋柱，石条为地基，上面铺填泥土为地，以竹片条编成墙，再涂以石灰和纸筋，用厚层稻草覆盖为屋顶。窗户为木格条，糊上棉纸，涂上桐油。吃饭用的大茅草棚同时也作为教室，三餐时为食堂，白天是教室，晚上是自修室，周末是图书室，节日、开大会则是礼堂。当时歌乐山上水、电、煤、卫全无，生活十分艰苦。

［设问］当时国立上海医学院在歌乐山校区的物质条件这么艰苦，怎么正常开展教学呢?

［解答］虽然条件无比艰苦，但对于学生学业的要求并未因此而有丝毫的放松，为了保证教学质量和效果，甚至还更加严格了。学校教育学生“认认真真做学问，清清白白做医生”，要求每一位学生严格自律、认真学习，立志做一名好医生。学校执行严格的淘汰制度，一年级第一学期开学有 108 名学生，到二年级时剩下 52 人，三年级只有 30 多人了。学校拥有一批有着真才实学、经验丰富、教学有方、专注育人的老师。大多数老师是曾经留洋深造的医学科学家，忠诚于医学教育事业，耐得住清贫寂寞。

［设问］当时国立上海医学院在重庆歌乐山校区能够开展临床教学和科研活动吗?

［解答］当时的重庆国民政府卫生署把重庆中央医院交国立上海医学院接管，成为国立上海医学院的附属医院，誉满大西南。学校在 1941 年度各科发表研究论文 9 篇，在

1942年完成研究课题6项、完成研究工作10余项。抗战迁渝期间，虽然烽火连绵，但是学校始终弦歌不绝，坚持为国育才、为战医伤。在歌乐山建立起了集医学教育、医学临床、公共卫生、护理、药学等于一体的"大后方医事中心"。

2. 西迁创校　中华人民共和国成立后上海第一医学院西迁创建重庆医学院。

[设问] 上海第一医学院为什么要西迁重庆？

[解答] 1955年初，遵照中央政治局关于沿海工厂学校内迁的指示，高教部3月30日向中央上报了《关于沿海城市高等学校一九五五年基本建设任务处理方案的报告》，其中提出上海第一医学院迁重庆。

[设问] 上海第一医学院西迁重庆为什么从"全迁"改为"分迁"？

[解答] 到1955年，创建仅28年的上海第一医学院已是国内最好的医学院之一，面对中央作出上海第一医学院内迁重庆建立重庆医学院的决定，1956年8月，上海第一医学院党委正式向上海市委、中央高教部党组、卫生部党组提出了"全迁"和"分迁"两个方案，并提出"分迁"方案更为合理。陈同生找到了周恩来总理，指出将上海第一医学院迁往重庆，始终只有一所医学院；而上海第一医学院分迁一部分力量在重庆建院，既保住了上海第一医学院，又为重庆增加一所医学院。周恩来接受了他的建议，并要他承担起重庆医学院的建院工作。

[设问] 上海第一医学院西迁重庆的建设情况怎样？什么时候正式开学？

[解答] 1956年8月，在先期到达重庆的一批上海第一医学院教师、干部职工的辛勤努力和重庆市的大力支持下，重庆医学院一期工程（南北教学大楼、3幢教师宿舍、4个阶梯教室、2幢学生宿舍及食堂等）基本竣工。学校医学系、儿科系两个专业招生工作如期完成，教学工作准备就绪。1956年9月1日，重庆医学院首届434名来自四川省内外的学生汇集一堂，开始了新的学习生活。

[设问] 上海第一医学院西迁重庆，附属医院的建设情况怎样？

[解答] 1956年4月，来自上海第一医学院儿科系、上海第一医学院附属儿科医院的40多名教师、医师，创建了重庆医学院附属儿科医院（后更名为重庆医科大学附属儿童医院）。重庆市人民委员会将其办公大楼移交给重庆医学院，作为儿科医院病房大楼。医院在1956年6月1日率先开业。

1957年1月，重庆医学院附属综合医院（后更名为重庆医科大学附属第一医院）开工建设。在建院过程中，医院从1957年6月开始借用儿科医院的地址开设门诊、收治患者。到1958年7月医院建成开业时，已经拥有来自上海第一医学院附属中山医院、华山医院、妇产科医院、眼耳鼻喉科医院等单位的180多名医师、医技人员和护理人员，成为重庆地区技术力量和医疗设备最好的综合医院之一。

[设问] 重庆医学院的筹建得到了上海第一医学院的哪些支持？

[解答] 重庆医学院的筹建得到了上海第一医学院在人力、物力等方面的全力支持。1955年11月，在重庆医学院基建工作进行的同时，上海第一医学院成立了重庆医学院师资配备委员会，研究重庆医学院师资配备的原则、方案和思想动员等问题。1956年3月，上海第一医学院公布第一批派往重庆医学院的人员名单，共计99人。同月，上海第一医学院二级教授、著名生物学家陈世骢等40余名首批教师和教辅人员调赴重庆，为教学工作开展做前期准备。1955年4月至1960年7月，上海第一医学院向重庆医学院派遣人员

的工作历时 2 年，调派教师、医师、教辅医技人员和护理人员等各类人才近 400 名。其中不仅有 30 多位功成名就的著名专家教授，还有一大批已经在学界崭露头角的骨干和风华正茂的青年才俊。

**（二）西迁人物**

1. 钱惪

［设问］我们大学生应该学习钱惪老校长什么精神？

［解答］当上海第一医学院需要选派一名熟悉业务的院领导到重庆医学院担任院长时，他毫不含糊，一口答应；赴渝前夕，当被告知重庆医学院已有院长，可以不必再去时，他决然表示重庆比上海更需要人才，毅然踏上赴渝之路；20 世纪 70 年代中期，面对痛巨创深的重庆医学院，他召开全校教职工大会，当众表示坚决留在重庆，把重庆医学院办好。

钱惪生前曾说："我们上医 400 多人到重庆建立医学院，一是服从组织，二是事业心，个个都是绝对服从，没有二话，这是为人民、讲奉献，不讨价还价。"

2. 郁解非、戚警吾夫妇

［设问］我们大学生应该向郁解非、戚警吾老前辈学习什么精神？

［解答］初到重庆时，困难重重。在生活上，上海和重庆两地水平差异巨大；在业务上，重庆医学院的工作环境、硬件设施都比上海第一医学院差很多，特别是信息的闭塞直接影响着教学、医疗的开展。面对如此艰难的处境，郁解非、戚警吾夫妇及西迁前辈们都没有退缩，他们付出艰辛劳动、克服重重困难，贡献了聪明才智和绚丽人生。2000 年，郁解非、戚警吾夫妇决定做一件有意义的事来为自己的职业生涯画上句号——他们捐出多年的积蓄 2 万余元资助学校 4 名家庭经济困难的学生。

## 三、总结

2020 年 4 月 22 日，习近平在陕西考察时指出，西迁精神的核心是爱国主义，精髓是听党指挥跟党走，与党和国家、与民族和人民同呼吸、共命运，具有深刻现实意义和历史意义。习近平勉励广大师生大力弘扬西迁精神，抓住新时代新机遇，到祖国最需要的地方建功立业，在新征程上创造属于我们这代人的历史功绩。

西迁的 400 多名上医人，胸怀大局，服从组织调遣，告别十里洋场的繁华大都市，来到当时条件落后的重庆，无论是在学术、事业上还是在生活、家庭上，都做出了巨大的牺牲。他们克服各种艰难困苦创建了重庆医学院，无怨无悔地扎根重庆，并把余生的心血都献给了重庆医学院，为重庆医学院发展奠定了坚实的基业。他们不仅是重庆医学院的创校功臣，也是西部医学教育事业和医疗卫生事业的开拓者。胸怀大局、无私奉献、艰苦创业、自强不息的西迁精神，必将激励一代代重医人。

## 四、课后反馈

通过西迁校史学习，同学们深受西迁精神的鼓舞，表示要"听党话，跟党走"，学习西迁前辈不畏困苦、冲破万难、奉献青春年华致力于西部建设。同学们表示要在工作岗位上默默奉献，弘扬救死扶伤、舍生忘死、无私奉献的大医精神。西迁故事距今已远，西迁精神仍历久弥新，同学们表示一定要到祖国最需要的地方去，当先锋、挑重担，立足本职，艰苦创业，自主创新。

**【课程思政解析】**

通过课堂教学讲解西迁历史，介绍西迁人物，揭示西迁精神的核心与精髓。引导学生课后现场参观或者线上浏览“弦歌西进——上医重医西迁精神主题展览”，阅读《烽火中的上医》等专著，更加细致全面地了解建校历史。

**【推广应用效果】**

通过校史学习，学生对西迁精神有了更深层次的体会，西迁前辈们“党指向哪里就战斗到哪里”，离开繁华舒适的大上海，来到偏远落后的重庆，为改变西部落后的医疗状况艰苦创业、无私奉献。学生认为，重庆医科大学有今天的成就，离不开西迁前辈的创业和奉献，要向西迁前辈学习，把西迁精神融入学习生活工作的方方面面。

（周雨风）

# 案例八　思政课——做新时代的忠诚爱国者

**【课程名称】** 思想道德与法治

**【授课内容】** 做新时代的忠诚爱国者

**【授课对象】** 本科一年级学生

**【教学目标】**

**一、专业知识目标**

1. 掌握　爱国主义的基本定义和基本要求。

2. 了解　国家的来源。

**二、实践（临床）能力目标**

身体力行，自觉做新时代的忠诚爱国者。

**三、思政育人目标**

1. 让学生真正领悟到为什么要弘扬爱国主义。

2. 激发学生的爱国之情。

3. 通过讲述西迁故事、弘扬西迁精神，增强学生作为重医人的自豪感，传承先辈们无私奉献的爱国之情。

4. 倾听学生的心声，让学生认识到爱国是最深沉、最持久的情感，爱国也并非只有崇高奉献，平凡人的爱国之情在于点滴实践。

**【教学设计】**

**一、导入**

视频导入：观看中印边境冲突视频，为国牺牲的四名烈士，他们用青春、鲜血乃至生命誓死守护祖国山河，英雄的纪念碑上永远镌刻着“清澈的爱，只为中国”。

以此引出爱国的话题，爱国是什么？爱国，是人世间最深沉、最持久的情感，是一个人立德之源、立功之本。

**二、展开**

**（一）国家的来源（你了解自己的祖国吗？）**

爱国是历久弥新的课题，孙中山曾说，做人最大的事情，就是知道怎样爱国。习近平在北京大学师生座谈会上说道：“做人要有气节，要有人格。气节也好，人格也好，爱国是第一位的。”那么何为“国”，我们又爱她什么呢？

让学生观看中国几千年疆域的流变，加深对中国的了解，熟知当今和平、安稳、强大的中国来之不易。

[探究] 通过“国”字的演变，让学生大胆讨论“国”是什么，进一步认识中国。

**（二）爱国主义的内涵**

爱国主义：它体现了人们对自己祖国的深厚感情，揭示了个人对祖国的依存关系，是人们对自己家园及民族和文化的归属感、认同感、尊严感与荣誉感的统一。它是调节个人与祖国之间关系的道德要求、政治原则和法律规范，也是中华民族精神的核心。

［讨论］个人对祖国的归属感、认同感、尊严感与荣誉感。

［强调］爱国不仅是道德要求，更是政治原则及法律规范。

**（三）爱国主义的基本要求**

［讨论］如何理解爱国主义四个基本要求的内在关联？

1. 爱祖国的大好山河　祖国的山山水水像母亲一样哺育着她的一代代子孙。在中国这片广袤的土地上，我们既可以欣赏“欲把西湖比西子，淡妆浓抹总相宜”的唯美画卷，也可以品味“横看成岭侧成峰，远近高低各不同”的奇妙景象，既可以感受“大漠孤烟直，长河落日圆”的悠远意境，也可以领略“东临碣石，以观沧海”的磅礴气势。爱国，是从深爱着这片苍天与厚土开始。

2. 爱自己的骨肉同胞　鲁迅曾说：“无穷的远方，无数的人们，都和我有关。”每个人都与自己的骨肉同胞血脉相连、命运与共。爱国，一定深爱着自己的骨肉同胞。

［案例］西迁故事

诗曰：“岂曰无衣，与子同袍”，2000多年前，古人吟唱着激昂慷慨、同仇敌忾的战歌。66年前，同样在这片中华大地上，一部“岂曰无医，与子偕行”的西迁故事波澜壮阔地拉开帷幕。1955年，遵照中央的指示，上海第一医学院将分迁至重庆，400余名上医人响应国家号召，毅然溯江而上，远赴贫困落后的巴山渝水，拓荒西部，白手起家，克服种种难以想象的困难，筹建了重庆医学院及附属第一医院、附属儿科医院。巴渝人民需要他们，于是他们义无反顾地磅礴而来。他们用青春与坚韧谱写了骨肉同胞血脉相连的赞歌，他们是英勇的先驱、燎原的火种、民族的脊梁，是最忠诚的爱国者，是一代代重医人及西部医疗事业永垂不朽的精神力量。

案例一：在华丽的西迁史上，最浓墨重彩的一笔，当属钱悳教授。钱悳，著名传染病学家、医学教育家、国家一级教授。他的一生，名如其人，“悳”字是“德”的古体字，从直从心，外得于人，内得于己也，是古语中君子品格的最高境界。即使在今天，钱悳依然是“德”的理想化身。于人，西迁一声令下，他身先士卒，勇于牺牲奉献，关键时刻他胸怀大局，用自己强大的人格魅力，凝聚西迁人心；重庆医学院危难时刻，他力挽狂澜，从上海第一医学院到重庆医学院鞠躬尽瘁。于己，他立心天地，高风亮节，治学严谨，淡泊名利。钱悳的一生，可以说，仰不愧于天，俯不怍于人，他是西迁的领路人，是西迁精神的铸魂者，更是重医人生生不息的“灯塔”。

案例二：著名骨科学专家，我国骨科创始人之一吴祖尧，上海第一医学院附属华山医院骨科原副主任，1958年，在西迁精神的号召下，他举家西迁重庆参与重庆医学院及其附属医院建设。自此他扎根西部，把热血挥洒在重庆医学院的骨科建设上，他醉心科研，医术精湛，创造了重庆骨科史上无数个“第一”，“重庆市第一例成功的断肢再植手术”“附一院的大门太神奇了，驼背走进去，挺直了走出来”……他开创骨科治疗新路径，他仁心系患者：“时不我待，人民群众需要我们搞出新的东西，我们必须争分夺秒。”他知道这是祖国和人民的需要，亦是他心之所向，能把热血和汗水挥洒在祖国最需要的地方，正是他一直秉持的初心！

案例三：朱祯卿，我国神经外科事业的奠基人，上海第一医学院神经外科开创者之一，1958年12月，西迁至重庆医学院附属第一医院，从上海第一医学院到重庆医学院，他克服巨大的环境落差，开创了重庆及西南地区的神经外科事业，他是“重庆开颅手术第一人”，勇攀医学科学高峰；他缔造了重庆神经外科“神话”，被誉为重庆医学院的“朱脑壳”，桃李芬芳，誉满西南。没有朱祯卿几十年如一日的无私奉献，重庆医学院附属第一医院神经外科就不可能在20世纪下半叶站到全国学术前沿。他不仅仁心济世，又侠骨柔情，他曾言爱神经外科就像爱自己的妻子。斯人已逝，丰碑无语，行者无言。先辈们的西迁精神将永远激励重医人不畏艰难，勇往直前。

［案例升华］西迁精神是重医最动人的爱国篇章，弘扬西迁精神，不仅增强学生作为重医人的自豪感，厚植医者仁心之道，更能传承先辈们热血奉献的爱国之情。

3. 爱祖国的灿烂文化　文化传统常被称为国家和民族的胎记，是一个国家和民族得以延续的精神基因，是培养民族心理、民族个性、民族精神的摇篮。人们或许会背井离乡，或许会彼此隔绝，但对祖国灿烂文化和历史传统的认同总会把彼此的心连在一起。正如习近平总书记所说，我们的同胞无论生活在哪里，身上都有鲜明的中华烙印，中华文化是中华儿女共同的精神基因。

［提问］你认为最能代表中国的文化形态有哪些？（让学生说一说他们引以为豪的中国文化精粹）

4. 爱自己的国家　爱国不是抽象的，而是具体的，不能脱离时代背景和具体条件。祖国的大好山河，自己的骨肉同胞，民族的灿烂文化，都是同我们的国家联系在一起的，我们每个人的发展也都时刻同国家的发展进步密切关联。失去国家的庇佑和保护，我们将失去成长和发展最基本的屏障和最坚实的依托。

［明辨］我爱国，国家爱我吗？（让学生展开讨论，倾听学生真实的心声，根据具体情况，及时解答学生面临的问题和困境。）

这是爱国主义教育不可回避的问题，这往往也是真正触发一个人爱不爱国的核心问题。国家是个人坚实的后盾及强大的依托，国家对个人的爱，更多是体现在集体上的，国家通过优化各种政策，促进民生建设、物质文化建设、精神文明建设等，整体提升国民待遇及生活水平。因此爱国一定是最动人的双向奔赴。

## 三、总结

### （一）专业知识或实践能力要点小结

本节课重点讲解了爱国主义的内涵及其基本要求，爱国是个人与祖国最动人的双向奔赴，同时强调了爱国并非只有崇高奉献，平凡人的爱国之情在于点滴实践。

### （二）思政育人要点小结

本节爱国主义教育将重庆医科大学身边典型案例融入教学中，让学生全方位、多层次深入体悟先辈们的爱国情，传承与弘扬西迁精神，厚植医者仁心之道，自觉做新时代最忠诚的爱国者。

## 四、课堂或课后练习

请学生自由结成小组，就“如何评价当下大学生的爱国主义精神？”这一论题，展开深入的研究性学习。搜集相关文献，展开讨论，完成2000～3000字的研学报告。

## 五、课后反馈

以西迁故事为经典案例融入爱国主义的教学中，以探讨式教学方式，润物细无声地走进学生的心灵深处，获得了学生及专家的一致好评，较以往的教学取得了令人欣喜的效果。

## 【课程思政解析】

思政课的课程思政，旨在把显性教育与隐性教育深度融合。它是启迪思想、触及心灵的课程。若不能真正地解答学生的思想困惑，触及学生的心灵，那么这门课必然会流于无效、无用、无意义。本节课是关于爱国主义的教学。爱国主义的核心问题是解决个人与国家的关系问题，是个人对祖国的依存关系，没有真诚的认同感，爱国主义教学很难触动学生心灵。尤其在经济全球化与互联网信息高度渗透化的时代，传统爱国主义赖以生成的时空与根基正发生着深刻的变化，今天我们所面对的青年大学生，在多元文化与纷繁复杂的信息的深刻影响下，他们的爱国情怀受到了巨大的冲击。因此，新时代讲好爱国主义精神，首先要对学生进行深入了解，贴近他们的生活，发掘身边经典案例，循循善诱，倾听他们的声音，了解他们的真实想法，才能有的放矢。

本节思政课的最大特色，是以西迁故事为经典案例的探讨式教学，贴近学生的生活，走进学生的内心，让学生围绕本校的西迁故事展开大量的讨论，制作情景剧、微电影等感知西迁人的初心爱国情，教师辅以提问，适度引导，合理输送，让学生在课堂交流与课后实践中把爱国主义情怀深度内化，进而外化为行为，身体力行，自觉做新时代的忠诚爱国者。

## 【推广应用效果】

西迁故事是重庆医科大学这片厚土上最动人的爱国篇章，作为本节课爱国主义教育的经典案例，在授课中主要有两个方面的应用：一是，课堂上通过图片及故事展示环节让学生初步了解西迁精神；二是，课后拓展以“西迁故事”为主题制作一部微电影或情景剧，让学生深入体悟身边人的爱国情，启发他们对爱国的理解，并引领他们传承先辈们生生不息的爱国精神。

学生在全方位、多层次深入了解及感悟西迁精神后，深受感染及鼓舞，不仅增强了其作为重医人的自豪感，更能自觉传承先辈们热血奉献的爱国之情。本次案例应用较以往的教学取得了令人意外的效果，从显性教育上达到了新时期爱国主义教育目的，隐性教育上厚植了医者仁心之道，取得了思政教学的显性教育与隐性教育效果的高度融合。

本案例荣获重庆市 2021 年思政课程与课程思政（学科德育）优秀案例及论文评选活动一等奖。

（苏冬雪）

# 案例九 思政课——奋力实现中国梦

**【课程名称】** 毛泽东思想和中国特色社会主义理论体系概论

**【授课内容】** 奋力实现中国梦

**【授课对象】** 医学相关专业学生

**【教学目标】**

一、专业育人目标

**（一）掌握**

1. 掌握中国精神和伟大抗疫精神的内涵，深刻理解两者与实现中国梦之间的内部联系。

2. 掌握弘扬中国精神和伟大抗疫精神的重要意义。

**（二）熟悉**

1. 中国精神是民族精神和时代精神的统一。

2. 伟大抗疫精神是中国精神的生动诠释。

**（三）了解**

1. 结合当今中国所面临的国际国内局势，分析弘扬中国精神对实现中国梦的重要意义。

2. 结合医学生树立职业理想和提高医德素养，探索当代医学生弘扬伟大抗疫精神的实践途径。

二、实践（临床）能力目标

通过理论教学和案例教学，坚定学生的“四个自信”，提高学生全面、客观地认识和分析当今中国所面临的世情、国情和党情的能力。通过实践教学，促使大学生将弘扬伟大抗疫精神与树立远大理想相结合，把课堂学习与社会实践相结合，提高学生的实践创新能力，厚植学生有温度的医德情怀，树立学生远大的职业理想，激励学生争当时代好医生、勇担民族复兴使命。

三、思政育人目标

通过教学，让学生深刻感受中国共产党是中国精神的最好继承者和弘扬者，增强学生对中国共产党和中国特色社会主义道路的认同感及热爱。引导学生在生活实践中自觉继承和弘扬中华民族爱国主义的优良传统，做一个忠诚的爱国者；引导学生自觉培育以改革创新为核心的时代精神，增强改革创新的自觉意识和责任感。增强学生的爱国主义情感，树立民族自豪感和自信心，让学生自觉地做中国精神的传播者、弘扬者和建设者。

**【教学设计】**

一、导入

**（一）课程导入**

播放习近平总书记为钟南山院士授予共和国勋章的视频。

问题 1：从钟南山院士的身上，我们能感受到什么样的精神？由此引出中国精神的概念。

**（二）阐明目标**

结合学生对引入问题的答案，简要回顾之前教学的内容，指明本堂课的教学内容框架和教学重难点。

二、展开

**（一）中国精神的内涵**

1. 伟大民族精神的内涵

（1）伟大创造精神：中国人民始终辛勤劳作、发明创造，铸就了辉煌灿烂的中华文明。进入新时代，让创造精神持续迸发，创造活力充分涌流。

（2）伟大奋斗精神：美好生活不能平白出现，要靠双手去创造，让奋斗精神照亮新时代的前行之路，就一定能够创造更加美好的生活。结合中国女排的案例，阐明伟大奋斗精神的内涵。

（3）伟大团结精神：千百年来，中国人民始终团结一心，形成了守望相助的中华民族大家庭。团结就是力量，团结才能前进，一个四分五裂的国家不可能发展进步。

（4）伟大梦想精神：中华民族是一个敢于做梦，也敢于圆梦的民族，秉持着天下为公的情怀，以勇于追求和实现梦想的执着精神砥砺前行。

2. 时代精神的内涵　通过播放与时代精神相关的视频，引出时代精神的两个核心要素：改革和创新。通过回顾民族精神中谈到的创造精神，阐明时代精神中的创新与之前讲到的创造精神的相同点（都具有创造新事物的特征）和不同点（时代精神中的创新更注重时代变迁中体现出的创新，更能反映不同时代的特点）。

通过回顾改革开放40多年的伟大成就，阐明改革反映了当代中国发展进步的要求，是鞭策我们与时俱进的精神力量。在讲授改革这个核心要素的时候，应提到当今中国仍然坚持全面深化改革，坚持将改革推向前去，为后续讲授四个全面中的全面深化改革做好铺垫。

**（二）弘扬中国精神对实现中国梦的重要意义**

问题2：在实现中国梦的过程中，弘扬中国精神的重要作用是什么？要求学生在课后将自己思考的答案发表在网络教学平台上。下次课教师会进行综合点评并对该问题进行进一步阐释。

**（三）中国精神的时代体现——伟大抗疫精神**

伟大抗疫精神是中国精神当前的时代体现，是中国精神的生动诠释。在这次抗疫斗争中，不屈无畏的亿万人民携手并肩，展现出强大的精神力量。在这一个教学环节，将结合重庆医科大学的校本素材和抗击新冠肺炎疫情过程中的典型案例，阐释伟大抗疫精神的五个方面的精神内涵。

1. 生命至上　集中体现了中国人民深厚的仁爱传统和中国共产党人以人民为中心的价值追求。

2. 举国同心　集中体现了中国人民万众一心、同甘共苦的团结伟力。

3. 舍生忘死　集中体现了中国人民敢于压倒一切困难而不被任何困难所压倒的顽强意志。

4. 尊重科学　集中体现了中国人民求真务实、开拓创新的实践品格。

5. 命运与共　集中体现了中国人民和衷共济、爱好和平的道义担当。

问题 3：为什么说伟大抗疫精神是中国精神的代表和生动诠释？

**（四）围绕“伟大抗疫精神”的专题式实践教学**

1. 学生作品和学生反响展示　在这一环节，首先展示学生在疫情期间合作完成的微视频作品《“战疫”重医人》和《共唱抗疫歌曲》，展现重医人在新冠肺炎疫情防控中的感人事迹，体现医学生对医护人员的支持和鼓励。在作品展示后，展示学生在网络教学平台上对微视频作品的热烈讨论，重点聚焦于医学生关于如何弘扬伟大抗疫精神的讨论内容，激发学生对于如何践行伟大抗疫精神的思考。

2. 引导学生思考。

问题 4：作为当代医学生，如何通过实践弘扬伟大抗疫精神？

阐明在概论课学习中将课堂学习与社会实践结合起来的重要意义，鼓励学生将学校小课堂和社会大课堂结合起来，结合自身的专业特点，围绕伟大抗疫精神设计实践主题。促使学生将弘扬伟大抗疫精神与医学生的职业理想相结合，引导学生树立远大理想，增强学生的爱国情怀。

### 三、总结

总结本次课程的内容，通过归纳和比较中国精神和伟大抗疫精神的精神内涵，引导学生思考伟大抗疫精神在中国精神谱系中的地位和作用，并要求学生在课后进一步探索中国精神谱系的构成，进一步思考弘扬中国精神对实现中国梦的重要意义。

### 四、课堂或课后练习

要求学生在课堂教学结束后，深入思考课程中提出的问题 2 和问题 4，在网络教学平台上提交答案，教师和学生都可以对同学提交的答案进行评价和反馈。在下一次课上，教师会对学生的答案进行综合点评，并对该问题进行进一步阐释。

### 五、课后反馈

本案例通过线上线下相结合的混合教学模式，将思想政治教育贯穿思政课的课前、课中、课后各环节，实现显性教育和隐性教育相统一；注重用好抗疫鲜活素材和校本素材，聚焦医学生的医德教育和职业理想教育，引导学生坚定职业信念，树立学生远大职业理想，实现价值性和知识性相统一；紧密围绕伟大抗疫精神设计“专题式”实践教学，激发学生热爱重医、热爱医学事业、热爱祖国、报效祖国的雄心壮志，厚植学生爱国情怀，实现理论性和实践性相统一；切实凸显学生主体地位，切实增强学生获得感，注重以学生为中心，构建以学生主动参与、师生双向互动、探究创新为主线的教学模式，实现主导性和主体性相统一。

## 【课程思政解析】

以思政课“八个统一”原则为指导，结合伟大抗疫精神的科学内涵和践行途径，以“弘扬中国精神，树医德塑信念”为课程设计核心理念，形成了本课的教学设计方案。在教学设计中，充分挖掘和应用“中国抗疫”中涌现的丰富案例，尤其是重庆医科大学的校本素材，通过线上线下相结合的混合教学模式，融入医德信念教育、职业理想教育和爱国主义教育等内容，引导医学生树立远大理想、坚定职业信念，激励学生争当时代好医生、勇担民族复兴使命。

**【推广应用效果】**

本案例获得重庆市2021年思政课程与课程思政（学科德育）优秀案例及论文评选活动优秀案例二等奖；基于本案例的教学展示获得重庆医科大学2020年课程思政创新设计大赛思政课程创新奖。

（唐　珊）

# 案例十　思政课——实践对认识的决定作用

**【课程名称】** 马克思主义基本原理

**【授课内容】** 实践与认识

**【授课对象】** 本科二年级学生

**【教学目标】**

**一、知识点育人目标**

1. 掌握　实践对认识的决定作用及其表现。
2. 熟悉　认识获得的途径，认识发展的动力。
3. 了解　实践是认识的目的，实践是检验认识真理性的唯一标准。

**二、实践（临床）能力目标**

1. 通过实践论的学习，提高学生运用马克思主义认识论的辩证思维能力。
2. 培养学生理论联系实际，在日常生活中发现问题、深入思考问题和解决问题的能力。
3. 了解实践第一的观点，自觉培育社会主义核心价值观和践行伟大抗疫精神。

**三、思政育人目标**

1. 培养学生理论联系实际、学以致用的意识和责任担当。
2. 使学生感受中国共产党的坚强领导和社会主义制度的优越性。在世界观、人生观和价值观上受到熏陶，达到潜移默化的效果。
3. 将理性引导和情感动员结合起来，强化“马克思主义基本原理”课程的理论力量和实践力量，培养学生为真理而献身的精神。

**【教学设计】**

**一、导入**

[提问]“实践出真知”这句话大家很熟悉，那么实践究竟是怎样出真知的？今天咱们就来进行哲学层面上的探讨。

[提问] 人的正确思想、科学理论等精神意识成果是从哪里来的呢？

**二、展开**

[讲解] 辩证唯物主义认为，在实践和认识之间，实践是认识的基础，实践在认识活动中起着决定性的作用。“实践的观点是辩证唯物论的认识论之第一的和基本的观点”。

[提问] 我国古代思想家曾提出“知行合一”的思想，“实践出真知”更是众所周知的观点，党的十八大以来，习近平总书记多次强调“知行合一”，要求党员干部既要加强理论学习，走在前列；又要结合实践，干在实处。给大家 1 分钟时间，想一想有关重视实践的诗词、谚语、成语，请几位同学举手回答。

[回答] 学生回答，教师必要时作一定的引导和补充。

[追问、讨论] 人的认识的产生最终在于实践，那么我们的思想、理论形成以后，实践还起作用吗？请看下面的案例并进行思考：根据材料如何理解“实践对认识的决定作用”？

**（一）实践是认识的来源**

［讲解］在新冠肺炎疫情发生早期，由于人们对新冠病毒的认识不足，一开始只是当作一般的发热及呼吸道症状进行救治。随着有同样症状患者的增多，人们开始认识到可能是感染某种病毒所致，接着医学专家证明，该病毒从分形上和病毒结构上，与2003年的严重急性呼吸综合征冠状病毒有大约80%的相似度，且存在人传人的现象。在救治患者的实践过程中，人们逐渐加深了对新冠病毒的认识，体现了实践是认识的来源。

［提问］既然实践是认识的来源，医学专家在救治患者的实践中获得了对于新冠病毒的认识，那么没有参与救治患者的人又是怎么获得关于新冠病毒的认识呢？（引出人们获得认识的途径有两种：直接经验和间接经验）

［分析］纸上得来终觉浅，绝知此事要躬行。知识从“纸上得来”是不是对“实践是认识的来源”这一说法的否定呢？如果你想知道砒霜是否有毒，是否就要亲口尝一尝才能知道呢？

强调间接经验和直接经验同样重要。

［总结］认识的内容是在实践活动的基础上产生和发展的。人们只有通过实践实际地改造和变革对象，才能准确把握对象的属性、本质和规律，形成正确的认识，并以这种认识指导人的实践活动。离开实践的认识是不可能产生的。一切真知都是从直接经验发源的。

**（二）实践是认识发展的动力**

［讲解］感染患者的增多，给隔离和救治带来了一定困难，我国在第一时间组织全国力量援鄂，经过党中央的坚强领导和全国人民的共同努力，我国有效控制住了疫情。其中，我国医学专家勇于担当，争分夺秒与病毒赛跑，并成功分离出了病毒毒株和研发出了新冠疫苗。我校第一时间组织专家进行火线攻关，成功研发了国内首款获批准上市的化学发光法新冠病毒抗体检测试剂盒。

播放视频：《火线攻关》《习近平总书记在全国抗击新冠肺炎疫情表彰大会上的讲话》片段。

可以看出，实践推动了认识越来越深入，越来越正确，实践是认识发展的动力。目前，虽然人们对新冠病毒的认识还不全面，新冠病毒也还存在变异的情况，但随着实践的发展，人们对新冠病毒的认识必将越来越深入、越来越全面。由于实践的需要推动认识的产生和发展，推动人类的科学发现和技术发明。正如恩格斯说：“社会一旦有技术上的需要，这种需要就会比十所大学更能把科学推向前进。”古代水利工程、建筑、航海、战争等的需要，催生了古代的天文学、数学和力学等自然科学。这说明实践的需要是认识发展的动力。一方面，实践的需要推动了认识的发展；另一方面，实践还创造出了推动认识发展的新工具和新方法。例如，对新冠病毒进行试验分析的仪器，都是实践活动的产物。

更为重要的一点是，实践改造了人的主观世界，锻炼和提高了人的认识能力。人们正是在实践的推动下，不断打破认识上的旧框框，突破头脑中的旧思想，引起认识上的新飞跃，从而不断有所发现、有所前进。

**（三）实践是认识的目的**

［讲解］为了救治病毒感染患者，为了防止进一步感染，医学专家对新冠病毒的认识不断深化，根据病毒传播的特征，采取了有效措施（如利用中医药）救治感染患者，为

控制疫情蔓延做出卓越的贡献。这体现了实践是认识的目的。

人们通过实践获得某种认识，其最终目的是为实践服务，指导实践，以满足人们生活和生产的需要，促进人自由而全面地发展。

**（四）实践是检验认识真理性的唯一标准**

［讲解］真理不是自封的。认识是否具有真理性，既不能从认识本身得到证实，也不能从认识对象中得到回答，只有在实践中才能得到验证。我国医学专家通过无数次试验，成功分离出了病毒毒株，为救治感染患者和疫苗研发做出了巨大贡献。关于疫苗的研发同样也经过了无数次的临床试验，最终才获批上市。这体现了实践是检验认识真理性的唯一标准。

［课堂小结］通过以上内容的学习，我们知道人的认识从实践中产生，服务于实践。随着实践发展，并接受实践的检验。实践是认识的来源、动力、目的和检验其真理性的标准，实践决定认识。所谓实践第一，理由就在这里。2018 年 5 月 2 日，习近平总书记在北京大学师生座谈会上强调："'纸上得来终觉浅，绝知此事要躬行。'学到的东西，不能停留在书本上，不能只装在脑袋里，而应该落实到行动上。"作为当代青年，我们要树立实践第一的观点，勇于实践，敢于担当，不断提升综合素质，在实现中国梦的征程中书写自己的青春华章。同时，我们也要看到，认识对实践也有能动的反作用，正确的认识能够指导实践活动更好地开展，错误的认识则可能误导甚至是阻碍实践活动的开展，这要求我们在实践过程中要不断寻求真理，用正确的认识来指导实践。

## 三、总结

**（一）专业知识要点小结**

通过本节课的学习，我们可以得出，实践对认识的决定作用表现在以下几个方面：①实践是认识的来源；②实践是认识发展的动力；③实践是认识的目的；④实践是检验认识真理性的唯一标准。

**（二）思政育人要点小结**

1. 通过本节课的学习，学生明白了实践在认识活动中的重要性，自觉树立实践第一的观点。

2. 培养学生理论联系实际，在日常生活中发现问题、深入思考问题和寻求解决方法的能力。

3. 引导青年学生自觉弘扬和践行伟大抗疫精神，增强他们的责任与担当意识，努力成长成才！

## 四、课堂或课后练习

1. 在网络教学平台阅读参考资料。

2. 在网络教学平台完成课后练习题。

3. 预习下一章节的内容。

## 五、课后反馈

**（一）案例优点**

本节课以课堂讲授的形式讲授了实践对认识的决定作用，选取了学生熟悉并亲身经过和感受过的抗疫案例。人们对新冠病毒的认识，是人们在抗击疫情的实践中不断获得的。案例与课程知识点内容较为切合，融合度较高，便于讲授，学生也易于接受。

**（二）存在的实际困难和问题**

1. 大班授课且人数较多，小组讨论难以开展。

2. 部分同学对思政课的重要性认识不足，不愿投入更多的时间和精力，绝大多数同学只是做到了上课认真听。

3. 学生的课后阅读情况参差不齐，总体阅读质量不高，少数学生甚至未参与课后阅读。

**（三）今后的改进思路和注意事项**

1. 采用现代教育技术，利用网络教学平台，继续优化课程教学设计，进一步提高学生的课堂参与度和课堂教学效果，增强育人实效。

2. 加大对学生课后阅读的指导和监控，培养学生养成阅读马克思主义经典著作的良好习惯。

## 【课程思政解析】

1. 本课程讲授过程中，涉及中国传统文化中的“知行合一”思想，让学生感受中国传统文化中的“知行”思想，坚定文化自信。谈到利用中医药治疗新冠病毒感染者，使学生认识到中医药的重要性，弘扬传承中医药文化。

2. 强调实践对认识的决定作用，使学生树立实践第一的观点，不仅要重视理论的学习，更要用科学的理论武装头脑、指导实践、推动工作，达到学以致用的目的。引导青年学生认识到，要想成就一番事业，不仅要努力学习，而且要潜心实践。作为医学生不仅要重视课本知识的学习，更要在临床实践中进行学习。

3. 播放我校科研工作者《火线攻关》视频，引导学生爱校，坚定学科自信，培养医学生的社会责任感和使命担当。

4. 讲述我国抗疫的行动力和取得的成绩，使学生感受党的坚强领导和中国特色社会主义制度的优越性，从而坚定党的领导，坚定走中国特色社会主义道路的信心和决心。

5. 强调实践是检验真理的唯一标准，引导学生将理论和实践相结合。不能迷信权威，要敢于打破常规，勇于创新，只有经过实践反复验证的才是正确的，从而培养学生正确世界观和创新精神。

## 【推广应用效果】

本节课坚持立德树人理念，将思想引领和价值引导寓于知识传授之中，同步实现了价值塑造、能力培养、知识传授三位一体的教学目标。教学内容与现实结合紧密，贴合学生实际；教学方法适当，学生参与度高，课堂互动气氛好，极大提高了学生的获得感，较好地实现了课程的整体育人功能。

（朱锡斌）

# 案例十一　思政课——让改革创新成为青春远航的动力

【课程名称】思想道德与法治

【授课内容】让改革创新成为青春远航的动力

【授课对象】本科一年级学生

【教学目标】

一、专业知识目标

1. 掌握　坚持爱国爱党爱社会主义相统一。
2. 熟悉　改革创新是新时代的迫切要求。
3. 了解　做改革创新生力军。

二、实践（临床）能力目标

1. 掌握　新时代爱国主义的基本要求。
2. 熟悉　为什么实现中国梦必须弘扬中国精神。
3. 了解　大学生如何走在改革创新的时代前列。

三、思政育人目标

1. 深入学习贯彻党的二十大精神，贯彻落实全国和全市高校思想政治工作会议精神，落实习近平总书记对建设教育强国、实现高等教育内涵式发展的深刻阐述。

2. 结合“一二·九”运动，引导青年学子肩负起社会责任和历史责任，以青春奋进的姿态迎接新时代的到来。

【教学设计】

一、导入

1. 理性爱国主义相对来说是客观的，同时也是积极进取的，它把爱国热情以理性、积极的方式表达出来。理性爱国不是空喊口号的行为，而是把自己爱国热情真实地表达出来。

2. 播放爱国主义教学短片，铺垫、浸润爱国主义教学氛围。作为大学生，我们是祖国未来几十年的中坚力量，更需要学习和处理好爱国热情和理性爱国二者之间的关系。

3. 课堂教学以相关系列活动为背景和铺垫，以组织辩论赛为形式彰显本课思政元素。辩题可拟为爱国更需要热情，或爱国更需要理性。

二、展开

**（一）立论环节**

1. 正方一辩立论，阐述本方观点，时间为 3 分钟。提示时间。
2. 反方一辩立论，阐述本方观点，时间为 3 分钟。提示时间。

**（二）驳论环节**

1. 反方二辩针对正方立论观点进行反驳，时间为 2 分钟。提示时间。
2. 正方二辩针对反方立论观点进行反驳，时间为 2 分钟。提示时间。

**（三）攻辩环节**

1. 攻辩环节提问方只能问，回答方只能回答，不得反问。

正方三辩提问反方一、二、四辩各一个问题，反方辩手分别应答。每次提问时间不得超过 15 秒，三个问题累计回答时间为 1 分 30 秒。

反方三辩提问正方一、二、四辩各一个问题，正方辩手分别应答。每次提问时间不得超过 15 秒，三个问题累计回答时间为 1 分 30 秒。

2. 攻辩小结：正方一辩进行小结，时间为 1 分 30 秒；反方一辩进行小结，时间为 1 分 30 秒。

**（四）自由辩论环节**

每方 4 分钟，首先由正方先开始，双方交叉应答。

**（五）结辩环节**

1. 反方陈词，时间为 3 分钟。提示时间。

2. 正方陈词，时间为 3 分钟。提示时间。

三、总结

1. 爱国情感是形成爱国理性的前提、基础，是爱国行动和力量的原始发动机。爱国主义教育最为首要的是动之以情，将蕴藏在广大人民群众中的爱国激情、爱国情感、爱国情怀，充分地激发出来，激发得越广泛、越深入、越全面，越有利于爱国行动和力量的形成。

2. 爱国理性是引导爱国情感发挥的方向盘。爱国是理性思考后的慎重、持久、深层次、多样化的选择，绝不是单纯的情感发泄和冲动。任何爱国情感、情怀的发挥，都要以爱国理性作指引，作方向盘。

3. 对新时代中国青年来说，热爱祖国是立身之本、成才之基。而要真正发挥浓厚的强烈的爱国情感和爱国理性的作用，则要尽可能地做到两者之间的结合和统一。

四、课堂或课后练习

**（一）学习，理论铸魂**

颂红色革命，主题班会教育或革命纪念馆参访。

抒爱国情怀，主题征文教育，主题征文（或诗歌朗诵比赛）。

话青年之志，主题实践教育，活动体验。话青年之志，圆青春梦想。

**（二）实践，服务学习**

以践行服务学习为主要内容，进一步总结、巩固近年来学校学生社会实践成果，培养青年学生的社会主义核心价值观认同，组织开展纪念“一二·九”运动暨××年学生暑期社会实践优秀团队成果汇报会，弘扬志愿服务精神。

**（三）文化，滋养精神**

爱我中华，创文艺精品。以爱国主义为题材，以“爱我中华”为主题，举行爱我中华一二·九新生文艺会演活动。

爱我家园，凝爱国真情。以学生会为主导，以学院为单位，思政教师全程参与指导，组织开展征集“寄语‘一二·九’，凝聚爱国情”三行情诗线上征集活动，并进行线上投票，评选优秀作品。

### 五、课后反馈

热爱自己的祖国，爱国体现了人们对自己祖国的深厚感情，反映了个人对祖国的依存关系，是人们对自己的家园、民族和文化的归属感、认同感、尊严感与荣誉感的统一。爱国是公民应有的道德情操，是中华民族的优良传统。国是属于每一个公民的，爱自己就是爱国。公民活得有尊严，表示国家有尊严。社会主义制度下，实行人民民主专政，国家属于人民，人民是国家的主人。这样，公民爱国，实际上就是爱自己国家的人民，捍卫公民自己的根本利益。

### 【课程思政解析】

加强新时代爱国主义教育，是实现中华民族伟大复兴中国梦及着力于“举旗帜、聚民心、育新人、兴文化、展形象”与固本培元、凝心铸魂的伟大工程。要融入贯穿国民教育和精神文明建设的全过程，要紧密结合社会背景和时代特征辩证认识及处理若干重大关系，其中最为主要的是情和理、知和行、古和今、中和外、点和面、破和立这六大关系。爱国主义教育是常谈常新的育人主题，也是大学生思想政治教育研究的重要内容。专业的爱国主义实践教学，只有贯彻“大思政”理念，主动融入学校育人体系，特别是团学育人系统，才能真正发挥全员、全方位、全过程育人之实效，唱响爱国主义教育的主旋律，进一步夯实爱国主义教育的时效性和实效性。据此，本课教学特以“一二・九”爱国主义教育实践主题为范例。

### 【推广应用效果】

承续爱国情，放飞青春梦。纪念“一二・九”爱国主义主题教育系列活动，以诗词竞赛、学习活动、志愿实践、文艺展演为主要内容，打造通博精品，是展现高校学子精神风貌的系列实践教学。

（郭笑雨）

# 案例十二 思政课——中国精神是兴国强国之魂

**【课程名称】** 思想道德与法治

**【授课内容】** 中国精神是兴国强国之魂

**【授课对象】** 本科一年级学生

**【教学目标】**

一、专业知识目标

1. 掌握 中国精神的内涵、构成；民族精神、爱国主义的定义。

2. 熟悉 中华民族崇尚精神的优秀传统；爱国主义基本内涵的表现。

3. 了解 为什么说实现中国梦必须弘扬中国精神。

二、思政育人目标

1. 引导和帮助学生理解中国精神的历史底蕴、构成及其在实现中华民族伟大复兴中国梦过程中的重要意义。

2. 掌握民族精神、爱国主义的定义，激发爱国报国之情。

3. 培育将自身发展与祖国命运紧密结合的家国情怀。

**【教学设计】**

一、导入

问题导入法：我们常说中华文明是世界四大文明古国中唯一没有中断的古老文明，这一论断令中华儿女油然而生一种自豪之情。然而大家可曾思考过：为什么中华文明能够成为唯一没有中断的古老文明呢？

诚然这一问题的答案是复杂的，学界至今仍在研讨之中，但不可否认的是，中华民族伟大的精神力量在其中起到了不容忽视的作用。习近平总书记指出："人无精神则不立，国无精神则不强。精神是一个民族赖以长久生存的灵魂，唯有精神上达到一定的高度，这个民族才能在历史的洪流中屹立不倒、奋勇向前。"

究竟是怎样一种精神支撑中华民族在历史长河中生生不息、薪火相传，创造出光辉灿烂的文明？在中国日益接近世界舞台中央的今天，我们又需要怎样的精神来凝聚全民族的力量实现伟大复兴的中国梦呢？

二、展开

**（一）崇尚精神是中华民族的优秀传统**

1. 表现在对物质生活与精神生活相互关系的独到理解上。

2. 表现在对理想的不懈追求上。

3. 表现在对品格养成的重视上。

结合教材关于这几个要点所引用的典籍、文化常识进行讲解，帮助学生理解中华民族崇尚精神的优秀传统和民族性格。这种传统普遍存在于全体国民之中，因而具有强大的感召力和凝聚力。

**（二）中国精神的丰富内涵**

在数千年的历史进程中，崇尚精神的中华民族孕育了丰厚的中国精神内涵体系，包括伟大创造精神、伟大奋斗精神、伟大团结精神、伟大梦想精神。

［案例］中国精神的杰作：“人工天河”红旗渠。

以学生熟悉的愚公移山的故事为参照，使学生感受集四种伟大精神于一身的红旗渠精神的伟力。

红旗渠位于河南安阳林州市，林州市处于河南、山西交界处，历史上严重干旱缺水。林县（今林州市）人民在极其艰难的条件下，从太行山腰修建引漳入林工程，被称为“人工天河”。红旗渠总干渠全长 70.6 公里，干渠支渠分布全市乡镇，有效灌溉面积达到 54 万亩（1 亩≈666.7 平方米），很大程度上缓解了林县干旱缺水的状况。红旗渠工程历时近 10 年，先后有 81 位干部和群众献出了宝贵的生命。

中国共产党是中国精神的忠实继承者和坚定弘扬者。在中国共产党的百年征程中，形成了坚持真理、坚守理想、践行初心、担当使命、不怕牺牲、英勇斗争、对党忠诚、不负人民的伟大建党精神，这是中国共产党的精神之源。还形成了包括抗疫精神、脱贫攻坚精神在内的中国共产党人的精神谱系，展示了中国共产党人崇高的精神风范，极大丰富了中国精神的内涵。

**（三）实现中国梦必须弘扬中国精神**

2013 年 3 月 17 日的第十二届全国人民代表大会第一次会议，习近平总书记第一次把中国精神和中国梦联系起来，提出了“中国精神”的概念。

中国精神就是以爱国主义为核心的民族精神和以改革创新为核心的时代精神。由于时间关系，本节课我们学习以爱国主义为核心的民族精神。

实现中华民族伟大复兴的中国梦，必须大力弘扬中国精神，培育中华民族共同的精神家园，振奋起全民族的“精气神”，凝聚民族复兴的磅礴伟力。

民族精神的定义：是一个民族在长期共同生活和社会实践中形成的，为本民族大多数成员所认同的价值取向、思维方式、道德规范、精神气质的总和，是一个民族赖以生存和发展的精神支柱。

一部中华民族的发展史，就是一部中华儿女的爱国奋斗史。中国人很早就形成了以天下兴亡、人民安康为己任的家国情怀。这种精神和情怀在重庆医科大学老一辈医学家严家贵教授身上得到了充分体现。

［案例］西迁来渝的严家贵教授一生报国，忘我奉献。

严家贵教授是从上海第一医学院西迁来渝的著名病理解剖学专家。1941 年，他从国立上海医学院毕业后，留校于病理解剖学教研室任教。当时正值抗日战争时期，严家贵满怀报国热忱，加入国际红十字会救护总队，在缅甸前线参与医疗救护工作。中华人民共和国成立不久，朝鲜战争爆发，他再次不顾个人安危，受命赴朝鲜前线，任中国人民志愿军防疫检验队病理检验室主任。为表彰他的工作成就和贡献，朝鲜人民政府授予他二级国旗勋章。

1957 年，严家贵响应国家号召，举家西迁来渝，参加筹建重庆医学院的工作。离沪前，妻子已身患不治之症，自知不久于人世，希望他能留居故里。严家贵强忍内心悲痛，说服爱人和他同去重庆。抵渝后不久，妻子便离开人世，严家贵只能更加忘我地投入工作来抚平心灵上的创伤。他在创校初期艰苦的条件下积极开展教学和科研工作，承担了全市医疗及法律纠纷的尸体解剖任务。对肺吸虫感染、钩端螺旋体病等传染病开展了深入的研究，多篇论文在《中华病理学杂志》上发表，并在全国较早地开展肾穿刺工作和肝炎的组织化学科研工作，在全国获得好评。

通过该案例的讲述，让学生了解老一辈医学家无私奉献，爱国报国的感人事迹，从而激发学生向前辈学习，投身祖国建设的热情，同时也帮助学生更加深切地理解爱国主义的内涵。

爱国主义的定义：爱国主义体现了人们对自己祖国的深厚感情，揭示了个人对祖国的依存关系，是人们对自己家园及民族和文化的归属感、认同感、尊严感与荣誉感的统一，是调节个人与祖国之间关系的道德要求、政治原则和法律规范。

祖国是祖先开辟的生存之地，后经生生不息世代繁衍而形成的“一片固定疆土”。人们对祖国的归属感、认同感、尊严感与荣誉感体现为对于国土、国民、文化和国家主权等要素的感情，因此爱国主义的基本内涵主要表现在以下四个方面：爱祖国的大好河山；爱自己的骨肉同胞；爱祖国的灿烂文化；爱自己的国家。

国家是小家的寄托，更是个人的寄托；是物质利益的寄托，更是精神家园的寄托。爱国主义是中华民族的民族心、民族魂，激励着一代又一代中华儿女为祖国的发展繁荣而自强不息、不懈奋斗。

三、总结

通过本节课的学习，我们首先明确了中华民族是一个崇尚精神的民族，而精神是一个民族赖以长久生存发展的灵魂。以爱国主义为核心的民族精神和以改革创新为核心的时代精神都是中国精神的重要组成部分。要实现中华民族伟大复兴的中国梦，必须弘扬中国精神。

四、课堂或课后练习

人无精神则不立，国无精神则不强。结合实际，谈谈为什么中国精神是兴国强国之魂。

五、课后反馈

学生通过本节课的学习，掌握了中国精神的内涵，对中国精神在实现中华民族伟大复兴的中国梦的历史进程中所具有的作用和意义有了比较深刻的认识。通过课程中案例的讲述，学生普遍感受到爱国报国情感的激发，认识到个体与祖国命运的紧密联系，并思考如何将个人发展与国家民族的前途联系起来。

## 【课程思政解析】

学生对于自己祖国悠久灿烂的文明，有一种自然而普遍的自豪之情，应该引导他们认识到精神力量在创造和延续这种古老文明中的作用和价值。中华民族是一个崇尚精神的民族，这种崇尚精神的传统帮助我们这个民族在历史的洪流中屹立不倒、奋勇向前，普遍存在于中华儿女的灵魂深处。同时应强调：中国共产党是中国精神的忠实继承者和坚定弘扬者。这在党的革命、建设、改革各个历史时期都有鲜明体现，在中国特色社会主义新时代，党和全国人民更要继承和发扬这一优良传统。中国精神和中华民族伟大复兴是相辅相成的，中国精神的振奋和彰显既是中华民族伟大复兴的题中应有之义，又是实现中国梦的强大动力。

理解了中国精神的定位和作用，就可以顺理成章地讲解中国精神的内涵，以及民族精神、爱国主义等概念的含义、内容及要求。通过案例讲述，引导和帮助学生从历史与现实的结合中理解中国精神的历史底蕴、作用意义，并使学生在学习过程中了解和共情爱国传统，从而培育将自身发展与祖国命运紧密结合的家国情怀。

## 【推广应用效果】

本节课程设计逻辑清晰，先以问题导入法吸引学生注意力，激发学生思考。再引用领袖著述，增强立论高度，加深学生记忆。进而层层递进讲解中国精神、民族精神、爱国主义等概念的定义、内涵、表现、要求。在授课中，通过案例讲述激发学生的爱国之情和投身中国特色社会主义伟大实践的报国之志，避免了空洞的说教和照本宣科，具有较强的实效性。

（郑梓南）

# 案例十三　思政课——道德的功能与作用

**【课程名称】** 思想道德与法治

**【授课内容】** 道德的功能与作用

**【授课对象】** 本科一年级学生

## 【教学目标】

### 一、专业知识目标

1. 学习“道德作用的主要表现”：道德是提高人的精神境界、促进人的自我完善、推动人的全面发展的内在动力，是人类文明得以延续和发展的重要条件。

2. 辨识“道德无用论”与“道德万能论”，树立正确的道德观。

3. 加深医学生对“德乃医之魂”的理解。

### 二、思政育人目标

育人为本，德育为先。在学习道德基本理论的同时，通过案例教学、启发式教学等方法，引导医学生结合自身实际，深入思考，自觉树立正确的道德观；在投身崇德向善的实践中不断提高道德品质，成长为“医术精湛、医德高尚”的医务工作者。

## 【教学设计】

### 一、导入

**（一）互动提问**

问题1：2020年注定是我们一生中不平凡的一年，怎么不平凡呢？

（引导性结论）答：抗击新冠肺炎疫情。

问题2：疫情发生的时候，我们作为普通人怕吗？我们是怎么做的？

（概括性答案）答：怕的。宅在家，能不出门，尽量不出门。

问题3：可是却有这样一群人，他们出征了……为什么？

开放性回答，引发学生对医务人员逆行出征内生力的思考。

**（二）5组抗疫缩影**

1.“不计报酬、无论生死”，按上红手印的抗疫“请战书”。

2. 4天3晚“千里走单骑”的甘如意。

3. 推迟结婚领证的护士，与前来看望自己的男友，隔着玻璃亲吻。

4. 为了避免交叉感染，她们剪掉了心爱的长发。因长时间佩戴口罩，脸上被压出了深深的压痕。双手因为反复消毒被泡得水肿。

5.“去时青丝、归来白发”；有的还以身殉职。他们从未犹疑，从未动摇，就如来时的坚定。

**（三）提出问题**

1. 当新冠肺炎疫情发生的时候，您觉得医护人员怕吗？

2. 您认为是什么力量驱使无数的医务工作者“不计报酬、无论生死”、义无反顾、奔赴前线，与时间赛跑，与病魔较量？

3. 您如何评价“逆行”的医务人员？医务人员是“天生的英雄”吗？

二、展开

**（一）分析问题**

1. 插入视频。辽宁援鄂医生王哲的视频——“穿防护服那一刹那，真怕啊！怕呀，为啥不怕？我也是普通人呀！面对死亡时，有人跟你说‘不怕’，你就真能不怕了？”既然也曾害怕，那为什么还要义无反顾，“逆行”奔赴一线呢？

2. 对比援鄂医务人员对自己援鄂行为的评价及我们对援鄂医务人员的评价，在“截然相反”的评价中，探寻原因？

（1）大量的医务工作者这样评价自己：

“科室里就两个人，我不回去，同事连个换班的人都没有”

“我是汶川人，地震的时候大家帮助过我，我是来报恩的”

“其实，我不过就是一个看病的大夫”

“没什么好说的，我只是做了自己的本职工作”

……

（2）我们广大人民群众是这样评价他们的：

“伟大的、崇高的医务工作者”

“对生命充满敬畏，大爱无疆、救死扶伤”

“他们是英雄。他们的行为体现了医者仁心”

……

**（二）得出结论**

1. 道德是提高人的精神境界的内在动力　正是因为他（她）们早已将“敬畏生命、救死扶伤、甘于奉献、医者仁心、大爱无疆”的医者情怀、医德精神融入自己的灵魂中，早已成为影响自己一生的价值追求和精神力量。他们才会觉得自己做的是最平常、最普通、最本职的工作。他们是一群普通人，没有金刚罩体、三头六臂，也不想当英雄。他们有的只是对人民的赤诚，对生命的敬畏。这正是崇高医德的魅力之所在。

2. 道德是促进人的自我完善、推动人的全面发展的精神力量

（1）成长是传承。在全国4万多名支援湖北医务人员中，有12 000多名90后、00后的年轻人，他们用行动证明了自己的责任、担当和价值。昨天父母眼中的孩子，今天已然成为新时代共和国的脊梁，成为国家的希望。

（2）曾经是你，今天是我。“2003年非典的时候你们保护了我们，今天轮到我们来保护你们了。”

“哪里有什么白衣天使，不过是一群孩子换了一身衣服。”

年轻的医护人员在这次历练中得到成长，更懂得了“救死扶伤”的深刻含义。要保障人民的生命健康、救死扶伤、治病救人，不仅要有精湛的医学技术，还要有高尚的医德，良好的职业修养。

3. 美德是人类文明得以前进的重要条件　平凡之中孕育伟大。美好的德性散发出人性的光辉。他们无私的举动铸就了伟大的灵魂。由小爱到大爱，推动着整个社会的美好发展，在社会中凝聚成一股向上向善的力量。“天使白”“橄榄绿”“守护蓝”“志愿红”

迅速集结，肩并肩、共同战斗，迅速地控制住了新冠肺炎疫情的蔓延。正如亚当·斯密曾说，仁爱是社会大厦的花环。

**（三）观点辨识**

学生组成两队，分别谈谈自己对“道德万能论”和“道德无用论”的看法。在激烈的争辩中，正确认识道德的作用。

1. 正确认识“道德万能论”。

2. 正确认识“道德无用论”。

在看到道德具有重大作用的同时，也必须看到道德发挥作用的性质并不都是一样的。道德发挥作用的性质与社会发展的不同历史阶段相联系，由道德所反映的经济基础、代表的阶级利益所决定。只有反映先进生产力发展要求和进步阶级利益的道德，才会对社会的发展和人的素质的提高产生积极的推动作用。

**（四）情感升华**

中国医学生誓言：

健康所系，性命相托。

当我步入神圣医学学府的时刻，谨庄严宣誓：

我志愿献身医学，热爱祖国，忠于人民，恪守医德，尊师守纪，刻苦钻研，孜孜不倦，精益求精，全面发展。我决心竭尽全力除人类之病痛，助健康之完美，维护医术的圣洁和荣誉，救死扶伤，不辞艰辛，执着追求，为祖国医药卫生事业的发展和人类身心健康奋斗终生。

提问：请结合“中国医学生誓言”，思考医学生如何加强自身的道德修养。

医学直面人的生命，是以人为本的社会中最体现生命关怀的一种事业。这是一份崇高的、神圣的职责担当。同学们要在学好医学科学文化知识的同时，加强自身的医德修养，努力成为“医术精湛、医德高尚”的医务工作者。

## 三、总结

本次课，我们通过对比普通人（包括我们自己）和医务人员在新冠肺炎疫情发生初始时的不同表现，通过对“平凡的医务群体”感人事迹的分析，深入探讨了驱使他们“逆行”奔赴前线的内动力，并结合本节课教学目标要求，引导学生思考，层层递进得出“道德的作用”；辨识“道德万能论”和“道德无用论”，帮助学生进一步正确对待道德的作用；最后，落脚于大学一年级新生的德性修养的现实问题中，引导他们向优秀的医务工作者学习，自觉树立正确的道德观，在投身崇德向善的实践中不断提高道德品质，成长为“医术精湛、医德高尚”的医务工作者。

## 四、课堂或课后练习

1. 如何理解“德乃医之魂”？

2. 如何提升医学生的医德修养？

## 五、课后反馈

授课教师在深入分析教学目标和教学内容的基础上，了解授课对象的思想特点，紧密结合社会现实，展开教学设计。在授课的过程中，通过案例教学法、探究式教学法、启发式教学法、理论讲授法的综合运用，以理服人、以情动人，引导医学生自觉地树立正确的道德观，明确“德乃医之魂”的重要意义，能在投身崇德向善的实践中不断提高道德品质。这样的教学设计科学合理，触及学生心灵，课堂教学效果良好，得到学生的真心喜爱。

【思政课程解析】

本课程主要讲道德的社会作用。要提高医学生思想政治教育的实效性和时效性，必须促使教材体系向教学体系转化，达到内化到化外的统一。因此，授课教师在进行教学设计时，必须紧跟时代、紧抓医科类院校人才培养的目标和要求，紧贴医学生的思想现状，关照学生、关怀学生、服务学生。教学设计中，通过互动式提问，激发学生学习的兴趣和思考的积极性；通过图片展示和先进事迹分析，让医学生有更深的情感触动，在内心形成强烈的生命关怀之意；通过探究式学习和自由发言，坚持主导性教学和主体性思考相结合，激发学生对崇高医德的渴望和追求，激发学生自觉投身崇德向善的实践中，不断提高医德修养，成长为德才兼备的医务工作者。

【推广应用效果】

授课教师遵循此次教学设计进行课堂教学，教学效果良好，深受学生好评，并以此教学案例参加教学比赛，先后荣获重庆医科大学 2020 年课程思政创新设计大赛决赛“思政课程创新奖”、2020 年重庆医科大学思政课教师教学能力大赛一等奖和重庆市 2021 年思政课程与课程思政（学科德育）优秀案例及论文评选活动特等奖。

（伍林生　严春蓉）